金刻本《素問》

主　編◎錢超塵
副主編◎王育林　劉　陽

《黃帝内經》版本通鑒
第一輯

北京科学技术出版社

圖書在版編目（CIP）數據

金刻本《素問》/ 錢超塵主編. —北京：北京科學技術出版社，2019.3
（《黃帝内經》版本通鑒. 第一輯）
ISBN 978 – 7 – 5714 – 0093 – 4

Ⅰ. ①金…　Ⅱ. ①錢…　Ⅲ. ①《素問》　Ⅳ. ①R221.1

中國版本圖書館 CIP 數據核字（2019）第018231號

金刻本《素問》（《黃帝内經》版本通鑒・第一輯）

主　　編：錢超塵
策劃編輯：侍　偉　吴　丹
責任編輯：吕　艷　周　珊
責任印製：李　茗
責任校對：賈　榮
出 版 人：曾慶宇
出版發行：北京科學技術出版社
社　　址：北京西直門南大街16號
郵政編碼：100035
電話傳真：0086–10–66135495（總編室）
0086–10–66113227（發行部）　0086–10–66161952（發行部傳真）
電子信箱：bjkj@bjkjpress.com
網　　址：www.bkydw.cn
經　　銷：新華書店
印　　刷：北京虎彩文化傳播有限公司
開　　本：787mm × 1092mm　1/16
字　　數：270千字
印　　張：22.5
版　　次：2019年3月第1版
印　　次：2019年3月第1次印刷
ISBN 978 – 7 – 5714 – 0093 – 4/R・2580

定　　價：**590.00元**

《〈黄帝内經〉版本通鑒·第一輯》編纂委員會

前言

中醫是超越時代、跨越國度、具有永恒魅力的中華民族文化瑰寶，是富有當代價值、保護人體健康的生命科學，它將伴隨中華民族而永生。中醫學核心經典《黄帝内經》，包括《素問》和《靈樞》，奠定中醫理論基礎，指導作用歷久彌新，是臨床家登堂入室的津梁，理論家取之不盡的寶藏，是研究中國傳統文化必讀之書。

讀書貴得善本。章太炎先生鍼對中醫讀書不注重善本的問題，指出：『近世治經籍者，皆以得真本爲亟，獨醫家爲藝事，學者往往不尋古始。』認爲這是不好的讀書習慣；又説：『信乎，稽古之士，宜得善本而讀之也！』閲讀《黄帝内經》，必須對它的成書源流、歷史沿革、當代版本存佚狀况有明確的認識，纔能選擇佳善版本，獲取真知。

《黄帝内經》某些篇段出於战國時期，至西漢整理成文，《漢書・藝文志》載有『《黄帝内經》十八卷』。西晋皇甫謐《鍼灸甲乙經》類編其書，序云：『《黄帝内經》十八卷，今《鍼經》九卷，《素問》九卷，即《内經》也。』説明《黄帝内經》一直分爲兩種相對獨立的書籍流傳，一種名《素問》，一種名《鍼經》。《鍼經》即《靈樞》的初名，在流傳過程中也稱《九卷》《九靈》《九墟》，東漢末張仲景、魏太醫令王叔和均引用過《九卷》之名。

《素問》的版本傳承相對明晰。南朝梁全元起作《素問訓解》存亡繼絶，唐初楊上善類編《太素》取之。唐中期乾元三年（七六〇）朝廷詔令《素問》作爲中醫考試教材。唐中期王冰以全元起本爲底本作注，收入『七篇大論』，改爲二十四卷八十一篇，爲《素問》的流行奠定基礎。北宋天聖五年（一〇二七）、景祐二年（一〇三五）兩次以全元起本爲底本雕版刊行。北宋嘉祐年間（一〇五六—一〇六三）校正醫書局林億、孫奇等以王冰注本爲底本，增校勘、訓詁、釋音，仍以二十四卷八十一篇刊行。此後《素問》單行本均以北宋嘉祐本爲原本，歷南宋（金）、元、明、清至今，形成多個版本系統。二十四卷本，以金刻本（存十三卷）、元讀書堂本、明顧從德覆宋本、明無名氏覆宋本、明周曰校本、明《醫統正脉》本爲代表；十二卷本，以元古林書堂本、明熊宗立本、明趙府居敬堂本、明吴悌本爲代表；五十卷本，即道藏本；此外還有明清注家九卷本、日本刻九卷本等。南宋、北宋及更早之本俱已不存。

《靈樞》在魏晋以後至北宋初期的傳承情況，因史料有缺而相對隱晦。唐初楊上善類編《太素》收入《九卷》。唐中期王冰注《素問》引文，始有『靈樞經』之稱。因存本不全，北宋校正醫書局未校《靈樞》。遲至元祐七年（一〇九二），高麗進獻《黃帝鍼經》，始獲全帙，於元祐八年（一〇九三）正月由北宋政府頒行。此後《靈樞》再次沉寂，至南宋紹興乙亥（一一五五），史崧刊出家藏《靈樞》，將原本九卷校正並增修音釋，勒成二十四卷。此本成爲此後所有傳本的祖本，流傳至今形成多個版本系統。其中二十四卷本，以明無名氏仿宋本、明周曰校本爲代表；十二卷本，以元古林書堂本、明熊宗立本、明趙府居敬堂本、明田經本、明吴悌本、明吴勉學本爲代表；二十三卷本，即道藏本；此外還有明詹林所二卷本、道藏《靈樞略》一卷本、日本刻九卷本等。

《素問》《靈樞》各有單行本之外，《黄帝内經》尚有類編本。西晋皇甫謐《鍼灸甲乙經》，將《素問》《九卷》《明堂孔穴鍼灸治要》三書類編，但編輯時『删其浮辭，除其重複』，故與《素問》《靈樞》對勘，《鍼灸甲乙經》文句每不全足。唐代楊上善《黄帝内經太素》三十卷，將《九卷》《素問》全文收入，不加删掇，詳加注釋。《黄帝内經太素》的文獻價值巨大，但南宋之後却沉寂無聞，直到清光緒中葉，學者楊守敬在日本發現仁和寺存有仁和三年（八八七，相當於唐光啓三年）舊鈔卷子本，存二十三卷，遂影寫携歸，一時轟動醫林。嗣後日本國内相繼再發現佚文二卷有奇，至此《太素》現存二十五卷，堪稱《黄帝内經》版本史上的奇迹。

綜觀《黄帝内經》版本歷史，可謂一縷不絶，沉浮聚散；視其存亡現狀，又可謂同源異派，星分飄零。現存《黄帝内經》善本分散保存在國内外諸多藏書機構，此前囿於信息交流、印刷技術，從未有大規模集中最優秀版本出版的先例。當今電子信息技術發展日新月異，互聯網的普及使信息交流具有前所未有的廣泛性、時效性，乘此東風，《黄帝内經》現存的諸多優秀版本得以鳩聚刊印，爲中醫從業者及愛好者、傳統文化學者集中學習、研究提供便利。《〈黄帝内經〉版本通鑒》叢書，是首次對《黄帝内經》精善本的大規模集中解題、影印，目的是保存經典、傳承文明、繼往開來，爲振興中醫奠基，爲中華文化復興增添一份助力。

《〈黄帝内經〉版本通鑒·第一輯》，精選十二部經典版本，包含《素問》八部，《靈樞》二部，《黄帝内經太素》一部，《黄帝内經明堂》一部。列録如下。

①金刻本《素問》；②元古林書堂本《素問》；③元古林書堂本《靈樞》；④明熊宗立本《素問》；⑤明嘉靖無名氏覆宋刻本《素問》；⑥明嘉靖無名氏仿宋刻本《靈樞》；⑦明吴悌本《素問》；⑧明趙府居敬堂本《素問》；⑨明萬曆朝鮮内醫院活字本《素問》；⑩日本摹刻明顧從德本《素問》；⑪仁和寺本《黄帝内經太素》；⑫仁和寺本《黄帝内經明堂》。

這十二部經典版本，其特點如下。

（1）金刻本《素問》，是現存刊刻時代最早的版本，其年代相當於南宋時，版本價值極高。

（2）元古林書堂本《素問》《靈樞》各十二卷，刊刻時代僅次於金刻本，且所據底本爲孫奇家藏本，總體精善，此本已進入聯合國教科文組織《世界記憶亞太地區名録》。

（3）最新發現的『明嘉靖無名氏覆宋刻本《素問》』『明嘉靖無名氏仿宋刻本《靈樞》』各二十四卷合刊本，疑爲明嘉靖前期陸深所刻。此本《素問》各藏書機構多誤録作顧從德覆宋刻本，今考證得實，宇内尚存至少四部，擇品相優者影印推出，屬於史上首次。此本《靈樞》在一九九二年曾由日本經絡學會在版本不明的情况下影印出版，流傳稀少，今考證尚存世至少六部，兹擇品相佳者影印推出，在國内亦屬首次。

（4）《素問》《靈樞》合刊本兩種最具代表性：元古林書堂本是《素問》《靈樞》十二卷本之祖；明

嘉靖無名氏本是現存《靈樞》二十四卷本之祖，同刊《素問》是明周曰校本的底本。

（5）明代其餘四種《素問》均以元古林書堂本爲底本刊刻，而各有特色：熊宗立本爲明代最早，摹刻極工，添加句讀；吴悌本是罕見的去注解白文本；趙府居敬堂本品相上佳，是長期流傳廣泛的國内通行本之一；朝鮮内醫院活字本是現存最早《素問》活字本。

（6）日本摹刻明顧從德本《素問》屬『後出轉精』之作。此本爲日本安政三年（一八五六）由度會常珍所刻，所據底本爲澀江全善藏顧從德本，另據《黄帝内經太素》等校改誤字，澀江全善及森立之父子並參校讎。

（7）仁和寺本《黄帝内經太素》，屬類編《黄帝内經》最經典版本。原卷子抄寫時將楊上善撰注的《黄帝内經明堂類成》殘卷列首（因《黄帝内經太素》缺第一卷），今別析分刊。

本套叢書内的仁和寺本《黄帝内經太素》及《黄帝内經明堂》之底本由北京神黄科技股份有限公司總經理王和平先生免費提供，此義舉體現了王先生襄贊中華文化傳承事業的殷殷之念，在此謹致謝忱與敬意。

《〈黄帝内經〉版本通鑒》卷帙浩大，爲出版這套叢書，北京科學技術出版社章健總編、侍偉主任，以及編輯吴丹、吕艷、李兆弟等同仁以極高的使命感和責任心，付出了極大的心血和努力，克服了諸多困難，終成其功，謹此致以崇高敬意。相信這套叢書的推出，必不辜負同仁之望，在促進中醫藥事業發展、深化祖國傳統文化研究、增强國家文化軟實力等諸多方面做出應有的貢獻。

囿於執筆者眼界、學識，諸篇解題必有疏漏及訛誤之處，請方家、讀者不吝指正。

錢超塵

［説明：爲更準確地體現版本、訓詁學研究的學術内涵，撰寫時保留了部分異體字的使用，所選擇字樣如下：欬（欬嗽）、鍼（鍼灸）、並（並且）、併（合併）、嶽（山嶽）、異（異同）。］

目録

《黄帝内經》版本通鑒·第一輯

金刻本《素問》

解題　錢超塵

解題

今世所傳《素問》除元古林書堂本、元讀書堂本較早外，其餘多爲明代刻本。《中華再造善本》影印讀書堂本云：『據中國國家圖書館藏元讀書堂刻本影印，原書版框高十六點四厘米，寬十一厘米。』馬繼興《中醫文獻學》七十五頁云：讀書堂刊本，今北京圖書館藏一部，有『癸未歲』。按，元代有癸未歲二個，一爲一二八三年，一爲一三四三年，不知孰是。筆者檢遍全書，未發現『癸未歲』三字，僅在總目録後看到『讀書堂刊』四字。『癸未歲』三字當是圖書鑒定者所書。讀書堂本凡二十四卷，遺篇一卷，全稱《新刊黄帝内經素問》，而元古林書堂本作《新刊補注釋文黄帝内經素問》，改二十四卷爲十二卷，總目録下有『元本二十四卷今併爲一十二卷刊行』。按，『元本』即『原本』。明顧從德本《素問》又改稱《重廣補注黄帝内經素問》。讀書堂本王冰『素問序』末僅有『將仕郎守殿中丞孫兆重改誤』，古林書堂本同，明顧從德本在其後增高保衡、孫奇、林億三人官銜及名字。古林書堂本『解精微論』末有一長方木印『至元己卯菖節/古林書堂新刊』，表明古林書堂本《素問》爲一三三九年刊行。明代刊刻《素問》較多，如熊宗立本（一四三四）、田經本（一五二五）、趙府居敬堂本（一五二二—一五六六）、吴悌本（一五二二—一五六六）、正統道藏本（一四三六—一四四九）以及明顧從德本（一五五〇），其中以顧從德本流傳最廣。近年從中國國家圖書館發現金代（一一一五——一二三四）刊刻《黄帝内經素問》一部，原書二十四卷，亡篇一卷，今存卷三至卷五，卷十一至卷十八，卷二十，亡篇一卷，共十三卷。這對《素問》之研究具有重大意義。

此書卷三首葉『黄帝内經素問卷第三』標題下有『國立北平圖書館收藏』方形圖章，可知此書一九四九年前藏於國立北平圖書館，今稱中國國家圖書館，藏書號爲『01191／157』。圖書館於此書封面寫有如下鑒定文字：『黄帝内經素問二十四卷、亡篇一卷。存十三卷：三至五、十一至十八、二十、亡篇。唐王冰注。金刻本，五册。』

王冰編次注釋之《素問》（即王冰次注本）爲二十四卷，其時已亡卷七之『刺法論』『本病論』。今存之《素問》金刻本，雖僅及王冰次注本二分之一，然其價值不可以卷數多寡觀，此書在《素問》版本學、校勘學及《素問》釋音之研究上，真可謂價值連城也。

一　版本承傳

現存最早之王冰《素問》刻本，首推金刻殘存十三卷本。

南宋王應麟（一二二三——一二九六）《玉海》卷六十三云：

天聖四年（一〇二六）十月十二日乙酉，命集賢校理晁宗慤、王舉正校定《黄帝内經素問》《難經》、巢氏（元方）《病源候論》（唐志五十卷）。五年（一〇二七）四月乙未，令國子監摹印頒行。詔學士宋綬撰『病源序』。

景祐二年（一〇三五）七月庚子，命丁度等校正《素問》。

嘉祐二年（一〇五七）八月辛酉，置校正醫書局於編修院，命掌禹錫等五人，從韓琦之言也。琦言《靈樞》《太素》《甲乙經》《廣濟》《千金》《外臺秘要方》之類多訛舛，《本草》編載尚有所亡。於是選官校正。

政和八年（一一一八）四月二十四日詔刊正《内經》。重和元年（一一一八）十一月十五日詔以《内經》考其常，以《天元玉册》極其變。

據《玉海》所載，北宋從一〇二六年至一一一八年九十二年間，《素問》校定刊行凡四次：①天聖四年校正，五年刊行本（一〇二七）；②景祐二年刊行本（一〇三五）；③嘉祐年間校正刊行本（一〇五六—一〇六三）；④政和八年校正刊行本（一一一八）。按，政和八年之下半年改爲重和元年，故一一一八年有『政和』與『重和』兩個年號。重和元年十一月十五日詔以《素問》與《天元玉册》對比考證疾病、天時之『常』與『變』，未重新校正刊行《素問》。以上刊行之《素問》本，均已亡佚，至可惜也。

又據清代孫星衍（一七五三—一八一八）《平津館鑒藏書籍記》云：『《新刊補注釋文黄帝内經素問》十二卷，題「啓玄子次注，林億、孫奇、高保衡等奉敕校正，孫兆重改誤」。總目一卷後題云：「原本二十四卷，今併爲一十二卷刊行。」總目前有：「本堂今求到元豐孫校正家藏善本，重加訂正，分爲一十二卷。」』所云『元豐孫校正家藏善本』者，謂孫奇家藏之善本《素問》也。元豐（一〇七八—一〇八五）上距嘉祐之《素問》刊本僅十五六年，其所藏者，爲嘉祐年間校正醫書局所刊刻之《素問》也。此本即今尚存之胡氏古林書堂本，藏中國國家圖書館。

據清《天禄琳琅書目續編》載，南宋紹定年間（一二二八—一二三三）曾刊刻《素問》二十四卷：『重廣補注黄帝内經素問（一函十册）。每版心有「紹定重刊」四字。林億等於仁宗嘉祐中奉敕校正。據表云伏念旬歲，是神宗時方告成鋟梓。此則南宋理宗時重雕，版式字數尺寸仍照原帙。』今亦不傳。

總之，北宋、南宋刊行之《素問》，均已亡佚。

金刻本雖爲殘卷，但却是現存最古老之本，居於現存所有二十四卷《素問》本之首位。金刻本從未再次刊刻。

金刻本缺序跋，不詳刊行年月。

金代於北宋政和五年（一一一五）建國，至南宋端平元年（一二三四）國亡，凡一百二十年。從北宋之末至南宋後期金與宋對峙，兩國戰争連綿。《金史》無《藝文志》，難考金代藝文圖籍。筆者詳考《八史經籍志》《補遼金元藝文志》《補三史藝文志》、岡西爲人《宋以前醫籍考》及《日本現存中國散逸古醫籍》第一、二、三集，皆未見此本著録。唯丁福保、周云青編纂之《四部總録醫藥編》於《黄帝内經素問二十四卷》下著録云：『金刊本，附亡篇一卷。』此係指現藏於中國國家圖書館之金刻本殘卷及亡篇一卷而言，但無解題。《中國醫籍通考》第一卷在『黄帝内經素問·現有版本』條下有『金刻本』三字，亦無該書之介紹。《中國醫籍通考》對金刻本之著録，應爲未睹該書，襲用《四部總録醫藥編》之成説。考丁福保、周云青編纂之《四部總録醫藥編》，資料豐贍、信實有據。該書『編者的話』指出：『《四部總録》是一部包括經、史、子、集四部，專搜羅古代以至近代學者著作而以現今還有傳本爲限，並備載前人序跋、解題的一種書目。』因『四部總録』篇卷極爲浩大紛繁，乃於一九五八年將子部醫家類著作先行提取，更名爲《四部總録醫藥編》，該書收録原則之一爲『確知有刊版或鈔本、稿本存在者』乃收入該書。一九九一年天津科學技術出版社的《黄帝内經詞典·黄帝内經書目彙考》著録：『金刻本（殘存卷三至五、十一至十八、二十）。』

《素問》金刻本雖在中國醫書目録中有著録提及，但在中國從未刊行，研究醫史文獻者鮮知其書，故中華書局於一九八七年出版之《古籍目録》無金刻本《素問》之著録。

《素問》金刻本現仍珍藏於中國國家圖書館，以其珍秘，故借閲不易；以其奇珍，故知見者鮮，更無論研讀者矣。《中華再造善本叢書》影印之，日本オリユント出版社影印發行之，其嘉惠醫林、宏揚學術之功何其偉哉！

二　版本特點

《素問》金刻本原二十四卷，沿用北宋林億、孫奇、高保衡等奉敕校正《素問》之卷數、卷次。所亡之卷亡佚於何時不詳，刻印書坊不詳。

《素問》自元順帝至元五年（一三三九）方由二十四卷改爲十二卷。元古林書堂《新刊補注釋文黄帝内經素問總目》標題後有一長方木印，内刻『是書乃醫家至切至要之文，惜乎舊本訛舛漏落，有誤學者。本堂今求到元豐孫校正家藏善本，重加訂正，分爲一十二卷，以便檢閲。衛生君子，幸垂藻鑒』五十九字。該書卷十二末亦有一長方木印，内刻『至元己卯菖節古林書堂新刊』十二字。通稱此本爲古林書堂本，這是將二十四卷本改爲十二卷本之首先開例者，後之十二卷本皆仿古林書堂本。

《素問》卷數之分合，幾經演變。明正統（一四三六——一四四九）道藏本改爲五十卷，明初又有改爲九卷本者。欲考《素問》二十四卷本之原卷次之演變軌迹，金刻本當爲首考之本。

細閲金刻本，其刊刻特點如下。

第一，書名爲《黄帝内經素問》，無『新刊』『新刊補注釋文』『重廣補注』等字樣。清代於敏中（一七一四——一七八〇）《天禄琳琅書目》有考：

《重廣補注黄帝内經素問》，一函十册。二十四卷。唐王冰注，宋林億、孫奇、高保衡校正，孫兆改誤。前億等進書序，次冰原序。按，晁公武《讀書志》、陳振孫《書録解題》俱稱王冰自號啓元子。陳氏又稱其爲寶應中人，官太僕令……又按，《宋史·藝文志》及晁、陳諸家著録，皆第稱《黄帝内經素問》二十四卷，而無『重廣補注』之名，則此本定爲明人翻刻時所加名目。且《書録解題》但稱林億、高保衡承詔校定，並無孫奇之名，亦不言有孫兆改誤之事，今本增入孫奇、孫兆二人，則『重廣補注』之名，當即爲此二人所加矣。

《天禄琳琅書目》謂『重廣補注』四字爲明人翻刻宋版時據孫奇、孫兆所增而刊行，廣布後世。

第二，金刻本每有訛字，當與顧從德摹宋本校讀。舉例如下。（见表1）

表一　金刻本與顧氏摹宋本訛字校讀

篇名＼版本	金刻本	顧氏摹宋本
靈蘭秘典論	①肺爲相傳之官 ②『謀慮出焉』王冰注：『勞而能斷』 ③以此養生則壽，没世不殆 ④『非齋戒擇吉日不敢受也』王冰注：『深敬故也』	①肺者相傳之官（按，依上下句語例，當作『肺者』） ②王冰注中『勞』作『勇』。作『勇』是 ③『没』作『殁』 ④『敬』字缺末筆，保持北宋刊本舊觀。金刻本不避
六節藏象論	①天有十日，日六竟而周甲 ②『太過不及奈何？岐伯曰：在經有也』林億云：『詳王注言玉機真藏論已具，彼中篇言脉之太過不及』	①『竟』字缺末筆。宋太祖趙匡胤之祖父名趙敬，故避其嫌名（同音字）。金刻本不避 ②林億『詳王注言玉機真藏論已具，按，本篇言脉之太過不及』。按，金刻本脱『按』字。『彼中』二字作『本』字是
移精變氣論	①外無伸宧之形 ②『故可移精祝由而已』王冰注：『夕隱朝游禽獸之間』	①顧本『宧』誤作『官』。『伸』是『申』的後出字。古文『申』與『臾』形近（『臾』是貴字的古文形體，見《説文》草部『蕢』），當做『外無貴宧之形』，與上句『内無眷慕之累』構成對偶句。作『伸官』大誤。此句金刻本可貴 ②王冰注『間』作『門』，誤，當作『間』

续表

篇名＼版本	金刻本	顧氏摹宋本
湯液醪醴論	①「帝曰何以然」王冰注：「言何以能完堅耶」 ②「今之世不必已何也」王冰注：「言不必如中古之世用也」 ③「鍼石道也」王冰注：「志意違背於師爾故也」 ④其有不從毫毛生而五藏陽以竭也 ⑤「其有不從毫毛生」王冰注：「陰氣中盛，陽氣竭絶」	①王冰注「耶」作「邪」 ②王冰注「用」字作「何」。是 ③王冰注「爾」作「示」。是 ④「而」字在「生」字上。按，金刻本義長 ⑤王冰注「中盛」之「中」作「内」。作「内」義長

第三，金刻本行距、字距疏密適當，清爽便讀，每葉十三行，經文每行二十二字，注文皆爲雙行小字，每行三十字。顧本每葉十行，經文每行二十字，雙行小注，每行三十字。

第四，金刻本白口，雙魚尾，上面魚尾號下刻有《素問》卷數，下面之魚尾號下刻有本卷之葉數。書口此種刊刻方式與明顧從德摹宋本大異。顧本亦爲白口，書口僅一個雙魚尾號，下刻「内經」二字及卷數，其下爲葉數，再下爲刻工姓名。金刻本無刻工姓名。

第五，金刻本凡注文重疊之第二字皆以「〃」表示，而顧本皆用原字重疊。如金刻本「靈蘭秘典論」「願聞十二藏之相使」注「藏〃也」，顧從德摹宋本作「藏藏也」。又如本篇「恍惚之數生於毫厘」注

『老子曰：恍＝惚＝』，顧從德本作『恍恍惚惚』。

第六，金刻本『敕』字上空一格，表示禮敬，其式如下：『啓玄子次注，林億、孫奇、高保衡奉　敕校正，孫兆重改誤。』元讀書堂本、元古林書堂刊本、明熊宗立刊本、明顧從德本等『敕』字上均無空格。按，舊式當有空格，以示對敕命之恭謹虔敬。考日本仁和寺藏《黄帝内經太素》抄寫本，『敕』字上亦空一格，是其證也。『敕』上留一空格，當爲金刻本之又一特徵。

第七，不避宋帝名諱。《宋史》卷一百零八《禮志》云：『紹熙元年（一一九〇）四月詔，今後臣庶命名，並不許犯祧廟正諱。如名字現有犯者，併合改易。』《容齋三筆》卷十一云：『本朝尚文之習大盛，故禮官討論，每欲其多，廟諱遂有五十字者。舉場試卷，小涉疑似，士人輒不敢用，一或犯之，往往暗行黜落，方州科舉尤甚，此風殆不可革。』考顧從德摹刻宋本《素問》多諱字。森立之、澀江全善《經籍訪古志》卷七『重廣補注黄帝内經素問二十四卷・明代摹刻宋本』條指出：『右本與顧氏所刻同，此北宋板重雕者，若殷、匡、炅、恒、玄、徵、鏡字並缺筆，其楮墨鋟摹，並臻精妙。』陳垣《史諱舉例》卷八『宋諱例』第七十八節詳舉北宋、南宋各朝皇帝名諱及避諱之法，如宋太宗趙炅初名匡義，又名光義，於是改『義』爲『毅』，改『炅』缺末筆。宋《紹定禮部韵略》載《淳熙重修文書式》，列舉十七個帝王之名避諱法，如『炅，古迥切』下云：『炯、耿、扃、憬等十六字』因與『炅』同音皆需避之。金代受宋代影響，亦染避諱之習（見陳垣《史諱舉例》）卷八『遼金諱例』），但不似宋之嚴格。故凡遇宋之帝諱，於《素問》經文注釋及《素問・音辨》中概不避諱。『炅』字在金刻殘卷音辨中皆不缺筆。如『舉痛論』『長刺節論』『調經論』的『音辨』中之『炅』字皆不缺筆，此尤可證此《素問》刻於金代而非刻於兩宋也。

第八，篇名有的頂格，有的低四格；新校正與王冰注之間，有的空一格，有的用『◑』號隔開，有的用陰陽圈隔開，版式不一。十五卷以前，凡篇名均低正文四字刻版，自十五卷『皮部論』開始，篇名皆頂格刻版。卷三『靈蘭秘典論』『六節藏象論』王冰注與新校正之間皆空一格，以醒眉目。至卷三『五藏生成』及卷五諸篇王注與林校之間，或用單圈，或用陰陽圈，或空一格，體例不一，表現刻工的隨意性和制定版式時的非周密性。

第九，全書由於受潮而紙質變黴變黑，字迹多有晦暗不清晰處。

三　釋音絶異

金刻本與顧本最大不同處是釋音。總的印象是，金刻本釋音頗多，字下多附訓詁；顧本釋音甚少，字下幾無訓詁。這是一個非常值得注意的重大學術問題。

《新唐書·藝文志》卷五十九《明堂經脉類》云：『王冰注《黄帝素問》二十四卷，《釋文》一卷。』是王冰曾撰《素問釋文》一卷絶無疑義。《素問釋文》與《素問注》分别刊行，未附於《素問》每卷之末。唐人爲《素問》訓釋音義非自王冰始，楊玄操曾撰《素問釋音》一卷，今佚。爲醫書作音義，爲唐醫家時尚。據丹波元簡《醫籍考》載，日本藤原佐世《日本國見在書目録》著録《素問音訓並音義》五卷，《素問改錯》二卷，並佚。丹波元簡云：『右二書唐宋諸志並係失載，藤原佐世編《現在書目録》在寬平中，時當唐季，則是書殆出於隋唐間歟？』今存之《素問音義》唯見金刻《素問》殘卷及顧本每卷末之釋音。對比觀之，不禁令人爲之驚異不已。僅舉其大異者言之。

（一）音義標題不同

金刻殘卷卷三之末作『内經音辨』四字，下釋『靈蘭秘典論』『六節藏象論』『五藏生成』『五藏别論』四篇難字讀音與詞義。明顧從德摹刻宋本無『内經音辨』四字。金刻本卷四、卷五、卷十、卷十二、卷十三卷末作『音辨』二字，無『内經』二字。卷十四之末逕作釋音而無標題。卷十五、卷十六、卷十七、卷十八卷末作『音釋』二字。則金刻本之釋音標題有四種：一作『内經音辨』，一作『音辨』，一作『音釋』，另一種無標題。而顧氏摹宋本皆無標題。

（二）所釋之字多寡不同

金刻本殘卷所釋難字音義數量遠遠超過顧本。如『五藏生成』金刻本訓釋音義凡二十二字，顧本訓釋十二字；『氣交變大論』『五常政大論』兩篇訓釋音義凡一百一十二字，顧本此兩篇共訓釋十八字。金刻本釋義對今人編『内經字典』與字書、辭書有參考價值。

（三）金刻本反切與顧本反切上下字有所不同（見表2）

表2 金刻本反切與顧氏摹宋本反切上下字比較

篇名＼版本	金刻本音辨卷十二	顧氏摹宋本卷十二
風論	癘音例。數入聲。灑所賣切 怢他對、他没二切，肆也、忘也、忽也與㦖㦖也 眦在計切。俞腧同，音庶 䐜音嗔 潰胡對切。中去聲。腦奴皓切 飧音孫。惡去聲。皏普耕切，白也 差楚介切。診之忍切。嚇音赫 嗌於昔切，咽也。炲音臺，煤炲 頸音景	癘音利。潰胡對切。腦奴皓切
痹論	痹音閉。著直略切。噫乙介切。數入聲。尻去高切，脽也 欬口亥切。飧音孫。澀所立切。易音異。俞音庶，腧同 瘳敕留切。灑所賣、所綺二切 悍音捍。慓音漂。肓音荒 濇所力切，又澀同	盲音荒（按，顧本「盲」字誤，當作「肓」）

痿論	厥論
痿於危切。薄兵各切。著直略切 躄必亦切，跛也。脛乎正切 髖音寬。臏音牝。溲所久切，小便也。漸子廉切。别兵節切 蠕而兖切，或作蠕，動也 滲所禁切	眴音舜，瞚瞬同。顑於交切 仆匹候切又匐覆二音，倒也。骱户當切，脛也 䐜音嗔。溲所有、所求二切，小便也 嗌於昔切。髦音毛 痓充至切
躄必亦切。髖音寬。尻枯敖切 揔音總。臏音牝	顑於交切，凹也。讝音儼 僵居良切。仆音赴。髦音毛

通過比較可以清楚地看到，金刻本所釋之音義遠較顧氏摹刻本爲詳。『風論』二者相同者三字，金刻本增釋十六字；『痹論』二者相同者一字，金刻本增釋十五字；『痿論』二者相同者三字（躄、髖、臏），金刻本無而爲顧氏摹刻宋本獨有者二字（尻、揔），金刻本增釋七字；『厥論』二者相同者三字（顑、僕、髦），金刻本無而爲顧氏摹刻宋本獨有者二字（讝、僵），金刻本增釋四字。

爲什么出現這種現象？筆者認爲，顧從德摹宋本之釋音尚保存北宋校正醫書局之釋音原貌，而北宋校正醫書局於每卷末所附之釋音，當取自王冰《素問釋文》，此書原單獨成册，林億等乃分附於各卷之末。金刻本之音辨（又稱『音釋』）當出宋金人之手。何以知金刻本之《音辨》出自宋金人之手者，筆者搜出一力證。金刻本卷十六『骨空論篇第六十』之《音釋》云：『髖，音寬，臗同。在髀上。《字説》謂污穢所隱。』考《字説》乃王安石所撰。王安石（一〇二一—一〇八六）北宋人，與林億、高保衡、孫奇、孫兆同時，熙寧間（一〇六八—一〇七七）作《字説》，元豐五年（一〇八二）完成，風行天下。

金刻本之《音釋》引《字説》，則其『音釋』當成於元豐五年稍後也。而此時即北宋嘉祐（一〇五六—一〇六三）、治平（一〇六四—一〇六七）、熙寧（一〇六八—一〇七七）及元豐間（一〇七八—一〇八五）間，林億等正全力以赴校正《素問》。《素問》林億序云：『頃在嘉祐中，仁宗念聖祖之遺事將墜於地，乃詔通知其學者俾之是正。臣等承乏典校，伏念旬歲。』僅校正其十分之三四，『餘不能具』，於是復『采漢唐書録古醫經之存於世者，得數十家』。考北宋校正醫書局成立於嘉祐二年（一〇五七），若自此年校正《素問》，經『伏念旬歲』，即經過十餘年，僅『十得其三四』，後又經若干歲月，方『正謬誤者六千餘字，增注義者二千餘條』，乃成《素問》之校定本，其時已在元豐之年矣，故乃得引用《字説》於音辨中。因此，筆者認爲金刻本之《音辨》出自宋金人手。

（四）可用金刻本之《音辨》與顧本之釋音互校

金刻本之《音辨》訛字較少，顧氏摹宋本之釋音訛字較多。舉例言之。（见表3）

表3 金刻本與顧氏摹宋本釋音對比

篇名＼版本	金刻本	顧氏摹宋本
五藏生成	頏胡浪切	頑胡浪切（當作『頏』）
湯液醪醴論	莝音剉，斬草也	莝音剉，斬也（按，脱『草』字）
診要經終論	跗方無切，足上也	跗音閉（當音方無切）
舉痛論	絀竹聿、式出二切	絀丁骨切
腹中論	胦，烏朗切	胦，鳥朗切（當作烏朗切）
痹論	肓音荒	盲音荒（當作肓）

金刻本之音辨亦偶有誤字，當據顧氏摹宋本校之。如金刻本『刺要論』『拆，桑故切』，顧本作『泝，音速』。當作『泝』。總地來看，金刻本『音辨』訛字較顧氏摹宋本爲少。

四 素問遺篇

（一）遺篇亡於何時

『素問遺篇』指『刺法論』『本病論』二篇，亡於王冰前。《素問·病能論》『所謂揆者，方切求之也，言切求其脉理也。度者，得其病處，以四時度之也』。王冰注：『凡言所謂者，皆釋未了義。今此所謂，尋前後經文，悉不與此篇相接。似今數句稍成文義者，終是別釋經文。世本既闕第七二篇，應彼闕經錯簡文也。』林億於『六元正紀大論』下附『刺法論』『本病論』篇名，云：『詳此二篇，亡在王注之前。按，『病能論』篇末王冰注云「世本既闕第七二篇」，謂此二篇也，而今世有《素問亡篇》及《昭明隱旨論》，以謂此三篇，仍托名王冰爲注。辭理鄙俚，無足取者。』林億謂『亡在王冰前』，亡佚具體時間不明。《躋壽館醫籍備考》卷一云：『蓋《素問》，東漢以降，第七卷既亡失。「鍼灸甲乙經序」並《隋書・經籍志》載梁《七録》亦云只存八卷。』皇甫謐於魏甘露年間（二五六—二六〇）撰《鍼灸甲乙經》稱《素問》『亦有所亡失』，是『刺法論』『本病論』至遲於漢末魏初已亡佚矣。故全元起《素問訓解》無此二篇，《黄帝内經太素》亦無徵引。

（二）遺篇僞托於何時

林億謂『今世有《素問亡篇》及《昭明隱旨論》』，則《素問》遺篇於北宋嘉祐前已流行。考王冰次注《素問》二十四卷之時，另撰《玄珠》，以彰《素問》之秘，約於王冰卒後《玄珠》即亡佚，故林億謂：『今有《玄珠》十卷，《昭明隱旨》三卷，蓋後人僞托之文也。』其僞托時間約在王冰次注《素問》之公元七六二年之後至北宋嘉祐年間這近三百年時間内，有詞義可以考證焉。

《素問》全書無『臉』字，凡表臉意，皆稱『兩頰』。如『三部九候論』『上部地，兩頰之動脉』，而遺篇却以『臉』字表示兩頰。『本病論』『民病夭亡，臉肢府黄疸滿閉』，此『臉』字指兩頰。考『臉』字出現甚晚。《説文》無『臉』字。至六朝『臉』字乃出，義爲肉羹。《龍龕手鏡》：『臉，七廉反，臛也。又力斬反，羹屬也。』『臛』字之義亦爲肉羹。後『臉』字之義轉指兩頰。南朝梁簡文帝（五五〇—五五一在位）《妾薄命》詩：『玉貌歇紅臉。』此後，唐末五代及宋代『臉』字皆指兩頰。唐代杜牧（八〇三—八五二）《冬至日寄小侄阿宜》『頭圓筋骨緊，兩臉明且光』，王昌齡（六九八—七五七）《采蓮曲》：『荷葉羅裙一色裁，芙蓉向臉兩邊開。亂入池中看不見，聞歌始覺有人來。』宋代『臉』字亦指兩頰。晏殊（九九一—一〇五五）詞：『芳蓮九蕊開新艷，輕紅淡白匀雙臉。』其子晏幾道（一〇三〇—一一〇五）詞：『輕匀兩臉花，淡掃雙眉柳。』『臉』皆指兩頰。

儘管唐宋『臉』字皆指兩頰，但《素問》遺篇出於五代或宋初可能性更大。何以言之？考《宋史·藝文志》卷二〇七著録：『王冰《素問六脉玄珠密語》一卷。』此書不見於《新唐書·藝文志》。考『刺法論』之『資取之法令出《密語》』，『本病論』『《玄珠密語》云：陽年三十六』等，林億已斥此書爲後人僞托之作。此書既著録於《宋史·藝文志》，其『臉』字詞義又明顯帶有宋代語言特點，則遺篇僞托之時代爲唐末五代，至遲在宋初已撰成矣。

（三）遺篇始見何書

遺篇始見北宋劉温舒《素問入式運氣論奥》。《宋史·藝文志》載：『劉温舒《内經素問論奥》四卷。』《四庫全書總目提要》云：『《素問入式運氣論奥》三卷，附《黄帝内經素問遺篇》一卷……『刺法論』一卷，題曰：黄帝内經素問遺篇。案，『刺法論』之亡在王冰作注之前，温舒生於北宋末，何從得此。其注亦不知出自何人，殆不免有所依托，未可盡信。』劉温舒事迹及《素問入式運氣論奥》序，見《宋史·方技傳》。《方技傳》云：「又『刺法論』一篇，以補《素問》之亡，今併行於世云。」考劉温舒《素問入式運氣論奥》序寫於北宋元符己卯二年（一〇九九），上距林億校正《素問》之嘉祐年間（一〇五九左右）約四十年。因可推知，此兩篇遺文，在北宋流行較廣。

（四）遺篇何時附經

自劉温舒將遺篇收入其作，據今所見資料考之，將遺篇附於《素問》經文之後者，非元古林書堂刊本，而是《素問》之金刻本。金刻本遺篇原文每行二十字，注釋爲雙行小字，每行三十字，經注分明，十分爽目。金刻本雖無具體刊刻年月，但早於元古林書堂本則可知也。

清代目録學家皆云遺篇始著録於《素問》元刊本，岡西爲人《宋以前醫籍考》亦云：『元古林書堂所刻《内經》，始附刊之，種德堂、趙王府並仿之，即知趙府補刊遺篇，惟襲劉温舒本者，非有别本也。』金刻本之刊行，可補目録之未備。

錢超塵

黃帝內經素問卷第三

啓玄子次注林億孫奇高保衡等奉　敕校正孫兆重改誤

靈蘭秘典論篇第八

新校正云按全元起本名十二藏相使在第三卷

黃帝問曰願聞十二藏之相使貴賤何如藏藏也言腹中之所藏者非復有十二形神之藏也岐伯對曰悉乎哉問也請遂言之心者君主之官也神明出焉任治於物故為君主之官清靜栖靈故曰神明出焉肺爲相傅之官治節出焉位高非君故官為相傅主行榮衛故治節由之肝者將軍之官謀慮出焉勇而能斷故曰將軍潛發未萌故謀慮出焉膽者中正之官決斷出焉剛正果決故官為中正直而不疑故決斷出焉膻中者臣使之官喜樂出焉膻中者在胸中兩乳間為氣之海然心主為君以敷宣教令膻中主氣以氣布陰陽氣和志適則喜樂由生分布陰陽故官為臣使也脾胃者倉廩之官五味出焉包容五穀是為倉廩之官營養四傍故[illegible]大腸者傳道[illegible]

出焉小腸者受盛之官化物出焉承奉胃司受盛糟粕受已復化傳入大腸故云受盛之官化物出焉腎者作強之官伎巧出焉強於作用故曰作強造化形容故云伎巧在女則當其伎巧在男則正曰作強三焦者決瀆之官水道出焉引道陰陽開通閉塞故官司決瀆水道出焉膀胱者州都之官津液藏焉氣化則能出矣位當孤府故謂都官居下內空故藏津液若得氣海之氣施化則溲便注泄氣海之氣不及則閟隱不通故曰氣化則能出矣靈樞經曰腎上連肺故將兩藏膀胱是孤府則此之謂也凡此十二官者不得相失也失則災害至故不得相失新校正云詳此乃十一官脾胃二藏共一官故也故主明則下安以此養生則壽沒世不殆以為天下則大昌主謂君主心之官也夫主賢明則刑賞一刑賞一則吏奉法吏奉法則民不獲罪於枉濫矣故主明則天下安也夫心內明則銓善惡銓善惡則察安危察安危則身不夭傷於非道矣故以此養生則壽沒世不至於危殆矣然施之於養生沒世不殆施之於君主天下獲安以其為天下主則国祚昌盛矣主不明則十二官危使道閉塞而不通形乃大傷以此養生則殃以為天下者其宗大危戒之戒之使道謂神氣行使之道也夫心不明則邪正一邪正一則損益不分損益不分則動之凶咎陷身於羸瘠矣故形乃大傷以此養生則殃也夫主不明則委於左右委於左右則權勢妄行權勢妄行則吏不得奉法吏不得奉法則人民失所而皆受枉曲矣且人惟邦本本固邦寧本不獲安国將何有宗廟之立安可不至於傾危乎故曰戒之戒之者言深慎也至道在微變化

無窮孰知其原孰誰也言至道之用也小之則微妙而細無不入大之則廣遠而變化無窮然其淵原誰所知察窘乎哉消者瞿瞿新校正云按太素作肖者濯濯孰知其要閔閔之當孰者為良窘要也瞿瞿勤勤也人身之要者道也然以消息異同求諸物理而欲以此知變化之原本者雖瞿瞿勤勤以求明悟然其要妙誰得知乎既未得知轉成深遠閔閔玄妙復不知誰者為善知要妙哉玄妙深遠固不以理求而可得近取諸身則十二官粗可深尋而為治身之道爾閔閔深遠也良善也新校正云詳此四句與氣交變大論文重彼消字作肖恍惚之數生於毫氂恍惚者謂似有似無也忽亦數也似無似有而毫氂之數生其中老子曰恍恍惚惚其中有物此之謂也筭書曰似有似無為忽毫氂之數起於度量千之萬之可以益大推之大之其形乃制毫氂雖小積而不已命數乘之則起至於尺度斗量之繩準千之萬之亦可增益而至載之太數推引其大則應通人形之制度也黃帝曰善哉余聞精光之道大聖之業而宣明大道非齋戒擇吉日不敢受也深敬故也韓康伯曰洗心曰齋防患曰戒黃帝乃擇吉日良兆而藏靈蘭之室以傳保焉秘之至也

六節藏象論篇第九新校正云按全元起注本在第三卷

黃帝問曰余聞天以六六之節以成一歲人以九九制

會新校正云詳下文云地以九九制會計人亦有三百六十五節以爲天地久矣不知其所謂也六六之節謂六竟於六甲之日以成一歲之節限九九制會謂九周於九野之數以制人形之會通也言人之三百六十五節以應天之六六之節久矣若復以六九爲紀法則兩歲大半乃日一周不知其法眞原安謂也　新校正云詳王注云兩歲太半乃日一周按九九制會當云兩歲四分歲之一乃日一周也歧伯對曰昭乎哉問也請遂言之夫六六之節九九制會者所以正天之度氣之數也六六之節天之度也九九制會氣之數也所謂氣數者生成之氣也周天之分凡三百六十五度四分度之一以十二節氣均之則歲有三百六十日而終兼之小月日又不足其數矣是以六十四氣而常置閏焉同者以其積差分故也天地之生育本阯於陰陽人神之運爲始終於九氣然九之爲用豈不大哉律書曰黃鍾之律管長九寸冬至之日氣應灰飛由此則萬物之生咸因於九氣矣古之九寸即今之七寸三分大小不同以其先秬黍之制而有異也　新校正云按別本三分作二分天度者所以制日月之行也氣數者所以紀化生之用也制謂準度紀謂綱紀準日月之行度者所以明日月之行遲速也紀化生之爲用者所以彰氣至而斯應也氣應無差則生成之理不替遲速以度而大小之月生焉故曰異長短月移寒暑收藏生長無失時宜也天爲陽地爲陰日爲陽月爲陰行有分紀周有道理日行一度月行十三度而有奇焉故大小月三百六十五日而成歲積氣餘而盈閏矣日行遲故晝夜行天之一度而三百六十五日

一周天而猶有度之奇分矣月行速故晝夜行天之十三度餘而二十九日一周天也言有奇者謂十三度外復行十九分度之七故云月行十三度而有奇也禮義及漢律曆志云二十八宿及諸星皆從東而循天西行日月及五星皆從西而循天東行今太史說云並循天而東行從東而西轉也諸曆家說月一日至四日月行最疾日夜行十四度餘自五日至八日行次疾日夜行十三度餘自九日至十九日其行遲日夜行十二度餘二十日至二十三日行又小疾日夜行十三度餘二十四日至晦日行又太疾日夜行十四度餘今太史說月行之率不如此矣月行有十五日前疾有十五日後遲者有十五日前遲有十五日後疾者大率一月四分之而皆有遲疾遲速之度固無常準矣雖爾終以二十七日月行一周天凡行三百六十一度二十九日日行二十九度月行三百八十七度少七度而不及日也至三十日日復遷計率至十三分日之八月方反日矣此大盡之月也大率其計率至十三分日之半者亦大盡法也其計率至十三分日之五之六而及日者小盡之月也故云大小月三百六十五日而成歲也正言之者三百六十五日四分日之一乃一歲法以奇不成日故舉大以言之若通以六小為法則歲止有三百五十四日歲少十一日餘矣取月所少之辰加歲外餘之日故從閏後三十二月而盈閏焉尚書曰朞三百有六旬有六日以閏月定四時成歲則其義也積餘盈閏者盡以月之大小不盡天度故也

立端於始表正於中推餘於終而天度畢矣端首也始初也表彰示也正斗建也中月半也推退位也言立首氣於初卽之日示斗建於月半之辰退餘閏於相望之後是以閏之前則氣不及月閏之後則月不及氣故常月之制建初立中閏月之紀無初無中縱曆有之皆他卽氣也故曆無云某候閏某月卽閏某月中也推終之義斷可知乎故曰立端於始表正於中推餘於終也由斯推日成閏故能令天度畢焉

帝曰余已聞天度矣願聞氣數何以合之岐伯曰天以六六為節地以

九制會新校正云詳☐☐云人以九二制會天有十日日六竟而周甲甲六復
而終歲三百六十日法也十日謂甲乙丙丁戊己庚辛壬癸之日也十者天地之至數也易繫辭曰天九地十
則其義也六十日而周甲子之數甲子六周而復始則終一歲之日是三百六十日之歲法非天度之數也此蓋十二月各三十日者若除小月其日又差也
夫自古通天者生之本本於陰陽其氣九州九竅皆通乎
天氣通天謂元氣即天真也然形假地生命惟天賦故奉生之氣通繫於天稟受陰陽而為根本也寶命全形論曰人生於地懸命於天天地合氣
命之曰人四氣調神大論曰陰陽四時者万物之終始也死生之本也又曰逆其根則伐其本壞其真矣此其義也九州謂兾兖青徐揚荊豫梁雍也然地列
九州人施九竅精神往復氣与參同故曰九州九竅也靈樞經曰地有九州人有九竅則其義也先言其氣者謂天真之氣常繫屬於中也天氣不絕真靈內
屬行藏動靜悉与天通故曰皆通乎天氣也故其生五其氣三形之所存假五行而運用徵其本始從三氣以生成故云
其生五其氣三也氣之三者亦副三元故下文曰新校正云詳夫自古通天者至此与生氣通天論同注頗異當兩觀之三而成天
三而成地三而成人非惟人獨由三氣以生天地之道亦如是矣故易乾坤諸卦皆必三矣三而三之
合則為九九分為九野九野為九藏九野者應九藏而為義也爾雅曰邑外為郊二外為甸二
外為牧二外為林二外為坰二外為野則此之謂也新校正云按今爾雅云邑外謂之郊二外謂之牧二外謂之野二外謂之林二外謂之坰与王氏所引
有異故形藏四神藏五合為九藏以應之也形藏四者一頭角二耳目三口齒四胷中也形

分為藏故以名焉神藏五者一肝二心三脾四肺五腎也神藏於內故以名焉
所謂神藏者肝藏魂心藏神脾藏意肺藏魄腎藏志也故此二別爾◎新校正
云詳此乃宣明五氣篇文與生氣通天注重又與三部
九候論注重所以名神藏形藏之說具三部九候論注帝曰余已聞六六
九九之會也夫子言積氣盈閏願聞何謂氣請夫子發蒙
解惑焉請宣揚旨要啓所未聞解疑惑者之心開蒙昧者之耳令其曉達咸使深明岐伯曰此上帝所秘先
師傳之也上帝謂上古帝君也先師岐伯祖之師僦貸季上古之理色脈者
也移精變氣論曰上古使僦貸季理色脈而通神明八素經序云
天師對黃帝曰我於僦貸季理色脈已三世矣言可知乎
◎新校正云詳素一作索或以八為太按今太素無此文帝曰請遂聞之
遂盡也岐伯曰五日謂之候三候謂之氣六氣謂之時四時謂
之歲而各從其主治焉日行天之五度則五日也三候正十五日也六
氣凡九十日正三月也設其多之矣故十八候
為六氣六氣謂之時也四時凡三百六十日故曰四時謂之歲也各從
主治謂一歲之日各歸從五行之一氣而為之主以王也故下文曰五運
相襲而皆治之終朞之日周而復始時立氣布如環無端
候亦同法故曰不知年之所加氣之盛衰虛實之所起不
可以為工矣五運謂五行之氣應天之運而主化者也襲謂承襲如嫡之
承襲也言五行之氣父子相承主統一周之日常如是無已
周而復始也時謂立春之前當至時也氣謂當王之脈氣也春前氣至脈氣亦
至故曰時立氣布也候謂日行五度之候也言一候之日亦五氣相生而直之

差則病矣移精變氣論曰[illegible]此時八風六合不離其常此之謂也工謂工於脩養者也必明於此乃同横
行天下矣●新校正云詳王注時立氣布謂立春前當至時當王之脉氣也按此正謂歲立四時時布六氣如環之無端故又曰歧亦同法帝曰
五運之始如環無端其太過不及何如歧伯曰五氣更立
各有所勝盛虚之變此其常也言盛虚之變見此乃天之常道爾帝曰平氣
何如歧伯曰無過者也不恒常候則無過也帝曰太過不及奈何歧伯
曰在經有也言玉機真藏論篇已具言五氣平和太過不及之旨也●新校正云詳王注言玉機真藏論已具彼中篇言脉之太過不
及即不論運氣之太過不及與平氣當云氣交變大論五常政大論篇已具言也帝曰何謂所勝歧伯曰春
勝長夏長夏勝冬冬勝夏夏勝秋秋勝春所謂得五行
時之勝各以氣命其藏春應木木勝土長夏應土土勝水冬應水水勝火夏應火火勝金秋應金金勝木常如是
矣四時之中加之長夏故謂得五行時之勝也所謂長夏者六月也木生於火長在夏中既長而王故云長夏也以氣命藏者春之木內合肝長夏土內合脾
冬冬之水內合腎夏之火內合心秋之金內合肺故曰各以氣命其藏也命名也帝曰何以知其勝歧伯曰求
其至也皆歸始春始春謂立春之日也春爲四時之長故候氣皆歸於立春前之日也未至而至此
謂太過則薄所不勝而乘所勝也命曰氣淫不分邪僻內

生工不能禁此上十字文義不倫應古人錯簡次後五治下乃其義也今朱書之至而不至此謂不及則所勝妄行而所生受病所不勝薄之也帝曰氣迫所謂求其至者氣至之時也凡氣之至皆謂立春前十五日乃候之初也未至而至謂所直之氣未應至而先期至也先期而至是氣有餘故曰太過至而不至謂所直之氣應至不至而後期至後期而至是氣不足故曰不及太過則薄所不勝而乘所勝不及則所勝妄行而所生受病所不勝薄之者凡五行之氣我剋者為所勝剋我者為所不勝生我者為所生假令肝木有餘是肺金不足金不制木故木太過木氣既餘則反薄肺金而乘於脾土矣故曰太過則薄所不勝而乘所勝也此皆五藏之氣內相淫併為疾故命曰氣淫也餘太過例同之又如肝木氣少不能制土土氣無畏而遂妄行水被土凌故云所勝妄行而所生受病也肝木之氣不平肺金之氣自薄故曰所不勝薄之然木氣不平土金交薄相迫為疾故曰氣迫也餘不及例皆同謹候其時氣可與期失時反候五治不分邪僻內生工不能禁也時謂氣至時也候其年則始於立春之日候其氣則始於四氣定期候其日則隨於候日故曰謹候其時氣可與期也反謂反背也五治謂五行所治主統一歲之氣也然不分五治謬引八邪天真氣運尚未該通人病之由安能精達故曰工不能禁也帝曰有不襲乎言五行之氣有不相承襲者乎岐伯曰蒼天之氣不得無常也氣之不襲是謂非常非常則變矣變謂變易天常也帝曰非常而變奈何岐伯曰變至則病所勝則微所不勝則甚因而重感於邪則死矣

故非其時則微當其時則甚也言蒼天布氣尚越於五行人在氣中豈不應於天道夫人之氣亂不順天常故有病死之徵矣左傳曰違天不祥此其類也假令木直之年有火氣至後二歲病矣土氣至後三歲病矣金氣至後四歲病矣水氣至後五歲病矣真氣不足復重感邪真氣內微故重感於邪則死也假令非主直年而氣相干者且為微病不必內傷於神藏故非其時則微而且持也若當所直之歲則易中邪氣故當其直時則病疾甚也諸氣當其王者皆必受邪故曰非其時則微當其時則甚也通評虛實論曰非其時則生當其時則死當謂王直之年也

帝曰善余聞氣合而有形因變以正名天地之運陰陽之化其於萬物孰少孰多可得聞乎新校正云詳從前岐伯曰昭乎哉問也至此全元起注本及太素並無疑王氏之所補也

岐伯曰悉哉問也天至廣不可度地至大不可量言天地廣大不可度量而得之造化玄微豈可以人心而遍悉大神靈問讚聖深明舉大說凡

大神靈問請陳其方粗言綱紀故曰請陳其方

草生五色五色之變不可勝視草生五味五味之美不可勝極言物生之衆稟化各殊目視口味尚無能盡之況於人心乃能包括耶

嗜欲不同各有所通言色味之衆雖不可遍盡所由然人所嗜所欲則自隨己心之所愛耳故曰嗜欲不同各有所通

天食人以五氣地食人以五味天以五氣食人者臊氣湊肝焦氣湊心香氣湊脾腥氣湊肺腐氣湊腎也地以五味食人者酸味入肝苦味入心甘味入脾辛味入肺鹹味入腎也清陽化氣而上為天濁陰成味而下為地故天食人以氣地食人以味也陰陽應象大論曰清陽為天濁陰為地又曰陽為氣陰為

味 五氣入鼻藏於心肺上使五色脩明音聲能彰五味入口藏於腸胃味有所藏以養五氣氣和而生津液相成神乃自生心榮面色肺主音聲故氣藏於心肺上使五色脩絜分明音聲彰著氣為水母故味藏於腸胃內養五氣五氣和化津液方生津液與氣相副化成神氣乃能生而宣化也

帝曰藏象何如象謂所見於外可閱者也岐伯曰心者生之本神之變也其華在面其充在血脈為陽中之太陽通於夏氣心者君主之官神明出焉然君主者萬物繫之以興亡故曰心者生之本神之變也火氣炎上故華在面也心養血其主脈故充在血脈也心王於夏氣合太陽以太陽居夏火之中故曰陽中之太陽通於夏氣也金匱真言論曰平旦至日中天之陽陽中之陽也 新校正云詳神之變全元起本并太素作神之處

肺者氣之本魄之處也其華在毛其充在皮為陽中之太陰通於秋氣肺藏氣其神魄其養皮毛故曰肺者氣之本魄之處華在毛充在皮也肺藏為太陰之氣主王於秋晝日為陽氣所行位非陰處以太陰居於陽分故曰陽中之太陰通於秋氣也金匱真言論曰日中至黃昏天之陽陽中之陰也 新校正云按太陰甲乙經并太素作少陰當作少陰 肺在十二經雖為太陰然在陽分之中當為少陰也

腎者主蟄封藏之本精之處也其華在髮其充在骨為陰中之少陰通於冬氣[illegible]封閉蟄[illegible]腎又主水受[illegible]府之精而藏之故曰腎者主蟄封藏[illegible]腦者髓之海[illegible]者腦之所養故華在髮充[illegible]

冬氣也金匱眞言論曰合[illegible]天之陰陰中之陰[illegible]正云按全元起本并甲乙經太素少陰作太陰當作太陰腎在十二經雖爲少陰然在陰分之中當爲太陰

肝者罷極之本魂之居也其華在爪其充在筋以生血氣其味酸其色蒼 新校正云詳此六字當去按太素心其味苦其色赤肺其味辛其色白腎其味鹹其色黑今惟肝脾二藏載其味其色據陰陽應象大論已著色味詳矣此不當出之今更不添心肺腎三藏之色味只去肝脾二藏之色味可矣其注中所引陰陽應象大論文四十一字亦當去之

此爲陽中之少陽通於春氣 夫人之運動者皆筋力之所爲也肝主筋其神魂故曰肝者罷極之本魂之居也爪者筋之餘筋者肝之養故華在爪充在筋也東方爲發生之始故以生血氣也陰陽應象大論曰東方生風風生木木生酸肝合木故其味酸也又曰神在藏爲肝在色爲蒼故其色蒼也以少陽居於陽位而王於春故曰陽中之少陽通於春氣也金匱眞言論曰平旦至日中天之陽陽中之陽也 新校正云按全元起本并甲乙經太素作陰中之少陽當作陰中之少陽詳王氏引金匱眞言論云平旦至日中天之陽陽中之陽也以爲證則王意以爲陽中之少陽也再詳上文心藏爲陽中之太陽王氏以引平旦至日中之說爲證今肝藏又引爲證反不引雞鳴至平旦天之陰陰中之陽爲證則王注之失可見當從全元起本及甲乙經太素作陰中之少陽爲得

脾胃大腸小腸三焦膀胱者倉廩之本營之居也名曰器能化糟粕轉味而入出者也 皆可受盛轉運不息故爲倉廩之本名曰器也營起於中焦中焦爲脾胃之位故〔云〕營之居也然水穀滋味入於脾胃脾胃糟粕轉化其味出於三焦膀胱故曰轉味而入出者也

其華在脣四白其充在肌其味甘其色黃 新校正云詳此六字當去并注中引

陰陽應象大論文四十字亦當去巳解在前條此至陰之類通於土氣口爲脾官脾主肌肉故曰華在脣四白充在肌也四白謂脣四際之白色肉也陰陽應象大論曰中央生濕濕生土土生甘脾合土故其味甘也又曰在藏爲脾在色爲黃故其色黃也脾甘土氣土合至陰故曰此至陰之類通於土氣也金匱真言論曰陰中之至陰脾也凡十一藏取決於膽也上從心藏下至於膽爲十一也然膽者中正剛斷無私偏故十一藏取決於膽也故人迎一盛病在少陽二盛病在太陽三盛病在陽明四盛巳上爲格陽陽脉法也少陽膽脉也太陽膀胱脉也陽明胃脉也靈樞經曰一盛而躁在手少陽二盛而躁在手太陽三盛而躁在手陽明手少陽三焦脉手太陽小腸脉手陽明大腸脉一盛者謂人迎之脉大於寸口一倍也餘盛同法四倍巳上陽盛之極故格拒而食不得入也正理論曰格則吐逆寸口一盛病在厥陰二盛病在少陰三盛病在太陰四盛巳上爲關陰陰脉法也厥陰肝脉也少陰腎脉也太陰脾脉也靈樞經曰一盛而躁在手厥陰二盛而躁在手少陰三盛而躁在手太陰手厥陰心包脉少陰心脉也手太陰肺脉也盛法同陽四倍巳上陰盛之極故關閉而[illegible]也正理[illegible]得溺人迎與寸口俱盛四倍巳上爲關格關格之脉羸[illegible]天地之精氣則死矣俱盛謂俱大於平常之脉四倍也物不可以久盛極則衰敗故不能極於天地之精氣則死矣靈樞經曰陰陽俱盛不得相營故曰關格關格者不得盡期而死矣此之謂也新校正云詳羸當作嬴脉盛四倍巳上非羸也乃盛極也古文羸與盈通用

五藏生成篇第十 新校正云詳全元起本在第九卷按此篇云五藏生成篇而不云論者蓋此篇直記五藏生成之事而無問荅論議之辭故不云論後不言論者義皆倣此

心之合脉也 火氣動躁脉類齊同心藏應火故合脉也 其榮色也 火炎上而色赤故榮美於面而赤色 新校正云詳王以赤色爲面榮美未通大抵發見於面之色皆心之榮也豈專爲赤哉 其主腎也 主謂主與腎相畏也火畏於水水與爲官故畏於腎

肺之合皮也 金氣堅定皮象亦然肺藏應金故合皮也 其榮毛也 毛附皮革故外榮 其主心也 金畏於火火與爲官故主畏於心也

肝之合筋也 木性曲直筋體亦然肝藏應木故合筋也 其榮爪也 爪者筋之餘故外榮也 其主肺也 木畏於金金與爲官故主畏於肺也

脾之合肉也 土性柔厚肉體亦然脾藏應土故合肉也 其榮脣也 口爲脾之官故榮於脣脣謂四際白色之處非赤色也 其主肝也 土畏於木木與爲官故主畏於肝也

腎之合骨也 水性流濕精氣亦然骨通精髓故合骨也 其榮髮也 腦爲髓海腎氣主之故外榮髮也 其主脾也 水畏於土土與爲官故主畏於脾也

是故多食鹹則脉凝泣而變色 心合脉其榮色鹹益腎勝於心心不勝故脉凝泣而顏色變易也 多食苦則皮槁而毛拔 肺合皮其榮毛苦益心勝於肺肺不勝故皮枯槁而毛拔去也 多食辛則筋急而爪枯 肝合筋其榮爪辛益肺勝於肝肝不勝故筋急而爪乾枯也 多食酸則肉胝䐢而脣揭 脾合肉其榮脣酸益肝勝於脾脾不勝故肉胝䐢而脣皮揭舉也 多

食甘則骨痛而髮落（腎合骨，其榮髮。甘益脾，勝於腎，腎不勝，故骨痛而髮墮落。）此五味之所傷也。（五味入口，輸於腸胃而內養五藏，各有所養，有所欲，欲則互有所傷，故下文曰：）故心欲苦（合火故也），肺欲辛（合金故也），肝欲酸（合木故也），脾欲甘（合土故也），腎欲鹹（合水故也），此五味之所合也。（各隨其欲而歸湊之。）五藏之氣（新校正云：按全元起本云"此五味之合五藏之氣也"，連上文。《太素》同。）故色見青如草茲者死（茲，滋也，言如草初生之青色也。）黃如枳實者死（色青黃也），黑如炲者死（炲謂炲煤也），赤如衃血者死（衃血謂敗惡凝聚之血，色赤黑也），白如枯骨者死（白而枯槁，如乾骨之白也），此五色之見死也。（藏敗，故見死色也。《三部九候論》曰：五藏已敗，其色必夭，夭必死矣。此之謂也。）青如翠羽者生，赤如雞冠者生，黃如蟹腹者生，白如豕膏者生，黑如烏羽者生，此五色之見生也。（皆謂光潤也。色雖可愛，若見朦朧，尤善矣，故下文曰：）生於心，如以縞裹朱；生於肺，如以縞裹紅；生於肝，如以縞裹紺；生於脾，如以縞裹栝樓實；生於腎，如以縞裹紫。（是乃真見生色也。縞，白色。紺，薄青色。）此五藏所生之外榮也。（榮，美色也。）色味當五藏：白當肺辛，赤當心苦，青當肝酸，黃當脾甘，黑當腎鹹。（各當其所應[illegible]）故白當皮，赤當脉青當筋黃當肉黑當骨之藏氣也諸脉者皆屬於目脉者血之府宣明五氣篇曰久視傷血由此明諸脉皆屬於目也新校正云按皇甫士安云九卷曰心藏脉脉舍神神明通體故云屬目諸髓者皆屬於腦腦為髓海故諸髓屬之諸筋者皆屬於節筋氣之堅結者皆絡於骨節之間也宣明五氣篇曰久行傷筋由此也諸筋皆屬於節也諸血者皆屬於心血居脉內屬於心也八正神明論曰血氣者人之神然神者心之主由此故諸血皆屬於心也諸氣者皆屬於肺肺藏主氣故也此四支八谿之朝夕也谿者肉之小會名也八谿謂肘膝腕也如是氣血筋脉互有盛衰故為朝夕矣故人臥血歸於肝肝藏血心行之人動則血運於諸經人靜則血歸於肝藏何者肝主血海故也肝受血而能視言其用也目為肝之官故肝受血而能視足受血而能步氣行乃血流故足受血而能行步也掌受血而能握以當把握之用指受血而能攝以當攝受之用也血氣者人之神故所以受血者皆能運用臥出而風吹之血凝於膚者為痹謂瘰痹也凝於脉者為泣泣謂血行不利凝於足者為厥厥謂足逆冷也此三者血行而不得反其空故為痹厥也空者血流之道大經隧也人有大谷十二分大經所會謂之大谷也十二分者謂十二經脉之部分小谿三百五十四名少十二俞小絡所會謂之小谿也然以三百六十五小絡言之者除十二俞外則當三百五十三名經言三百五十四者傳寫行書誤以三為四也◐新

校正云按別本及全元起本太素俞作鬭此皆衛氣之所留止邪氣之所客也衛氣滿填以行
邪氣不得居止衛氣虧缺留止則爲邪氣所客故言邪氣所客鍼石緣而去之緣謂寅緣行去之貌言邪氣所客衛氣留止鍼其谿
谷則邪氣寅緣隨脉而行去也診病之始五決爲紀五決謂以五藏之脉爲決生死之綱紀也欲知其始
先建其母建立也母謂應時之王氣也先立應時下氣而後乃求邪正之氣也所謂五決者五脉也
謂五藏脉也是以頭痛巔疾下虛上實過在足少陰巨陽甚則入
腎足少陰腎脉巨陽膀胱脉膀胱之脉者起於目內眥上額交巔上其支別者從巔至耳上角其直行者從巔入絡腦還出別下項循肩髆內俠脊抵
腰中入循膂絡腎屬膀胱然腎虛而不能引巨陽之氣故頭痛而爲上巔之疾也經病甚已則入於藏矣徇蒙招尤目冥[illegible]
耳聾下實上虛過在足少陽厥陰甚則入肝徇疾也蒙不明也目暴疾而不明招[illegible]
掉也搖掉不定也尤甚也目疾不明首掉尤甚謂暴病也目冥耳聾謂漸疾也足少陽膽脉厥陰肝脉也厥陰之脉從少腹上俠胃屬肝絡膽貫鬲布脇肋循
喉嚨之後入頏顙上出額與督脉會於巔其支別者從目系下頰裏足少陽之脉起於目銳眥上抵頭角下耳後循頸入缺盆其支別者從耳後入耳中文支
別者別目銳眥下顴加頰車下頸合缺盆以下胸中貫鬲絡肝屬膽今氣不足故爲是病●新校正云按王注徇蒙言目暴疾而不明義未甚顯徇蒙者蓋謂
目瞼瞤動疾數而蒙暗也又少[illegible]陽之脉下顴甲乙經[illegible]䐜脹支鬲胠[illegible]下厥上[illegible]
在足太陰陽明[illegible]

屬脾絡胃上鬲足陽明脈起於鼻交於頞下循鼻外下絡齒中還出俠口屬胃絡脾其直行者從缺盆下乳内廉下俠齊入氣街中其支別者起胃下口循腹裏至氣街中而合以下髀故爲是病

欬嗽上氣厥在胷中過在手陽明太陰

手陽明大腸脈太陰肺脈也手陽明脈自肩髃前廉上出於柱骨之會上下入缺盆絡肺下鬲屬大腸手太陰脈起於中焦下絡大腸還循胃口上鬲屬肺從肺系横出腋下故爲欬嗽上氣厥在胷中也●新校正云按甲乙經厥作病

心煩頭痛病在鬲中過在手巨陽少陰

手巨陽小腸脈少陰心脈也巨陽之脈從肩上入缺盆絡心循咽下鬲抵胃屬小腸其支別者從缺盆循頸上頰至目鋭眥手少陰之脈起於心中出屬心系下鬲絡小腸故心煩頭痛病在鬲中也●新校正云按甲乙經云胷中痛支滿腰背相引而痛過在手少陰太陽

夫脈之小大滑濇浮沈可以指別

夫脈小者細小大者滿大滑者往來流利濇者往來蹇難浮者浮於手下沈者按之乃得也如是雖衆狀不同然手巧心諦而指可分別也

五藏之象可以類推

象謂氣象也言五藏雖隱而不見然其氣象性用猶可以物類推之何者肝象木而曲直心象火而炎上脾象土而安靜肺象金而剛決腎象水而潤下夫如是皆大舉宗兆其中隨事變化象法傍通者可以同類而推之爾

五藏相音可以意識

音謂五音也夫肝音角心音徵脾音宮肺音商腎音羽此其常應也然其互相勝負聲見否臧則耳聰心敏者猶可以音識而知之

五色微診可以目察

色謂顏色也夫肝色青心色赤脾色黄肺色白腎色黑此其常色也然其氣象交互微見吉凶則目明智遠者可以占視而知之

能合脈色可以萬全

色青者其脈弦色赤者其脈鉤色黄者其脈代色白者其脈毛色黑者其脈堅此其常色脈也然其參校異同斷言成敗則審而不惑萬舉萬全色脈之病例如下說

赤脉之至也喘而堅診曰有積氣在中時害於食名曰心痺（喘謂脉至如卒喘狀也藏居高病則脉為喘狀故心肺二藏而獨言之爾喘為心氣不足堅則病氣有餘心脉起於心胷之中故積氣在中時害於食也積謂病氣積聚痺謂藏氣不宣行也）得之外疾思慮而心虛故邪從之（思慮心虛故外邪因之而居止矣）白脉之至也喘而浮上虛下實驚有積氣在胷中喘而虛名曰肺痺寒熱（喘為不足浮者肺虛肺不足是謂心虛上虛則下當滿實矣以其不足故善驚而氣積胷中矣然脉喘而浮是肺自不足喘而虛者是心氣上乘肺受熱而氣不得營故名肺痺而外為寒熱也）得之醉而使內也（酒味苦燥內益於心醉甚入房故心氣上勝於肺矣）青脉之至也長而左右彈有積氣在心下支胠名曰肝痺（脉長而彈是為弦緊緊為寒氣中濕乃弦肝主胠脇近於心故氣積心下又支胠也正理論脉名例曰緊脉者如切繩狀言左右彈人手也）得之寒濕與疝同法腰痛足清頭痛（脉緊為寒脉長為濕疝之為病亦寒濕所生故言与疝同法也寒濕在下故腰痛也肝脉者起於足上行至頭出額与督脉會於巔故病則足冷而頭痛也清亦冷也）黃脉之至也大而虛有積氣在腹中有厥氣名曰厥疝（脉大為氣脉虛為虛既氣又虛故脾氣積於腹中也若腎氣逆上則是厥疝腎氣不上則但虛而脾氣積也）女子同法得之疾使四支汗出當風（女子同法言其候也風氣通於肝故汗出當風則脾氣積滿於腹中）黑脉之至也上堅而

大有積氣在小腹與陰名曰腎痺上謂寸口也下謂尺中也故氣積聚於小腹與陰也得之沐浴清水而卧溼氣傷下自歸於腎況沐浴而卧得无病乎靈樞經曰身半以下溼之中也凡相五色之奇脉面黃目青面黃目赤面黃目白面黃目黑者皆不死也奇脉謂与色不相偶合也凡色見黃皆爲有胃氣故不死也　新校正云按甲乙經無之奇脉三字面青目赤面赤目白面青目黑面黑目白面赤目青皆死也无黃色而皆死者以无胃氣也五藏以胃氣爲本故无黃色皆曰死焉

五藏别論篇第十一新校正云按全元起本在第五卷

黃帝問曰余聞方士或以腦髓爲藏或以腸胃爲藏或以爲府敢問更相反皆自謂是不知其道願聞其説方士謂明悟方術之士也言互爲藏府之差異者經中猶有之矣靈蘭秘典論以腸胃爲十二藏相使之次六節藏象論云十一藏取决於膽五藏生成篇云五藏之象可以類推五藏相音可以意識此則互相矛楯爾腦髓爲藏應在别經岐伯對曰腦髓骨脉膽女子胞此六者地氣之所生也皆藏於陰而象於地故藏而不寫名曰奇恒之府腦髓骨脉雖名爲府不正与神藏爲表裏膽与肝合而不同六府之傳寫胞雖出納納則受納精氣出則化出形容形容

之出謂化極而生然出納之用有殊於六府故言藏而不寫名曰奇恒之府也夫胃大腸小腸三焦膀胱此五者天氣之所生也其氣象天故寫而不藏此受五藏濁氣名曰傳化之府此不能久留輸寫者也言水穀入已糟粕變化而泄出不能久久留住於中但當化已輸寫令去而已傳寫諸化故曰傳化之府也魄門亦為五藏使水穀不得久藏謂肛之門也內通於肺故曰魄門受已化物則為五藏行使然水穀亦不得久藏於中所謂五藏者藏精氣而不寫也故滿而不能實精氣為滿水穀為實但藏精氣故滿而不能實新校正云按全元起本及甲乙經太素精氣作精神六府者傳化物而不藏故實而不能滿也以不藏精氣但受水穀故也所以然者水穀入口則胃實而腸虛以未下也食下則腸實而胃虛水穀下也故曰實而不滿滿而不實也帝曰氣口何以獨為五藏主氣口則寸口也亦謂脉口以寸口可候氣之盛衰故云氣口可以切脉之動靜故云脉口皆同取於手魚際之後同身寸之一寸是則寸口也歧伯曰胃者水穀之海六府之大源也人有四海水穀之海則其一也受水穀已榮養四傍以其當運化之源故為六府之大源也五味入口藏於胃以養五藏氣氣口亦太陰也氣口在手魚際之後同身寸之一寸氣口之所候脉動者手太陰脉氣所行故言氣口亦太陰也是以五

藏六府之氣味皆出於胃變見於氣口（營氣之道內穀為寶貭 新校正云詳此注出靈 樞寶貞作寶貭 穀入於胃氣傳与肺精專者循肺氣行於氣 口故云變見於氣口也 新校正云按全元起本出作入）故五氣入鼻藏於心肺心肺有病而鼻為之不利也凡治病必察其下適其脉觀其志意與其病也（下謂目下所見可否也調適其脉之盈虛 觀量志意之邪正及病深淺成敗之宜乃 守法以治之也 新校正云按太素作必 察其上下適其脉候觀其志意与其病能）拘於鬼神者不可與言至德（志意邪則好祈禱言至德則 事必違故不可與言至德也）惡於鍼石者不可與言至巧（惡於鍼石 則巧不得 施故不可 与言至巧）病不許治者病必不治治之無功矣（心不許人治之是其 必死強為治者功亦 不成故曰治 之无功矣）

黃帝內經素問卷第三

內經音辨

靈蘭秘典論篇第八

相傳（上去声） 膻（徒旦切） 盛（音成） 窘（居尹切） 瘠（疾夕切） 瞿（音劬） 氂（音毛）

六節藏象論篇第九

分紀上去聲 長上聲 薄冰各切 食人音祀 僦即就切 溲所有所求二切小便也 罷極上音皮

五藏生成論篇第十

胝丁尼切 膕灰救切 揭丘謁切 炲音臺 衃音坏說文曰凝血也 縞古老切素也 紺感暗切青赤色也

谿音溪肉之小會為谿大會為谷 痺音閉 巔音顛巔疾首疾也 徇徐閏切 帬頭帬二音 隧音遂 頏胡浪切

顙蘇朗切 系奚計切 顴音權 䐜音嗔 胠去魚切腋下也其衣為袪下同 髃偶魚二音 欬口亥切

濇所力切不滑也

五藏別論篇第十一

楯成尹切 胞匹交切 惡去聲

黃帝內經素問卷第三

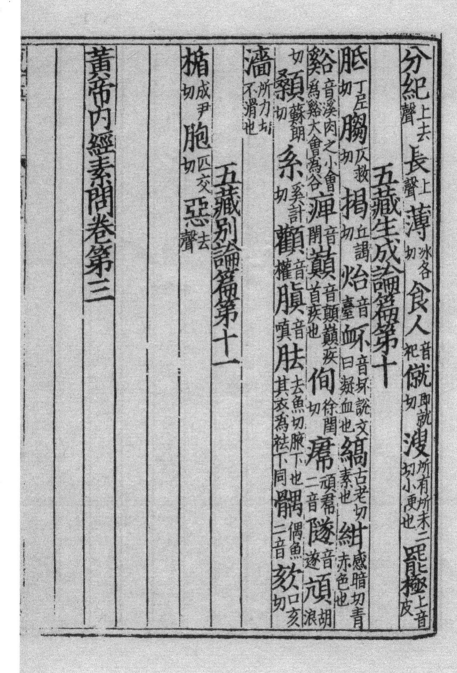

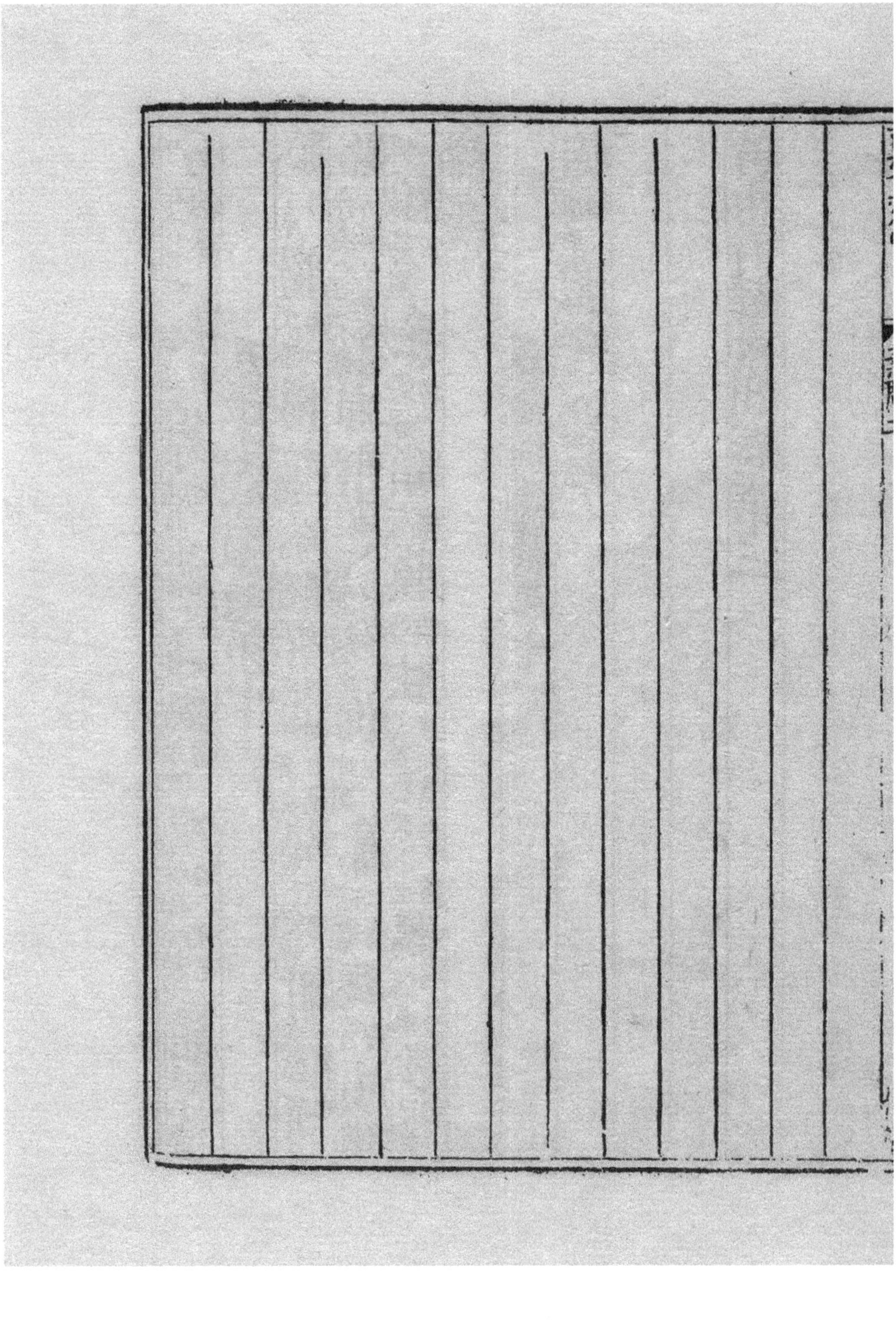

黃帝內經素問卷第四

啓玄子次註林億孫奇高保衡等奉　敕校正孫兆重改誤

異法方宜論篇第十二 新校正云按全元起本在第九卷

黃帝問曰醫之治病也一病而治各不同皆愈何也 不同謂鍼石灸焫毒藥導引按蹻也 岐伯對曰地勢使然也 謂法天地生長收藏及高下燥濕之勢 故東方之域天地之所始生也 法春氣也 魚鹽之地海濱傍水 魚鹽之地海之利也濱水際也隨業近之 其民食魚而嗜鹹皆安其處美其食 豐其利故居安恣其味故食美 魚者使人熱中鹽者勝血 魚發瘡則熱中之信鹽發渴則勝血之徵 故其民皆黑色踈理其病皆為癰瘍 血弱而熱故喜為癰瘍 其治宜砭石 砭石謂以石為鍼也山海經曰高氏之山有石如玉可以為鍼則砭石也 新校正云按氏一作伐 故砭石者亦從東方來 東人今用之 西方者金玉之域沙石之處天地之所收引也 法秋氣也引謂牽引使收斂也 其

民陵居而多風水土剛強居室如陵故曰陵居金氣肅殺故水土剛

強也●新校正云詳大抵西方地高民居高陵故多風也不必室如陵矣其民不衣而褐薦其民華食而脂肥不衣絲綿故曰不衣褐謂毛布也薦謂細草也華謂鮮美酥酪骨肉之類也以食鮮美故人體脂肥故邪不能傷其形體其病生於內水土剛強飲食脂肥膚腠閉封血氣充實故邪不能傷也內謂喜怒悲憂恐及飲食男女之過甚也●新校正云詳悲一作思當作思已見陰陽應象大論注中其治宜毒藥能攻其病則謂之毒藥以其血氣盛肌肉堅飲食華水土強故病宜毒藥方制御之藥謂草木蟲魚鳥獸之類皆能除病者故毒藥者亦從西方來西人方術今奉之北方者天地所閉藏之域也其地高陵居風寒冰冽法冬氣也其民樂野處而乳食藏寒生滿病水寒冰冽故生病於藏寒也新校正云按甲乙經無滿字其治宜灸焫火艾燒灼謂之灸焫故灸焫者亦從北方來北人正行其法南方者天地所長養陽之所盛處也其地下水土弱霧露之所聚也法夏氣也地下則水流歸之水多故土弱而霧露聚其民嗜酸而食胕言其所食不芬香●新校正云按全元起云食魚也故其民皆緻理而赤色其病攣痺酸味收歛故人皆肉理密緻陽盛之處故色赤濕氣內滿熱氣外薄故筋攣脉痺也其治宜微鍼微細小也細小之鍼調脉衰盛也故九鍼者亦從南方來南人盛崇

之中央者其地平以濕天地所以生萬物也衆法土德之用故生物衆然東方海南方下西方北方高中央之地平以濕則地形斯異生病殊焉其民食雜而不勞四方輻輳而萬物交歸故人食紛雜而不勞也故其病多痿厥寒熱濕氣在下故多病痿弱氣逆及寒熱也陰陽應象大論曰地之濕氣感則害皮肉筋脈居近於濕故爾其治宜導引按蹻導引謂搖筋骨動支節按謂抑按皮肉蹻謂捷舉手足故導引按蹻者亦從中央出也中人用爲養神調氣之正道也故聖人雜合以治各得其所宜隨方而用各得其宜唯聖人法乃能然矣故治所以異而病皆愈者得病之情知治之大體也達性懷故然

移精變氣論篇第十三新校正云按全元起本在第二卷

黃帝問曰余聞古之治病唯其移精變氣祝由而已今世治病毒藥治其內鍼石治其外或愈或不愈何也移謂移易變謂變改皆使邪不傷正精神復強而內守也生氣通天論曰聖人傳精神服天氣上古天眞論曰精神內守病安從來岐伯對曰往古人居禽獸之間動作以避寒陰居以避暑內無眷慕之累外無伸宦之形新校正云按全此恬憺之世邪不能深

入也故毒藥不能治其內鍼石不能治其外故可移精祝由而已古者巢居穴處夕隱朝遊禽獸之間斷可知矣然動躁陽盛故身熱足以禦寒涼氣生寒故陰居可以避暑矣夫志捐思想則內無眷慕之累心亡願欲故外無伸宦之形靜保天真自無邪勝是以移精變氣無假毒藥祝說病由不勞鍼石而已●新校正云按全元起云祝由南方神當今之世不然情慕云為遠於道也憂患緣其內苦形傷其外又失四時之從逆寒暑之宜賊風數至虛邪朝夕內至五藏骨髓外傷空竅肌膚所以小病必甚大病必死故祝由不能已也帝曰善余欲臨病人觀死生決嫌疑欲知其要如日月光可得聞乎岐伯曰色脉者上帝之所貴也先師之所傳也上帝謂上古之帝先師謂岐伯祖世之師僦貸季也上古使僦貸季理色脉而通神明合之金木水火土四時八風六合不離其常先師以色白脉毛而合金應秋以色青脉弦而合木應春以色黑脉石而合水應冬以色赤脉洪而合火應夏以色黃脉代而合土應長夏及四季然以是色脉下合五行之休王上副四時之往來故六合之間八風鼓坼不離常候盡可與期何者以見其變化而知之也故下文曰變化相移以觀其妙以知其要欲知其要則色脉是矣言所以知四時五行之氣變化

相移之要妙者何以色脉故也色以應日脉以應月常求其要則其要也言脉應月色應日者占候之期準也常求色脉之差忒是則平人之診要也夫色之變化以應四時之脉此上帝之所貴以合於神明也所以遠死而近生觀色脉之藏否曉死生之徵兆故能常遠於死而近於生也生道以長命曰聖王上帝聞道勤而行之生道以長惟聖王乃爾而常用也中古之治病至而治之湯液十日以去八風五痺之病八風謂八方之風五痺謂皮肉筋骨脉之痺也靈樞經曰風從東方來名曰嬰兒風其傷人也外在筋紐內舍於肝風從東南來名曰弱風其傷人也外在於肌內舍於胃風從南方來名曰大弱風其傷人也外在於脉內舍於心風從西南來名曰謀風其傷人也外在於肉內舍於脾風從西方來名曰剛風其傷人也外在於皮內舍於肺風從西北來名曰折風其傷人也外在於手太陽之脉內舍於小腸風從北方來名曰大剛風其傷人也外在於骨內舍於腎風從東北來名曰凶風其傷人也外在於掖脇內舍於大腸又痺論曰以春甲乙傷於風者為筋痺以夏丙丁傷於風者為脉痺以秋庚辛傷於風者為皮痺以冬壬癸傷於邪者為骨痺以至陰遇此者為肉痺是所謂八風五痺之病也◐新校正云按此注引痺論今經中痺論不如此當云風論曰以春甲乙傷於風者為肝風以夏丙丁傷於風者為心風以季夏戊己傷於邪者為脾風以秋庚辛中於邪者為肺風以冬壬癸中於邪者為腎風痺論曰風寒濕三氣雜至合而為痺以冬遇此者為骨痺以春遇此者為筋痺以夏遇此者為脉痺以至陰遇此者為肌痺以秋遇此者為皮痺十日不已治以草蘇草荄之枝本末為助標本已得邪氣乃服草蘇謂藥煎也草荄謂草

根也枝謂莖也言以諸藥根苗合成其劑佐助而以服之凡藥有用根者有用莖者有用枝者有用華實者有用根莖枝葉華實者湯液不去則盡用之故云本末為助也標本已得邪氣乃服者言工人與病主療相應則邪氣率服而隨時順也湯液醪醴論曰病為本工為標標本不得邪氣不服此之謂主療不相應也或謂取標本論末云鍼也◐新校正云按全元起本又云得其標本邪氣乃散暮世之治病也則不然治不本四時不知日月不審逆從四時之氣各有所在不本其處而即妄攻是反古也四時刺逆從論曰春氣在經脈夏氣在孫絡長夏氣在肌肉秋氣在皮膚冬氣在骨髓中當各隨所在而辟伏其邪爾不知日月者謂日有寒溫明暗月有空滿虧盈也八正神明論曰凡刺之法必候日月星辰四時八正之氣氣定乃刺之是故天溫日明則人血淖液而衛氣浮故血易寫氣易行天寒日陰則人血凝泣而衛氣沈月始生則血氣始精衛氣始行月郭滿則血氣盛肌肉堅月郭空則肌肉減經絡虛衛氣去形獨居是以因天時而調血氣也是故天寒無刺天溫無凝月生無寫月滿無補月郭空無治是謂得時而調之因天之序盛虛之時移光定位正立而待之故曰月生而寫是謂藏虛月滿而補血氣盈溢絡有留血命曰重實月郭空而治是謂亂經陰陽相錯眞邪不別沈以留止外虛內亂淫邪乃起此之謂也不審逆從者謂不審量其病可治與不可治也故下文曰病形已成乃欲微鍼治其外湯液治其内言心意粗略不精審也粗工兇兇以為可攻故病未已新病復起粗謂粗略也兇兇謂不料事宜之可否也何以言之假令飢人形氣羸劣食令極飽能不霍乎豈其與食而為惡邪蓋為失時復過節也非病逆鍼石湯液失時過節則其害反增矣◐新校正云按別本霍一作害帝曰願聞要道岐伯曰治之要極無失色脈用之不

惑治之大則惑謂惑亂則謂法則也言色脉之應昭然不欺但順用而不亂紀綱則治病審當之大法也逆從到行標本不得亡神失國逆從到行謂反順為逆標本不得謂工病失宜夫以反理到行所為非順豈惟治人而神氣受害若使之輔佐君主亦令國祚不保康寧矣去故就新乃得真人標本不得工病失宜則當去故逆理之人就新明悟之士乃得至真精曉之人以全已也帝曰余聞其要於夫子矣夫子言不離色脉此余之所知也岐伯曰治之極於一帝曰何謂一岐伯曰一者因得之因問而得之也帝曰奈何岐伯曰閉戶塞牖繫之病者數問其情以從其意伺其所欲而察是非也得神者昌失神者亡帝曰善

湯液醪醴論篇第十四新校正云按全元起本在第五卷

黃帝問曰為五穀湯液及醪醴奈何液謂清液醪醴謂酒之屬也岐伯對曰必以稻米炊之稻薪稻米者完稻薪者堅堅謂資其堅勁完謂取其完全完全則酒清冷堅勁則氣迅疾而效速也帝曰何以然言何以能完堅耶岐伯曰此得天地之和高下之宜故能至完伐取得時故能至堅也夫稻者生於陰

(水之精首戴天陽之氣二者和合然乃化成故云得天地之和而能至完秋氣勁切霜露凝結稻以冬採故云伐取得時而能至堅)帝曰上古聖人作湯液醪醴爲而不用何也岐伯曰自古聖人之作湯液醪醴者以爲備耳(言聖人愍念生靈先防萌漸陳其法製以備不虞耳)夫上古作湯液故爲而弗服也(聖人不治已病治未病故但爲備用而不服也)中古之世道德稍衰邪氣時至服之萬全(雖道德稍衰邪氣時至以心猶近道故服用萬全也)帝曰今之世不必已何也(言不必如中古之世用也)岐伯曰當今之世必齊毒藥攻其中鑱石鍼艾治其外也(言法殊於往古也)帝曰形弊血盡而功不立者何岐伯曰神不使也帝曰何謂神不使岐伯曰鍼石道也(言神不能使鍼石之妙用也何者志意違背於師爾故也)精神不進志意不治故病不可愈(動離於道耗散天眞故爾◐新校正云按全元起本云精神進志意定故病可愈太素云精神越志意散故病不可愈)今精壞神去榮衛不可復收何者嗜欲無窮而憂患不止精氣弛壞榮泣衛除故神去之而病不愈也(精神者生之源榮衛者氣之主氣主不輔生源復消神不内居病何能愈哉)帝曰夫病之始生也極微極精必先入結於皮膚今良工

皆稱曰病成名曰逆則鍼石不能治良藥不能及也今良工皆得其法守其數親戚兄弟遠近音聲日聞於耳五色日見於目而病不愈者亦何暇不早乎{新校正云按別本暇一作謂}岐伯曰病爲本工爲標標本不得邪氣不服此之謂也{言醫與病不相得也然工人或親戚兄弟該明情疑勿用工先備識不謂知方鍼艾之妙靡容藥石之攻匪預如是則道雖昭著萬舉萬全病不許治欲奚爲療五藏別論曰拘於鬼神者不可與言至德惡於鍼石者不可與言至巧病不許治者病必不治治之無功此皆謂工病不相得邪氣不賓服也豈惟鍼艾之有惡哉藥石亦有之矣●新校正云按移精變氣論曰標本已得邪氣乃服}帝曰其有不從毫毛生而五藏陽以竭也{新校正云按全元起本及太素陽作傷義亦通}津液充郭其魄獨居孤精於內氣耗於外形不可與衣相保此四極急而動中是氣拒於內而形施於外治之奈何{不從毫毛言生於內也陰氣中盛陽氣竭絕不得入於腹中故言五藏陽以竭也津液者水也充滿也郭皮也陰稸於中水氣脹滿上攻於肺肺氣孤危魄者肺神腎爲水害子不救母故云其魄獨居也夫陰精損削於內陽氣耗減於外則三焦閉溢水道不通水滿皮膚身體否腫故云形不可與衣相保也凡此之類皆四支脉數急而內鼓動於肺中也肺動者謂氣急而欬也言如是者皆水氣格拒於腹膜之內浮[illegible]身形之外欲窮標本其可得乎四極言四末則[illegible]支也左傳曰[illegible]經曰陽受氣於四末●新校正云}

詳形施於外施字疑誤岐伯曰平治於權衡去宛陳莝新校正云按太素莝作莝微動四極溫衣繆刺其處以復其形開鬼門潔淨府精以時服五陽已布疏滌五藏故精自生形自盛骨肉相保巨氣乃平平治權衡謂察脈浮沈也脈浮為在表脈沈為在裏在裏者泄之在外者汗之故下文云開鬼門潔淨府也去宛陳莝謂去積久之水物猶如草莝之不可久留於身中也全本作草莝微動四極謂微動四支令陽氣漸以宣行故又曰溫衣也經脈滿則絡脈溢絡脈溢則繆刺之以調其絡脈使形容如舊而不腫故云繆刺其處以復其形也開鬼門是啓玄府遣氣也五陽是五藏之陽氣也潔淨府謂寫膀胱水去也脈和則五精之氣以時賓服於腎藏也然五藏之陽漸而宣布五藏之外氣穢復除也如是故精髓自生形肉自盛藏府既和則骨肉之氣更相保抱大經脈氣然乃平復爾帝曰善

玉版論要篇第十五

新校正云按全元起本在第二卷

黃帝問曰余聞揆度奇恒所指不同用之奈何岐伯對曰揆度者度病之淺深也奇恒者言奇病也請言道之至數五色脈變揆度奇恒道在於一一謂色脈之應也知色脈之應則可以揆度奇恒矣新校正云按全元起本請作謂神轉不回回則不轉乃失其機血氣者神氣也八正神明論曰血氣者人之神不可不謹養也夫血氣應順四時遞遷因王循環五氣無相奪倫是則神轉不回也回謂却行也然血氣隨王不合却行却行則反常反常則回而

不轉也回而不轉乃失生氣之機矣何以明之夫木衰則火王火衰則土王土衰則金王金衰則水王水衰則木王終而復始循環此之謂神轉不回也若木衰水王水衰金王金衰土王土衰火王火衰木王此之謂回而不轉也然反天常軌生之何有耶

至數之要迫近以微 言五色五脉變化之要道迫近於天常而又微妙

著之玉版命曰合玉機 玉機篇名也言以此回轉之要旨著之玉版合同於玉機論文也●新校正云詳道之至數至此与玉機真藏論文相重注頗不同

容色見上下左右各在其要 容色者他氣也如肝木部內見赤黃白黑皆謂他氣也餘藏率如此例所見皆在明堂上下左右要察候處故云各在其要●新校正云按全元起本容作客視色之法具甲乙經中

其色見淺者湯液主治十日已 色淺則病輕故十日乃已

其見深者必齊主治二十一日已 色深則病甚故必終齊乃已

其見大深者醪酒主治百日已 病深甚故日多

色夭面脫不治 色見大深兼之夭惡面肉又脫不可治也

百日盡已 色不夭面不脫治之百日盡可已●新校正云詳色夭脉脫雖不治然期當百日乃已盡也

脉短氣絕死 脉短已虛加之漸絕真氣將竭故必死

病溫虛甚死 甚虛而病溫溫氣內涸其精血故死

色見上下左右各在其要上為逆下為從 色見於下者病生之氣也故從色見於上者傷神之兆也故逆

女子右為逆左為從男子左為逆右為從 左為陽故男子右為從而左為逆右為陰故女子右為逆而左為從

易重陽死重陰死 女子色見於左男子色見於右是變易也男子色見於左是曰重陽女子色見於右

是曰重陰氣絕則反故皆死也陰陽反他新校正云按陰陽應象大論云陰陽反作治在權衡相奪奇恒事也揆度事也權衡相奪謂陰陽二氣不得高下之宜是奇於恒常之事當揆度其氣隨宜而處療之搏脈痺躄寒熱之交脈擊搏於手而病瘧痺及攣躄者皆寒熱之氣交合所為非邪氣虛實之所生也脈孤為消氣虛泄為奪血夫脈有表無裏有裏無表皆曰孤亡之氣也若有表有裏表而氣不足者皆曰虛衰之氣也孤為逆虛為從孤無所依故曰逆虛衰可復故曰從行奇恒之法以太陰始凡揆度奇恒之法先以氣口太陰之脈定四時之正氣然後度量奇恒之氣也行所不勝曰逆逆則死木見金脈金見火脈火見水脈水見土脈土見木脈如是皆行所不勝也故曰逆賊勝不已故逆則死焉行所勝曰從從則活木見水火土脈火見金土木脈土見金水火脈金見土木水脈水見金火木脈如是者皆可勝之脈故曰從〻則無所剋殺傷敗故從則活也八風四時之勝終而復始以不越於五行故雖相勝猶循環終而復始也逆行一過不復可數論要畢矣過謂遍也然逆行一過遍於五氣者不復可數為平和矣

診要經終論篇第十六新校正云按全元起本在第二卷

黃帝問曰診要何如岐伯對曰正月二月天氣始方地氣始發人氣在肝方正也言天地氣正發生其萬物也木治東方正七十二日猶當三月節後一十二日是木之用事以月而取

則正月二月人氣在肝三月四月天氣正方地氣定發人氣在脾天氣正方以陽氣明盛地氣定發為萬物華而欲實也然季終土寄而王土又生於丙故人氣在脾五月六月天氣盛地氣高人氣在頭天陽赫盛地焰高外故言天氣盛地氣高火性炎上故人氣在頭七月八月陰氣始殺人氣在肺七月三陰爻生八月陰始肅殺故云陰氣始殺也然陰氣肅殺類合於金肺氣象金故人氣在肺九月十月陰氣始冰地氣始閉人氣在心陰氣始凝地氣始閉隨陽而入故人氣在心十一月十二月冰復地氣合人氣在腎陽氣深伏故氣在腎也夫氣之變也故發生於木長茂於土盛高而上肅殺於金避寒於火伏藏於水斯皆隨順陰陽氣之外洗也五藏生成篇曰五藏之象可以類推此之謂氣類也故春刺散俞及與分理血出而止散俞謂間穴分理謂肌肉分理　新校正云按四時刺逆從論云春氣在經脈此散俞即經脈之俞也又水熱穴論云春取絡脈分肉甚者傳氣間者環也瘖疾氣之間甚也傳謂相傳環謂循環也相傳則傳所不勝循環則周迴於五氣也　新校正云按太素環也作環已夏刺絡俞見血而止盡氣閉環痛病必下盡氣謂出血而盡鍼下取所病脈盛邪之氣也邪氣盡已穴俞閉密則經脈循環而痛病之氣必下去矣以陽氣大盛故為是法刺之新校正云按四時刺逆從論云夏氣在孫絡此絡俞即孫絡之俞也又水熱穴論云夏取盛經分腠秋刺皮膚循理上下同法神變而止循理謂循肌肉之分理也上謂手脈下謂足脈神變謂脈氣變易與未刺時異也脈者神之用故言之　新校

正云按四時刺逆從論云秋氣在皮膚義與此合又水熱穴論冬[illegible]俞竅
云取俞以寫陰邪取合以虛陽邪皇甫士安云是始秋之治變
於分理甚者直下間者散下直下謂直爾下之散下謂散布下之新校正云按四時刺逆從論云冬氣
在骨髓此俞竅即骨髓之俞竅也又水熱穴論云冬取井滎皇甫士安云是春冬之治變春夏秋冬各有所刺法
其所在春刺夏分脉亂氣微入淫骨髓病不能愈令人
不嗜食又且少氣心主脉故脉亂氣微水受氣於夏腎主骨故入淫於骨髓也心火微則胃土不足故不嗜食而少氣也
新校正云按四時刺逆從論云春刺絡脉血氣外溢令人少氣春刺秋分筋攣逆氣環為欬嗽
病不愈令人時驚又且哭木受氣於秋肝主筋故刺秋分則筋攣也若氣逆環周則為欬嗽肝主驚故時驚肺
主氣故氣逆又且哭也　新校正云按四時刺逆從論云春刺肌肉血氣環逆令人上氣春刺冬分邪氣著藏令
人脹病不愈又且欲言語冬主陽氣伏藏故邪氣著藏腎實則脹故刺冬分則令人脹也火受氣於冬心主言
故欲言語也　新校正云按四時刺逆從論云春刺筋骨血氣內著令人腹脹夏刺春分病不愈令人解
㑊肝養筋肝氣不足故筋力解㑊　新校正云按四時刺逆從論云夏刺經脉血氣乃竭令人解㑊夏刺秋分病不
愈令人心中欲無言惕惕如人將捕之肝木為語傷秋分則肝木虛故恐如人將捕之
肝不足故欲無言而復恐也　新校正云按四時刺逆從論云夏刺肌肉血氣內却令人善恐甲乙經作悶夏刺冬分病不

愈令人少氣時欲怒也夏傷於腎肝肺救之志内不足故令少氣時欲怒也　新校正云按四時刺逆從論云夏刺筋骨血
氣上逆令人善怒秋刺春分病不已令人惕然欲有所為起而忘
之肝虛故也刺不當也　新校正云按四時刺逆從論云秋刺經脈血氣上逆令人善忘秋刺夏分病不已令
人益嗜臥又且善夢心氣少則脾氣孤故令嗜臥心主夢神為之故令善夢　新校正云按四時刺逆從論云秋刺絡脈
氣不外行令人臥不用動秋刺冬分病不已令人洒洒時寒陰氣上干故時寒也洒洒寒皃
新校正云按四時刺逆從論云秋刺筋骨血氣内散令人寒慄冬刺春分病不已令人欲臥不
能眠眠而有見肝氣少故令欲臥不能眠肝主目故眠而如見有物之形狀也　新校正云按四時刺逆從論云冬刺經脈血
氣皆脫令人目不明冬刺夏分病不愈氣上發為諸痺泄脈氣故也　新校正云按四時刺
逆從論云冬刺絡脈血氣外泄留為大痺冬刺秋分病不已令人善渴肺氣不足故發渴　新校正
按四時刺逆從論云冬刺肌肉陽氣竭絕令人善忘凡刺胸腹者必避五藏心肺在鬲上腎肝在鬲下脾象土而
居中故刺胸腹必避之五藏者所以藏精神魂魄意志損之則五神去神去則死至故不可不慎也中心者環死氣行如環之一周則
死也正謂周十二辰也　新校正云按刺禁論云一日死其動為噫四時刺逆從論同此經闕刺中肝死日刺禁論云中肝五日死其動為語四時刺逆從論
同中脾者五日死土數五也　新校正云按刺禁論云中脾十日死其動為吞四時刺逆從論同中腎者

七日死水成數六水數畢當至七日而死一云十日死字之誤也新校正云按刺禁論云中腎六日死其動為嚏四時刺逆從論云中腎六日死其動為嚏欠中肺者五日死金生數四金數畢當至五日而死一云三日死亦字誤也新校正云按刺禁論云中肺三日死其動為欬四時刺逆從論同王注四時刺逆從論云此三論皆歧伯之言而不同者傳之誤也中鬲者皆為傷中其病雖愈不過一歲必死五藏之氣同主一年鬲傷則五藏之氣互相剋伐故不過一歲必死刺避五藏者知逆從也所謂從者鬲與脾腎之處不知者反之腎著於脊脾藏居中鬲連於脇際知者為順不知者反傷其藏刺胷腹者必以布憿著之乃從單布上刺形定則不誤中於五藏也新校正云按別本憿一作㯷又作撽刺之不愈復刺要以氣至為故也鍼經曰刺之氣不至無問其數刺之氣至去之勿復鍼此之謂也刺鍼必肅肅謂肅靜所以候氣之存亡刺腫搖鍼以出大膿血故經刺勿搖經氣不欲泄故此刺之道也帝曰願聞十二經脈之終奈何終謂盡也歧伯曰太陽之脈其終也戴眼反折瘈瘲其色白絕汗乃出出則死矣戴眼謂睛不轉而仰視也然足太陽脈起於目內眥上額交巔上從巔入絡腦還出別下項循肩髆內俠脊抵腰中其支別者下循足至小指外側手太陽脈起於手小指之端循臂上肩入缺盆其支別者上頰至目內眥抵足太陽新校正云按甲乙經作斜絡於顴又其支別者從缺盆循頸上頰至目外眥新校正云按甲乙經外作兊故戴眼反折瘈瘲色白絕汗乃出也絕汗謂汗

暴出如珠而不流旋復乾也太陽極則汗出故出則死少陽終者耳聾百節皆縱目睘絕系絕系一日半死其死也色先青白乃死矣足少陽脉起於目銳眥上抵頭角下耳後其支別者從耳後入耳中出走耳前手少陽脉其支別者從耳後亦入耳中出走耳前故終則耳聾目睘絕系也少陽主骨故氣終則百節縱緩色青白者金木相薄也故見死矣睘謂直視如驚貌陽明終者口目動作善驚妄言色黃其上下經盛不仁則終矣足陽明脉起於鼻交頞中下循鼻外入上齒縫中還出俠口環脣下交承漿卻循頤後下廉出大迎循頰車上耳前過客主人循髮際至額顱其支別者從大迎前下人迎循喉嚨入缺盆下鬲手陽明脉起於手循臂至肩上出於柱骨之會上下入缺盆絡肺其支別者從缺盆上頸貫頰下入齒中還出俠口交人中左之右二之左上俠鼻鼽抵足陽明新校正云按甲乙經鼽作孔無抵足陽明四字故終則口目動作也口目動作謂目睒二而鼓頷也胃病則惡人與火聞木音則惕然而驚又罵詈罵詈而不避親踈故善驚妄言也黃者土色ㄧ謂手脉下謂足脉也經盛謂面目頸頷足跗腕脛皆躁盛而動也不仁謂不知善惡如是者皆氣竭之徵也故終矣少陰終者面黑齒長而垢腹脹閉上下不通而終矣手少陰氣絕則血不流足少陰氣絕則骨不耎骨硬則齗上宣故齗長而積垢汗血壞則皮色死故面色如漆而不赤也足少陰脉從腎上貫肝鬲入肺中手少陰脉起於心中出屬心系下鬲絡小腹故腹脹閉上下不通也新校正云詳王注云骨不耎骨硬按難經及甲乙經云骨[illegible]不濡則肉弗能著當作骨不濡手少陰脉絡小腸甲乙經作[illegible]太陰終者腹脹閉不得息善噫善嘔足太陰脉[illegible]脉起於[illegible]嘔[illegible]

中焦下絡大腸還循胃口上鬲屬[illegible]則如[illegible]也靈樞經曰足太陰之脉動則病食則嘔腹脹善噫也嘔則逆逆則面赤嘔則氣逆故面赤 新校正云按靈樞經作善噫二則嘔二則逆不逆則上下不通不通則面黑皮毛焦而終矣嘔則上通故但面赤不嘔則下已閉上復不通心氣外燔故皮毛焦而終矣何者足太陰脉支別者復從胃[illegible]上鬲注心中由是則皮毛焦乃心氣外燔而生也厥陰終者中熱嗌乾善溺心煩甚則舌卷卵上縮而終矣足厥陰絡循脛上臯結於莖其正經入毛中下過陰器上抵小腹俠胃上循喉嚨之後入頏顙手厥陰脉起於胷中出屬心包故終則中熱嗌乾善溺心煩矣靈樞經曰肝者筋之合也筋者聚於陰器而脉絡於舌本故甚則舌卷卵上縮也又以厥陰之脉過陰器故爾 新校正云按甲乙經臯作睾過作環此十二經之所敗也手三陰三陽足三陰三陽則十二經也敗謂氣終盡而敗壞也 新校正云詳十二經終又出靈樞經與素問重

黃帝內經素問卷第四

音辨

異法方宜論篇第十二

蹻 去夭切舉足高也 砭 補兼切古者以石為鍼刺病 灸 九救二音 焫 如劣切爇也 長 上聲 胕 音附

緻 持二切密也 瘅 音闡 痿 於危切又音蕤 標 必彫切

移精變氣論篇第十三

僦即就切 兇音凶 荄古哀切

湯液醪醴論篇第十四

醪力刀切汁滓酒也 醴音禮薄酒也 鑱仕衫切說文云銳也鑱石之鑱者古人以刺病 莝音剉斬草也 滌音迪 穢音畏

玉版論要篇第十五

著知去切 度入聲 痺音閉 躄必亦切說文作壁人不能行也故曰跛躄

診要經終論篇第十六

俞音庶本作腧 間音諫 分音忿下同 欬口亥切 著直略切下同 寱夢同 洒所賣切 中去声 傷中如字 㬭古堯切 瘛尺至切 瘲音縱 睘音瓊視也 噫乙介切 嗌於昔切咽也 睒音閃 跗方无切足上也

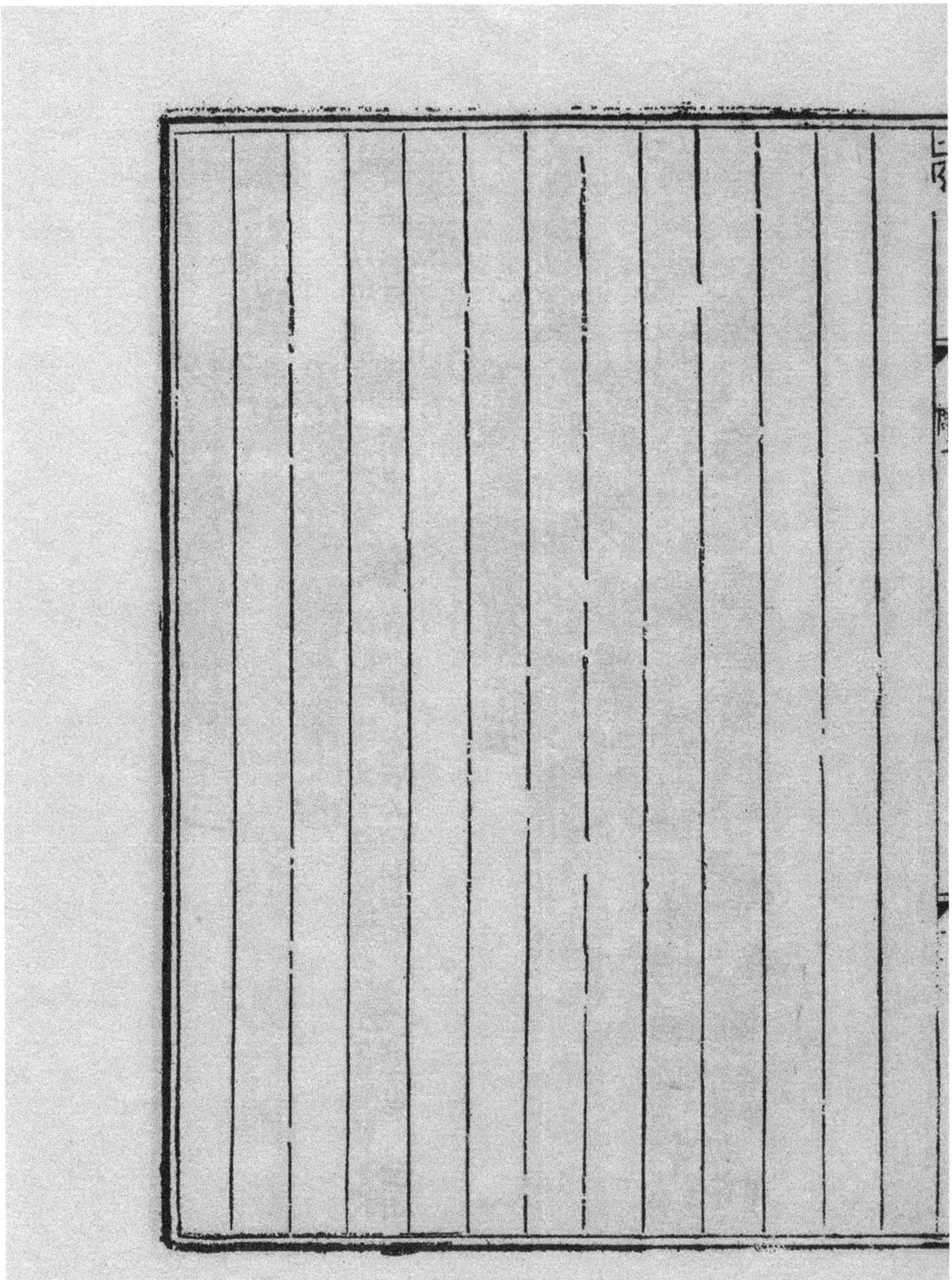

黃帝內經素問卷第五

啓玄子次註林億孫奇高保衡等奉　敕校正孫兆重改誤

脉要精微論篇第十七

新校正云按全元起本在第六卷

黃帝問曰：診法何如？岐伯對曰：診法常以平旦，陰氣未動，陽氣未散，飲食未進，經脉未盛，絡脉調勻，氣血未亂，故乃可診有過之脉。動謂動而降卑散謂散布而出也過謂異於常候也　新校正云按脉經及千金方有過之脉作過此非也　王注陰氣未動謂動而降卑按金匱真言論云平旦至日中天之陽陽中之陽也則平旦為一日之中純陽之時陰氣未動耳何有降卑之義

切脉動靜而視精明，察五色，觀五藏有餘不足，六府強弱，形之盛衰，以此參伍，決死生之分。切謂以指切近於脉也精明穴名也在明堂左右兩目內眥也以近於目故曰精明言以形氣盛衰脉之多少視精明之間氣色觀藏府不足有餘參其類伍以決死生之分

夫脉者，血之府也，府聚也言血之多少皆聚見於經脉之中也故刺志論曰脉實血實脉虛血虛此其常也反此者病由是故也　長則氣治，短則氣病，數則煩心，大則病進，夫脉長為氣和故治短為不足故病數急為熱故煩[illegible]

脉若往來如[illegible]者往來[illegible]急速大脉者往來滿大也上盛則氣高[illegible]下盛則氣脹

代則氣衰細則氣少新校正云按太素細作滑濇則心痛上謂寸口下謂尺中盛謂盛滿代脉者動而中止不能自還細脉者動如莠蓬濇脉者往來時不利而蹇濇也渾渾革至如涌泉病進而色弊緜緜其去如弦絕死渾渾言脉氣濁亂也革至者謂脉來弦而大實而長也如涌泉者言脉汨汨但出而不返也緜緜言微微似有而不甚應手也如弦絕者言脉卒斷如弦之絕去也若病候日進而色弊惡如此之脉皆必死也◐新校正云按甲乙經及脉經作渾渾革革至如涌泉病進而危弊弊綽綽其去如弦絕者死

夫精明五色者氣之華也五氣之精華者上見為五色變化於精明之間也六節藏象論曰天食人以五氣五氣入鼻藏於心肺上使五色脩明此則明察五色也赤欲如白裹朱不欲如赭白欲如鵝羽不欲如鹽新校正云按甲乙經作白欲如白璧之澤不欲如堊太素兩出之青欲如蒼璧之澤不欲如藍黃欲如羅裹雄黃不欲如黃土黑欲如重漆色不欲如地蒼新校正云按甲乙經作炭色五色精微象見矣其壽不久也赭色鹽色藍色黃土色地蒼色見者皆精微之敗象故其壽不久夫精明者所以視萬物別白黑審短長以長為短以白為黑如是則精衰矣誠其誤也夫如是者皆精明衰乃誤也五藏者中之守也身形之中五神安守之所也此則明觀五藏也

新校正云按甲乙經及太素守作府中盛藏滿氣勝傷恐者聲如從室中言是中氣之濕也中謂腹中盛謂氣盛藏謂肺藏氣勝謂勝於呼吸而喘息變易也夫腹中氣盛肺藏充滿氣勝息變善傷於恐言聲不發如在室中者皆腹中有濕氣乃爾也言而微終日乃復言者此奪氣也若言音微細聲斷不續甚奪其氣乃如是也衣被不斂言語善惡不避親踈者此神明之亂也倉廩不藏者是門戶不要也倉廩謂脾胃門戶謂䰟門靈蘭秘典論曰脾胃者倉廩之官也五藏別論曰䰟門亦為五藏使水穀不得久藏也䰟門則肛門也要謂禁要水泉不止者是膀胱不藏也水泉謂前陰之流注也得守者生失守者死夫如是倉廩不藏氣勝傷恐衣被不斂水泉不止者皆神氣得居而守則生失其所守則死也夫何以知神氣之不守耶衣被不斂言語善惡不避親踈則亂之證也亂甚則不守於藏也夫五藏者身之強也藏安則神守神守則身強故曰身之強也頭者精明之府頭傾視深精神將奪矣背者胸中之府背曲肩隨府將壞矣腰者腎之府轉[illegible]不能腎將憊矣膝者筋之府屈伸不能行則僂附新校正云按[illegible]本附一作俯太素作跗筋將憊矣骨者髓之府不能久立行則振掉骨將憊矣皆以所居所由得[illegible]之府[illegible]得強則生失強則死強謂中氣強[illegible]

曰新校正云詳此岐伯曰前無問反四時者有餘為精不足為消應太過不足為精應不足有餘為消陰陽不相應病名曰關格齎陳其脉應也夫反四時者諸不足皆為血氣消損諸有餘皆為邪氣勝精也陰陽之氣不相應合不得相營故曰關格帝曰脉其四時動奈何知病之所在奈何知病之所變奈何知病乍在內奈何知病乍在外奈何請問此五者可得聞乎言欲順四時及陰陽相應之狀候也岐伯曰新校正云詳此對與問不甚相應脉四時動病之所在病之所變按文頗對病在內在外之說後文殊不相當請言其與天運轉大也指可見陰陽之運轉以明陰陽之不可見也萬物之外六合之內天地之變陰陽之應彼春之暖為夏之暑彼秋之忿為冬之怒四變之動脉與之上下六合謂四方上下也春暖為夏暑言陽生而至盛秋忿為冬怒言陰少而之壯也忿一為急言秋氣勁急也●新校正云按全元起注本暖作緩以春應中規春脉耎弱輕虛而滑如規之象中外皆然故以春應中規夏應中矩夏脉洪大兼之滑數如矩之象可正平之故以夏應中矩秋應中衡秋脉浮毛輕濇而散如稱衡之象高下必平故以秋應中衡冬〻應中權冬〻脉如石兼沈而滑如稱權之象下遠於衡故以冬〻應中權也以秋中衡冬〻中權者言脉之高下異處如此爾此則隨陰陽之氣故有斯四應不同也是故冬〻至四十五日陽氣微

上陰氣微下夏至四十五日陰氣微上陽氣微下陰陽
有時與脉為期期而相失如脉所分分之有期故知死
時察陰陽升降之準則知經脉遞遷之象審氣候遞遷之失則知氣血分合之期分期不差故知人死之時節微妙在脉不
可不察察之有紀從陰陽始推陰陽升降精微妙用皆在經脉之氣候是以不可不察故始以陰陽為察候之綱紀
始之有經從五行生生之有度四時為宜言始所以知有經脉之察候司應者何哉蓋從五行衰王而為準度也徵求太過不及之形診皆以應四時者為生氣所宜也●新校正云按太素宜作數補寫勿
失與天地如一有餘者寫之不足者補之是則應天地之常道也然天地之道損有餘而補不足是法天地之道也寫補之宜工切審之其治氣亦然
得一之情以知死生曉天地之道補寫不差既得一情亦可知生死之的是故聲
合五音色合五行脉合陰陽聲表宮商角徵羽故合五音色見青黃赤白黑故合五行脉彰寒暑之休王故合陰陽之氣也
是知陰盛則夢涉大水恐懼陰為水故夢涉水而恐懼也陰陽應象大論曰水為陰
陽盛則夢大火燔灼陽為火故夢大火而燔灼也陰陽應象大論曰火為陽陰陽俱盛
則夢相殺毀傷亦類交爭之氣象也上盛則夢飛下盛則夢墮氣上則夢上故飛氣下則夢下故墮
甚飽則[illegible]取內[illegible]氣盛則

夢怒肝在志為怒肺氣盛則夢哭肺聲哀故為哭◐新校正云詳是知陰盛則夢涉大水恐懼至此乃靈樞之文誤
置於斯仍少心脾腎氣盛所夢今具甲乙經中短蟲多則夢聚衆身中短蟲多則夢聚衆長蟲多
則夢相擊毀傷長蟲動則內不安內不安則神躁擾故夢是矣◐新校正云詳此二句亦不當出此應他經脫簡文也是
故持脉有道虛靜為保前明脉應此舉持脉所由也然持脉之道必虛其心靜其志乃保定盈虛而不失◐新校
正云按甲乙經保作寶春日浮如魚之遊在波雖出猶未全浮夏日在膚泛泛乎
萬物有餘泛泛平貌陽氣大盛脉氣亦象萬物之有餘易取而洪大也秋日下膚蟄蟲將去
隨陽氣之漸降故曰下膚何以明陽氣之漸降蟄蟲將欲藏去也冬日在骨蟄蟲周密君子居室
在骨言脉深沉也蟄蟲周密言陽氣伏藏君子居室比人事也故曰知內者按而紀之知內者謂知脉氣也故按
而為之綱紀知外者終而始之知外者謂知色象故以五色終而復始此六者持脉之
大法具是六者然後可以知脉之遷變也◐新校正云詳此前對帝問脉其四時動奈何之事心脉搏堅而長當
病舌卷不能言搏謂搏擊於手也諸脉搏堅而長者皆為勞心而藏脉氣虛極也心手少陰脉從心系上俠咽喉故令舌卷短
而不能言也其耎而散者當消環自已諸脉耎散皆為氣實血虛也消謂消散環謂環周言其經氣如
環之周當其火王自消散也新校正云按甲乙經環作渴肺脉搏堅而長當病唾血肺虛極則絡逆絡逆則血

泄故唾出也其耎而散者當病灌汗至今不復散發也汗泄玄府津液奔湊寒水灌洗皮密汗藏因灌汗藏故言灌汗至今不復散發也灌謂灌洗盛暑多為此也　新校正云詳下文諸藏各言色而心肺二藏不言色者疑闕文也肝脉搏堅而長色不青當病墜若搏因血在脇下令人喘逆諸脉見本經之氣而耎色不應者皆非病從內生是外病來勝也夫肝藏之脉端直以長故言曰色不青當病墜若搏也肝主兩脇故曰因血在脇下也肝厥陰脉布脇肋循喉嚨之後其支別者復從肝別貫鬲上注肺今血在脇下則血氣上熏於肺故令人喘逆也其耎而散色澤者當病溢飲溢飲者渴暴多飲而易入肌皮腸胃之外也面色浮澤是為中濕血虛中濕水液不消故言當病溢飲也以水飲滿溢故滲溢易而入肌皮腸胃之外也　新校正云按甲乙經易作溢胃脉搏堅而長其色赤當病折髀胃虛色[illegible]火氣救之心象於火故色赤也胃陽明脉從氣衝下髀抵伏兔故病則髀如折也其耎而散者當病食痺痺痛也胃陽明脉其支別者從大迎前下人迎循喉嚨入缺盆下鬲屬胃絡脾故食則痛悶而氣不散也　新校正云詳謂痺為痛義則未通脾脉搏堅而長其色[illegible]當病少氣脾虛則肺无所養肺主氣故少氣也其耎[illegible]澤者當病足[illegible]腫若水狀也色氣浮澤為水之候色不[illegible]言若水[illegible]也脾[illegible]自[illegible]上內踝前廉上[illegible]內循[illegible]出腧[illegible]入腹故[illegible]所腫也[illegible]

[illegible]腎受寒[illegible]膀胱也膀胱為腎府故病發於中[illegible]少血至今[illegible]也腎主水以生化津液今腎氣不化故當病少血至今不復也帝曰新校正云詳帝曰至以其勝[illegible]全元起本在湯液篇診得心脉而急此為何病病形何如岐伯曰病名心疝少腹當有形也心為牡藏其氣應陽今脉反寒故為疝也諸脉勁急者皆為寒形謂病形也帝曰何以言之岐伯曰心為牡藏小腸為之使故曰少腹當有形也少腹小腹也靈蘭秘典論曰小腸者受盛之官以其受盛故形居于內也帝曰診得胃脉病形何如岐伯曰胃脉實則脹虛則泄脉實者氣有餘故脹滿脉虛者氣不足故泄利新校正云詳此前對帝問知病之所在帝曰病成而變何謂岐伯曰風成為寒熱生氣通天論曰因於露風乃生寒熱故風成為寒熱也癉成為消中癉謂濕熱也熱積於內故變為消中也消中之證善食而瘦新校正云詳王注以善食而瘦為消中按本經多食數溲為之消中善食而瘦乃是食㑊之證當云善食而溲數厥成為巔疾厥謂氣逆也氣逆上而不已則變為上巔之疾也久風為飧泄久風不變但在胃中則食不化而泄利也以肝氣內合而乘胃故為是病焉陰陽應象大論曰風氣通於肝故內應於肝也脉風成為癘經風論曰風寒客於脉而不去名曰癘風又曰癘者有榮氣熱胕其氣不清故使其鼻柱壞而色敗皮膚瘍潰然此則癩也夫如是者皆脉風成結變而為也病之變化不可勝數新校正云詳此前對帝問知病之所變奈何帝曰諸癰

腫筋攣骨痛，此皆安生安何也言何以生之歧伯曰此寒氣之腫八風
之變也八風八方之風也然癰腫者傷東南西南風之变也筋攣骨痛者傷東風北風之變也靈樞經曰風從東方來名曰嬰兒風其傷人也外在筋紐風從東南來名曰弱風其傷人也外在於肌風從西南來名曰謀風其傷人也外在於肉風從北方來名曰大剛風其傷人也外在於骨由此四風之变而三病乃生故下問對是也帝曰治之奈何歧伯曰此四時之病以其勝治
之愈也勝謂勝剋也如金勝木木勝土土勝水水勝火火勝金此則相勝也帝曰有故病五藏發動因
傷脉色各何以知其久暴至之病乎重以色氣明前五藏堅長之脉有自病故病及因傷候也
歧伯曰悉乎哉問也徵其脉小色不奪者新病也氣乏而神猶強也
徵其脉不奪其色奪者此久病也神持而邪陵其氣也徵其脉與五
色俱奪者此久病也神與氣俱衰也徵其脉與五色俱不奪者新
病也神與氣俱強也肝與腎脉並至其色蒼赤當病毀傷不見血
已見血濕若中水也肝色蒼心色赤赤色見當脉洪腎脉見當色[illegible]腎脉來反見[illegible]巴故當因傷而血不見也若巳見
血則是濕氣及水在腹中也何者以心腎脉色中外之候不相應也尺內[illegible]兩傍則季脇也尺內謂尺澤之內也兩傍各謂
尺之外側也季脇近腎尺主之之故尺內兩[illegible]則[illegible]尺外[illegible]以候腎尺裏以候腹中尺外謂尺[illegible]外則尺

[illegible]謂尺之内側也[illegible]分季脇之上腎之分季脇之内則腹之[illegible]附上左外以候肝内以候
鬲肝主賁賁鬲也右外以候胃内以候脾居中故以内候之胃為市故以外候之上附上
右外以候肺内以候胷中肺葉外故以外候之胷中主氣管故以内候之左外以候
心内以候膻中心主鬲中也膻中則氣海也亦也新校正云詳王氏以膻中為之也疑誤前以候前後
以候後上前謂左寸口下前謂胷之前膺及氣海也上後謂右寸口下後謂胷之後背及氣管也上竟上者胷喉中
事也下竟下者少腹腰股膝脛足中事也上竟上至魚際也下竟下謂盡尺之脉動
處也少腹胞氣海在膀胱腰股膝脛足中之氣動靜皆分其近遠及連接處所名目以候之知其善惡也麤大者陰不足陽
有餘為熱中也麤大謂脉洪大也脉洪為熱故曰熱中來疾去徐上實下虛為
厥巔疾來徐去疾上虛下實為惡風也亦脉狀也故中惡風者
陽氣受也以上虛故陽氣受也有脉俱沈細數者少陰厥也尺中之有脉沈細數
者是腎少陰氣逆也何者尺脉不當見數有數故言厥也俱沈細數者言左右尺中也沈細數散者寒熱也陽干
於陰陰氣不足故寒熱也正理論曰數為陽浮而散者為眴仆脉浮為虛散為不足氣虛而血不足故為頭眩而仆倒也
諸浮不躁者皆在陽則為熱其有躁者在手言大法也但浮不躁則病在足

陽脉之中躁者病在一陽脉之中也故又曰其有躁者在手也陽為火氣故為熱諸細而沉者皆在陰則為骨痛其有靜者在足細沉而躁則病生於手陰脉之中靜者病生於足陰脉之中也故又曰其有靜者在足也陰主骨故骨痛數動一代者病在陽之脉也洩及便膿血代止也數動一代是陽氣之生病故言病在陽之脉所以然者以洩利及膿血脉乃爾諸過者切之濇者陽氣有餘也滑者陰氣有餘也陽有餘則血少故脉濇陰有餘則氣多故脉滑也●新校正云詳氣多疑誤當是血多也陽氣有餘為身熱無汗陰氣有餘為多汗身寒血少氣多斯可知也陰陽有餘則無汗而寒陽餘無汗陰餘身寒若陰陽有餘則當無汗而寒也推而外之內而不外有心腹積也脉附臂筋取之不審推筋令遠使脉外行內而不出外者心腹中有積乃爾推而內之外而不內身有熱也脉遠臂筋推之令近遠而不近是陽氣有餘故身有熱也推而上之上而不下腰足清也推筋按之尋之而上脉上涌盛是陽氣有餘故腰足冷也●新校正云按甲乙經上而不下作下而不上推而下之下而不上頭項痛也推筋按之尋之而下脉沈下掣是陽氣有餘故頭項痛也●新校正云按甲乙經下而不上作上而不下按之至骨脉氣少者腰脊痛而身有痹也陰氣多過故爾

下 [illegible]氣[illegible]論篇[illegible] [illegible]新校正云按全元

黃帝問曰平人何如岐伯對曰人一呼脉再動一吸脉亦再動呼吸定息脉五動閏以太息命曰平人平人者不病也經脉一周於身凡長十六丈二尺呼吸脉各再動定息脉又一動則五動也計二百七十定息氣可環周然盡五十營以一萬三千五百定息則氣都行八百一十丈如是則應天常度脉氣無不及太過氣象平調故曰平人也常以不病調病人醫不病故為病人平息以調之為法人一呼脉一動一吸脉一動曰少氣呼吸脉各一動準候減平人之半計二百七十定息氣凡行八丈一尺以一萬三千五百定息氣都行四百五丈少氣之理從此可知人一呼脉三動一吸脉三動而躁尺熱曰病溫尺不熱脉滑曰病風脉濇曰痺呼吸脉各三動準過平人之半計二百七十息氣凡行二十四丈三尺病生之兆由斯著矣夫尺者陰分位也寸者陽分位也然陰陽俱熱是則為溫陽獨躁盛則風中陽也脉要精微論曰中惡風者陽氣受也滑為陽盛故病為風濇為無血故為瘰痺也躁謂煩躁●新校正云按甲乙經無脉濇曰痺一句下文亦重人一呼脉四動以上曰死脉絕不至曰死乍踈乍數曰死呼吸脉各四動準過平人之倍計二百七十息氣凡行三十二丈四尺況其以上耶脉法曰脉四至曰脱精五至曰死然四至以上亦近五至也故死矣然脉絕不至天真之氣已無作數作踈胃穀之精亦斷故皆死之候是以下文曰●新校正云按別本斷一作平人之常氣稟於胃胃者平人之常氣

也常平之氣胃海致靈樞經曰胃為水穀之海也正理論曰穀入於胃脉道乃行人無胃氣曰逆逆者死逆謂反平人之候也●新校正云按甲乙經云人常稟氣於胃脉以胃氣為本無胃氣曰逆逆者死春胃微弦曰平言微似弦不謂微而弦也鈎及耎弱毛石義並同弦多胃少曰肝病但弦無胃曰死謂急而益勁如新張弓弦也胃而有毛曰秋病毛秋脉金氣也毛甚曰今病木受金邪故今病藏真散於肝肝藏筋膜之氣也象陽氣之散發故藏真散也藏氣法時論曰肝欲散急食辛以散之取其順氣夏胃微鈎曰平鈎多胃少曰心病但鈎無胃曰死謂前曲後居如操帶鈎也胃而有石曰冬病石冬脉水氣也石甚曰今病火被水侵故今病藏真通於心心藏血脉之氣也象陽氣之炎盛也藏氣法時論曰心欲耎急食鹹以耎之取其順氣長夏胃微耎弱曰平弱多胃少曰脾病[illegible]但代無胃曰死謂動而中止不能自還也耎弱有石曰冬病石冬脉水氣也次其勝剋[illegible]當為弦長夏土絕故云石[illegible][illegible]甚曰今病弱[illegible]為土氣不足故今病●新校正云按甲乙經弱作石藏真濡於脾脾藏肌肉之氣也以舍藏水穀故藏真濡也秋胃微毛曰平毛多胃少曰肺[illegible]但毛無胃曰死謂如[illegible]浮如[illegible][illegible]毛而有弦[illegible]弦春脉[illegible]也[illegible]其勝剋弦當為鈎[illegible]見故不鈎而反弦也[illegible]

病木受金則今藏真高於肺以行榮衛陰陽也故藏真高
靈樞經曰榮氣之道内穀為寶穀傳與肺流溢於中布散於外專者行於經隧以其自肺宣布故云以行陰陽也●新校正云按別本
一作寶冬胃微石曰平石多胃少曰腎病但石無胃曰死謂如奪索
辟辟如彈石也石而有鉤曰夏病鉤夏脉火兼土氣也次其乘剋鉤當云弱土王長夏不見已死故石而有鉤兼其土也
鉤甚曰今病水受火土之邪故今病藏真下於腎腎藏骨髓之氣也腎居
下焦故云藏真下也腎化骨髓故藏骨髓之氣也胃之大絡名曰虛里貫鬲絡肺出於左
乳下其動應衣脉宗氣也宗尊也主也謂十二經脉之尊主也貫鬲絡肺出於左乳下者自鬲而出於乳下乃
絡肺也盛喘數絶者則病在中絶謂暫斷絶也結而横有積矣絶不至
曰死皆左乳下脉動狀也中謂腹中也乳之下其動應衣宗氣泄也泄謂發泄●新校正云按
全元起本無此十一字甲乙經亦無詳上下文義多此十一字當去欲知寸口太過與不及寸口之脉
中手短者曰頭痛寸口脉中手長者曰足脛痛短為陽氣不及故病
於頭長為陰氣太過故病於足寸口脉中手促上擊者曰肩背痛陽盛於上故肩背痛寸
口脉沉而堅者曰病在中寸口脉浮而盛者曰病在外堅

爲陰故病在中浮盛爲陽故病在外也寸口脈沉而弱曰寒熱及疝瘕少腹痛沉爲寒弱爲熱故曰寒熱也又沉爲陰盛弱爲陽餘餘盛相薄正當寒熱不當爲疝瘕而少腹痛應古之錯簡爾●新校正云按甲乙經無此十五字況下文已有寸口脈沉而喘曰寒熱脈急者曰疝瘕少腹痛此文衍當去寸口脈沉而橫曰脇下有積腹中有橫積痛亦陰氣內結也寸口脈沉而喘曰寒熱喘爲陽吸沉爲陰爭爭吸相薄故寒熱也脈盛滑堅者曰病在外脈小實而堅者曰病在內盛滑爲陽小實爲陰陰病病在內陽病病在外也脈小弱以濇謂之久病小爲氣虛濇爲無血血氣虛弱故云久遠之病也脈滑浮而疾者謂之新病滑浮爲陽足脈疾爲氣全陽足氣全故云新淺之病也脈急者曰疝瘕少腹痛此覆前疝瘕少腹痛之脈也言沉弱不必爲疝瘕沉急乃與診相應脈滑曰風脈濇曰痺滑爲陽陽受病則爲風濇爲陰陰受病則爲痺緩而滑曰熱中盛而緊曰脹緩謂縱緩之狀非動之遲緩也陽盛於中故脈滑緩寒氣否滿故脈盛緊也盛緊盛滿也脈從陰陽病易已脈逆陰陽病難已脈病相應謂之從脈病相反謂之逆脈得四時[illegible]曰病無他脈反四時及不間藏曰難已春得秋脈夏得冬脈[illegible]季脈皆謂反四時[illegible]臂多青[illegible]脫血血少脈空[illegible]凝血[illegible]

熱血濇為無血故㑊謂之解㑊也尺[illegible]下尺[illegible]臂[illegible]則腹[illegible]出
也安臥脈盛謂之脫血臥久[illegible]氣[illegible]其脈[illegible]應微今脈盛而不微血去[illegible]乃爲盛謂數急而大鼓也
尺濇脈滑謂之多汗謂尺膚濇而脈滑也膚濇者榮血內涸脈[illegible]爲陽氣內餘血涸而陽氣尚餘多汗而脈乃[illegible]
是也尺寒脈細謂之後泄尺主下焦診應腸腹故膚寒脈細泄利乃然脈法曰陰[illegible]即下言尺氣虛少脈尺
麤常熱者謂之熱中謂下焦中也肝見庚辛死庚辛爲金伐肝木也心見壬
癸死壬癸爲水滅心火也脾見甲乙死甲乙爲木剋脾土也肺見丙丁死丙丁爲火鑠肺金也腎
見戊己死戊己爲土刑腎水也是謂真藏見皆死此亦通明三部九候論中真藏脈見者勝死也尺麤
而藏見亦然頸脈動喘疾欬曰水水氣上溢則肺被熱熏陽氣上逆故頸脈盛鼓而欬喘也頸脈謂耳下及結喉傍人
迎脈者也目裹微腫如臥蠶起之狀曰水評熱病論曰水者陰也目下亦陰也腹者至陰之所居也
故水在腹中者必使目下腫也溺黃赤安臥者黃疸疸勞也腎勞胞熱故溺黃赤也正理論謂之勞癉以女勞得之
也●新校正云詳王注以疸爲勞義非若謂女勞得疸則可若以疸爲勞非矣已食如飢者胃疸是則胃熱也熱則消穀故
食已如飢也面腫曰風加之面腫則胃風之診也何者胃陽明脈起於鼻交頞中下循鼻外故爾足脛腫曰水
是謂下焦有水也腎少陰脈出於足心上循脛過陰股從腎上貫肝膈故下焦有水足脛腫也目黃者曰黃疸陽怫於上熱積

背中陽氣上燔故目黃也靈樞經曰目黃者病在背婦人手少陰新校正云按全元起本作足少陰脈動甚者任子也手少陰脈謂掌後陷者中當小指動而應手者也靈樞經曰少陰無輸心不病乎岐伯云其外經病而藏不病故獨取其經於掌後銳骨之端此之謂也動謂動脈也動脈者大如豆厥厥動搖也正理論曰脈陰陽相薄名曰動也又經脈別論曰陰薄陽別謂之有子●新校正云按經脈別論中無此文脈有逆從四時未有藏形春夏而脈瘦新校正云按玉機真藏論瘦作沈濇秋冬而脈浮大命曰逆四時也春夏脈瘦謂沈細也秋冬浮大不應時也大法春夏當浮大而反沈細秋冬當沈細而反浮大故曰不應時也風新校正云按玉機真藏論風作病熱而脈靜泄而脫血脈實新校正云按玉機真藏論作泄而脈大脫血而脈實病在中脈虛病在外新校正云按玉機真藏論作脈實堅病在外脈濇堅者新校正云按玉機真藏論作脈不實堅者皆難治風熱當脈躁而反靜泄而脫血當脈虛而反實邪氣在內當脈實而反虛病氣在外當脈虛滑而反堅濇故皆難治也命曰反四時也皆反四時之氣乃如是矣●新校正云詳命曰反四時也此六字應古錯簡當去自前未有藏形春夏至此五十三字與後玉機真藏論文相重人以水穀為本故人絕水穀則死脈無胃氣亦死所謂無胃氣者但得真藏脈不得胃氣也所謂脈不得胃[illegible]者肝不弦腎不石不弦不石皆謂不微似也太[illegible]

浮於筋上動搖陽王五月六月素脉大[illegible]故其脉[illegible]太少陽脉至乍數乍[illegible]

乍短乍長以氣有暢未暢者也[illegible]按扁鵲陰陽脉法云少陽脉乍小乍大乍長乍[illegible][illegible]王十一月甲子夜半正月

月甲子王吕廣云少陽王正月二月其氣尚微故其脉來進退無常[陽]明脉至浮大而短穀氣滿盛故也新校正云詳無

三陰脉應古文闕也按難經云太陰之至緊大而長少陰之至緊細而微厥陰之至沉短以敦吕廣云陽明王三月四月其氣始萌未盛故其脉來浮大而短

扁鵲陰陽脉法云少陰之脉緊細動搖六分王五月甲子日中七月八月王太陰之脉緊細以長乘於筋上動搖九分九月十月甲子王厥陰之脉沉短以緊

動搖三分十一月十二月甲子王夫平心脉來累累如連珠如循琅玕曰心平

言脉滿而盛微似珠形之中手琅玕珠之類也夏以胃氣爲本脉有胃氣則累累而微似連珠也病心脉來

喘喘連屬其中微曲曰心病曲謂中手而偃曲也●新校正云詳越人云啄啄連屬其中微曲曰腎病与素

問異死心脉來前曲後居如操帶鉤曰心死居不動也操執持也鉤謂革帶之鉤平

肺脉來厭厭聶聶如落榆莢曰肺平浮薄而虛者也●新校正云詳越人云厭厭聶聶如

循榆葉曰春平脉藹藹如車蓋按之益大曰秋平脉與素問之說不同張仲景云秋脉藹藹如車蓋者名曰陽結春脉聶聶如吹榆莢者名曰數恐越人之說

誤也秋以胃氣爲本脉有胃氣則微似榆莢之輕虛也病肺脉來不上不下如循

雞羽曰肺病謂中央堅而兩傍虛死肺脉來如物之浮如風吹毛曰肺

死如物之浮瞥瞥然、如風吹毛紛紛然也。新校正云詳越人云按之消索如風吹毛曰死平肝脈來耎弱招招
如揭長竿末梢曰肝平如竿末梢言長耎也春以胃氣為本脈有胃氣乃長耎如
竿之末梢矣病肝脈來盈實而滑如循長竿曰肝病長而不耎故若循竿死肝
脈來急益勁如新張弓弦曰肝死勁謂勁強急之甚也平脾脈來和柔
相離如雞踐地曰脾平言脈來動數相離緩急和而調長夏以胃氣為本胃少則脈
實數病脾脈來實而盈數如雞舉足曰脾病胃少故脈實急矣舉足謂如雞走之
舉足也。新校正云詳越人以為心病死脾脈來銳堅如烏之喙新校正云按千金方作如雞之喙如
鳥之距如屋之漏如水之流曰脾死烏喙鳥距言銳堅也水流屋漏言其至也水流謂平至不
鼓屋漏謂時動復住平腎脈來喘喘累累如鉤按之而堅曰腎平謂如心脈
而鉤按之小堅爾。新校正云按越人云其來上大下兌濡滑如雀之喙曰平呂廣云上大者足太陽下兌者足少陰陰陽得所為胃氣強故謂之平雀喙
本大而末兌也冬以胃氣為本胃少則不按亦堅也病腎脈來如引葛按之益
堅曰腎病形如引葛言不按且堅明按之則尤甚也[illegible]來發如奪索辟辟[illegible]
彈石曰腎[illegible]

黄帝内經素問卷第五

音辨

脉要精微論篇第十七

數入聲下同 濇所力切下同 渾音魂 獘本作弊困惡也 憊音敗 僂音呂 掉動了切 中去聲下同 爍灼上煩下勺 卷上聲 耎音軟 髀音彼股也 痹音閉 胻户當切 疝音訕 癉都赧切 飱音孫 莠音誘 汩古没切 癘音例 中水上如字 膻徒旦切 眴瞬字又或作瞋並同 仆四侯切又匐覆二音倒也 數動上如字 使平聲

平人氣象論篇第十八

濇所力切 數入聲下同 耎音軟 疝瘕上訕下賈 㑊音亦 儜女耕切 喙虛畏切 咳苦亥切 疸亶旦二音 厭入聲 揭丘竭切 距音具 索相各切 辟并力切

刺志論　鍼解論　長刺節論

黄帝内經素問卷第十一

啓玄子次註林億孫奇高保衡等奉　勑校正孫兆重改誤

舉痛論　　腹中論

刺腰痛論

舉痛論篇第三十九

新校正云按全元起本在第三卷名五藏舉痛所以名舉痛之義未詳按本篇乃黄帝問五藏卒痛之疾疑舉乃卒字之誤也

黄帝問曰余聞善言天者必有驗於人善言古者必有合於今善言人者必有厭於己如此則道不惑而要數極所謂明也善言天者言天四時之氣温凉寒暑生長收藏在人形氣五藏參應可驗而指示善惡故曰必有驗於人善言古者謂言上古聖人養生損益之迹與今養生損益之理可合而與論成敗故曰必有合於今也善言人者謂言形骸骨節更相枝拄筋脉束絡皮肉包裹而五藏六府次居其中假七神五藏而運用之氣絶神去則之於死是以知彼浮形不能堅久靜慮於己亦與彼同故曰必有厭於己也夫如此者是知道要數之極悉無疑惑深明至理而乃能然也今余問於夫子令言而可知視而可見捫而可得令驗於己如發蒙解惑可得而聞乎言如發開童蒙之耳解於疑惑者之心令三條理而目視

（手循驗之可得捫循也）岐伯再拜稽首對曰何道之問也（請示問端也）帝曰願
聞人之五藏卒痛何氣使然岐伯對曰經脉流行不止環
周不休寒氣入經而稽遲泣而不行客於脉外則血少客
於脉中則氣不通故卒然而痛帝曰其痛或卒然而止
者或痛甚不休者或痛甚不可按者或按之而痛止者
或按之無益者或喘動應手者或心與背相引而痛者
或脇肋與少腹相引而痛者或腹痛引陰股者或痛宿
昔而成積者或卒然痛死不知人有少間復生者或痛而
嘔者或腹痛而後泄者或痛而閉不通者凡此諸痛各
不同形別之奈何（欲明異候之所起）岐伯曰寒氣客於脉外則脉寒
脉寒則縮踡縮踡則脉絀急絀急則外引小絡故卒然而痛得
炅則痛立止（脉左右環故得寒則縮踡而絀急縮踡絀急則衛氣不得通流故外引於小絡脉也衛氣不入寒內薄之脉急不縱故痛
生也得熱則衛氣復行寒氣退辟故痛止炅熱也止已也）因重中於寒則痛久矣（重寒難釋故痛久不消）寒

氣客於經脈之中與炅氣相薄則脈滿滿則痛而不可按也按之痛甚者其義具下文寒氣稽留炅氣從上則脈充大而血氣亂故痛甚不可按也脈既滿大血氣復亂按之則邪氣攻內故不可按也寒氣客於腸胃之間膜原之下血不得散小絡急引故痛按之則血氣散故按之痛止膜謂鬲間之膜原謂鬲肓之原血不得散謂鬲膜之中小絡脈內血也絡滿則急故牽引而痛生也手按之則寒氣散小絡緩故痛止寒氣客於俠脊之脈則深按之不能及故按之無益也俠脊之脈者當中督脈也次兩傍足太陽脈也督脈者循脊裏太陽者貫膂筋故深按之不能及也若按當中則脊節曲按兩傍則膂筋蹙合曲與蹙合皆衛氣不得行過寒氣益聚而內畜故按之無益寒氣客於衝脈衝脈起於關元隨腹直上寒氣客則脈不通脈不通則氣因之故喘動應手矣衝脈奇經脈也關元穴名在臍下三寸言起自此穴即隨腹而上非生出於此也其本生出乃起於腎下也直上者謂上行會於咽喉也氣因之謂衝脈不通足少陰氣因之上滿衝脈與少陰並行故喘動應手也寒氣客於背俞之脈則脈泣脈泣則血虛血虛則痛其俞注於心故相引而痛按之則熱氣至熱氣至則痛止矣背俞謂心俞脈亦足太陽脈也夫俞者皆內通於藏故曰其俞注於心相

（引而痛也按之則温氣入温氣入則心氣外發故痛止）寒氣客於厥陰之脈厥陰之脈者
絡陰器繫於肝寒氣客於脈中則血泣脈急故脅肋與
少腹相引痛矣（厥陰者肝之脈入髦中環陰器抵少腹上貫肝鬲布脅肋故曰絡陰器繫於肝脈急引脅與少腹痛也）厥
氣客於陰股寒氣上及少腹血泣在下相引故腹痛引陰
股（亦厥陰肝脈之氣也以其脈循陰股入髦中環陰器上抵少腹故曰厥氣客於陰股寒氣上及於少腹也）寒氣客於小腸
膜原之間絡血之中血泣不得注於大經血氣稽留不得
行故宿昔而成積矣（言血爲寒氣之所凝結而乃成積）寒氣客於五藏厥逆
上泄陰氣竭陽氣未入故卒然痛死不知人氣復反則
生矣（言藏氣被寒擁胃而不行氣復得通則已也○新校正云詳注中擁胃疑作擁冐）寒氣客於腸胃厥逆
上出故痛而嘔也（腸胃客寒留止則陽氣不得下流而反上行寒不去則痛生陽上行則嘔逆故痛而嘔也）寒氣
客於小腸小腸不得成聚故後泄腹痛矣（小腸爲受盛之府中滿則寒邪不居故不得結聚而傳下入於迴腸迴腸廣腸也爲傳導之府物不得停留故後泄而痛）熱氣留於小腸腸中痛癉熱
焦渴則堅乾不得出故痛而閉不通矣（熱滲津液故便堅也）帝曰所謂

言而可知者也視而可見奈何謂候色也岐伯曰五藏六府固盡有部謂面上之部分視其五色黃赤為熱中熱則色黃赤白為寒陽氣少血不上榮於色故白青黑為痛血凝泣則變惡故色青黑則痛此所謂視而可見者也帝曰捫而可得奈何捫摸也以手循摸也岐伯曰視其主病之脉堅而血及陷下者皆可捫而得也帝曰善余知百病生於氣也夫氣之為用虛實逆順緩急皆能為病故發此問端怒則氣上喜則氣緩悲則氣消恐則氣下寒則氣收炅則氣泄驚則氣亂新校正云按太素驚作憂勞則氣耗思則氣結九氣不同何病之生岐伯曰怒則氣逆甚則嘔血及飧泄新校正云按甲乙經及太素飧泄作食而氣逆故氣上矣怒則陽氣逆上而肝氣乘脾故甚則嘔血及飧泄也何以明其然怒則面赤甚則色蒼靈樞經曰盛怒而不止則傷志明怒則氣逆上而不下也喜則氣和志達榮衛通利故氣緩矣氣脉和調故志達暢榮衛通利故氣徐緩悲則心系急肺布葉舉而上焦不通榮衛不散熱氣在中故氣消矣布葉謂布蓋之大葉新校正云按甲乙經及太素而上焦不通作兩焦不通又王注肺布葉舉謂布蓋之大葉疑非全元起云悲則損於心心系急則動於肺肺氣繫諸經逆故肺布而葉舉安得謂

布為肺布蓋之大葉恐則精却却則上焦閉閉則氣還還則下焦脹
故氣不行矣（恐則陽精却上而不下流故却則上焦閉也上焦既閉氣不行流下焦陰氣亦還迴不散而聚為脹也然上焦固禁下焦
氣還各守一處故氣不行也○新校正云詳氣不行當作氣下行）寒則腠理閉氣不行故氣收矣
（腠謂津液滲泄之所理謂文理逢會之中閉謂密閉氣謂衛氣行謂流行收謂收斂也身寒則衛氣沉故皮膚文理及滲泄之處皆閉密而氣不流行衛氣收
斂於中而不發散也○新校正云按甲乙經氣不行作營衛不行）炅則腠理開榮衛通汗大泄故
氣泄矣（人在陽則舒在陰則慘故熱則膚腠開發榮衛大通津液外滲而汗大泄也）驚則心無所倚神無
所歸慮無所定故氣亂矣（氣奔越故不條理○新校正云按太素驚作憂）勞則喘且
汗出外內皆越故氣耗矣（疲力役則氣奔速故喘息氣奔速則陽外發故汗出然喘且汗出內外皆踰越
於常紀故氣耗損也）思則心有所存神有所歸正氣留而不行故氣結
矣（繫心不散故氣亦停留○新校正云按甲乙經歸正二字作止字）

腹中論篇第四十（新校正云按全元起本在第五卷）

黃帝問曰有病心腹滿旦食則不能暮食此為何病岐
伯對曰名為鼓脹（心腹脹滿不能再食形如鼓脹故名鼓脹也○新校正云按太素鼓作穀）帝曰治之

奈何岐伯曰治之以雞矢醴一劑知二劑已按古本草雞矢並不治鼓脹惟大利小便微寒今方制法當取用處湯清服之帝曰其時有復發者何也復謂再發言如舊也岐伯曰此飲食不節故時有病也雖然其病且已時故當病氣聚於腹也飲食不節則傷胃胃脉者循腹裏而下行故飲食不節時有病者復病氣聚於腹中也帝曰有病胷脅支滿者妨於食病至則先聞腥臊臭出清液先唾血四支清目眩時時前後血病名爲何何以得之清液清水也亦謂之清涕清涕者謂從窈漏中漫液而下水出清冷也眩謂目視眩轉也前後血謂前陰後陰出血也岐伯曰病名血枯此得之年少時有所大脫血若醉入房中氣竭肝傷故月事衰少不來也出血多者謂之脫血漏下鼻衄嘔吐出血皆同焉夫醉則血脉盛血脉盛則內熱因而入房髓液皆下故腎中氣竭也肝藏血以少大脫血故肝傷也然於丈夫則精液衰乏若女子則月事衰少而不來帝曰治之奈何復以何術岐伯曰以四烏鰂骨一藘茹二物并合之丸如雀卵大如小豆以五丸爲後飯飲以鮑魚汁利腸中新校正云按別本一作傷中及傷肝也飯後藥先謂之後飯按古本草經云烏鰂魚骨藘茹等並不治血枯然經法用之是攻其所生所起爾夫醉勞力以入房則腎中精氣耗竭月事衰少不

至則中有惡血淹留精氣耗竭則陰萎不起而無精惡血淹留則血痺著中而不散故先茲四藥用入方焉古本草經曰烏鰂魚骨味鹹冷平無毒主治女子血閉藘茹味辛寒平有小毒主散惡血雀卵味甘溫平無毒主治男子陰萎不起強之令熱多精有子鮑魚味辛臭溫平無毒主治瘀血血痺在四支不散者尋文會意方義如此而處治之也。新校正云按甲乙經及太素藘茹作蕳茹詳王注性味乃蕳茹當改藘作蕳又按本草烏鰂魚骨冷作微溫雀卵甘作酸與王注異

帝曰病有少腹盛上下左右皆有根此為何病可治不岐伯曰病名曰伏梁伏梁心之積也。新校正云詳此伏梁與心積之伏梁大異病有名同而實異者非一如此之類是也

帝曰伏梁何因而得之岐伯曰裹大膿血居腸胃之外不可治治之每切按之致死帝曰何以然岐伯曰此下則因陰必下膿血上則迫胃脘生鬲俠胃脘內癰正當衝脉帶脉之部分也帶脉者起於季脇迴身一周橫絡於齊下衝脉者與足少陰之絡起於腎下出於氣街循陰股其上行者出齊下同身寸之三寸關元之分俠齊直上循腹各行會於咽喉故病當其分則少腹盛上下左右皆有根也以其上下不堅盛如有潛梁故曰病名伏梁不可治也以裹大膿血居腸胃之外按之痛悶不堪故每切按之致死也以衝脉下行者絡陰上行者循腹故也上則迫近於胃脘下則因薄於陰器也若因薄於陰則便下膿血若迫近於胃則病氣上出於鬲復俠胃脘內長其癰也何以然哉以本有大膿血在腸胃之外故也生當為出傳文誤也。新校正云按太素俠胃作使胃此久病也

難治居齊上為逆居齊下為從勿動亟奪若裹大膿血居齊上則漸傷心

藏故為逆居齊下則去心稍遠猶得漸攻故為從從順也亟數也奪去也言不可移動但數數去之則可矣論在刺法中今經亡
帝曰人有身體髀股䯒皆腫環齊而痛是為何病岐伯曰
病名伏梁此二十六字錯簡在奇病論中若不有此二十六字則下文無據也。新校正云詳此並無注解盡在下卷奇病論中此
風根也此四字此篇本有奇病論中亦有之其氣溢於大腸而著於肓肓之原在
齊下故環齊而痛也不可動之動之為水溺濇之病亦衝脉也
齊下謂脖胦也脖胦在齊下同身寸之一寸半靈樞經曰肓之原名曰脖胦帝曰夫子數言熱中消中不
可服高梁芳草石藥石藥發瘨芳草發狂多飲數溲謂之熱中多食數溲
謂之消中多喜曰瘨多怒曰狂芳美味也夫熱中消中者皆富貴人也今禁高梁是
不合其心禁芳草石藥是病不愈願聞其說熱中消中者脾氣之上溢甘肥
之所致故禁食高梁芳美之草也通評虛實論曰凡治消癉甘肥貴人則高梁之疾也又奇病論曰夫五味入於口藏於胃脾為之行其精氣津液在脾故令
人口甘此肥美之所發也此人必數食甘美而多肥也肥者令人內熱甘者令人中滿故其氣上溢轉為消渴此之謂也夫富貴人者驕恣縱欲輕人而無能
禁之禁之則逆其志順之則加其病帝思難詰故發問之高膏梁米也石藥英乳也芳草濃美也然此五者富貴人常服之難禁也岐伯曰夫
芳草之氣美石藥之氣悍二者其氣急疾堅勁故非緩

心和人不可以服此二者 脾氣溢而生病氣美則重盛於脾消熱之氣躁疾氣悍則又滋其熱若人性和心緩氣候舒句不與物爭釋然寬泰則神不躁迫無懼內傷故非緩心和人不可以服此二者悍利也堅定也固也勁剛也言其芳草石藥之氣堅定固久剛烈而卒不歇滅此二者是也 帝曰不可以服此二者何以然岐伯曰夫熱氣慓悍藥氣亦然二者相遇恐內傷脾也 慓疾 脾者土也而惡木服此藥者至甲乙日更論 熱氣慓盛則木氣內餘故心非和緩則躁怒數起躁怒數起則熱氣因木以傷脾甲乙為木故至甲乙日更論脾病之增減也 帝曰善有病膺腫 新校正云按甲乙經作癰腫 頸痛胷滿腹脹此爲何病何以得之 膺胷傍也頸項前也胷膺間也 岐伯曰名厥逆 氣逆所生故名厥逆 帝曰治之柰何岐伯曰灸之則瘖石之則狂須其氣并乃可治也 石謂以石鍼開破之 帝曰何以然岐伯曰陽氣重上有餘於上灸之則陽氣入陰入則瘖石之則陽氣虛虛則狂 灸之則火氣助陽陽盛故入陰石之則陽氣出陽氣出則內不足故狂 須其氣并而治之可使全也 并謂并合也待自并合則兩氣俱全故可治若不爾而灸石之則偏致勝負故不得全而瘖狂也 帝曰善何以知懷子之且生也岐伯曰身有病而無邪脉也 病謂經閉也脉法曰尺中之脉來而

斷絶者經閉也月水不利若又入中脈絶者經閉也今病經閉脈反如常者婦人任娠之證故云身有病而無邪脈帝曰病熱而有所痛者何也岐伯曰病熱者陽脈也以三陽之動也人迎一盛少陽二盛太陽三盛陽明入陰也夫陽入於陰故病在頭與腹乃䐜脹而頭痛也帝曰善新校正云按六節藏象論云人迎一盛病在少陽二盛病在太陽三盛病在陽明與此論同又按甲乙經三盛陽明無入陰也三字

刺腰痛篇第四十一

新校正云按全元起本在第六卷

足太陽脉令人腰痛引項脊尻背如重狀足太陽脉別下項循肩髆內俠脊抵腰中別下貫臀故令人腰痛引項脊尻背如重狀也○新校正云按甲乙經貫臀作貫胂刺瘧注亦作貫胂三部九候注作貫臀刺其郄中太陽正經出血春無見血郄中委中也在膝後屈處膕中央約文中動脉足太陽脉之所入也刺可入同身寸之五分留七呼若灸者可灸三壯太陽合腎腎王於冬水衰於春故春無見血少陽令人腰痛如以鍼刺其皮中循循然不可以俛仰不可以顧足少陽脉遶髀際橫入髀厭中故令腰痛如以鍼刺其皮中循循然不可俛仰少陽之脉起於目銳眥上抵頭角下耳後循頸行手陽明之前至肩上交出手少陽之後其支別者目銳眥下大迎合手少陽於䪼下加頰車下頸合缺盆故不可以顧○新校正云按甲乙經行手陽明之前作行手少陽之前刺少陽成骨之端出血成

骨在膝外廉之骨獨起者夏無見血成骨謂膝外近下䯒骨上端兩起骨相並間陷容指者也䯒骨所成柱膝髀骨故謂之成骨也少陽合肝肝王於春木衰於夏故無見血陽明令人腰痛不可以顧顧如有見者善悲足陽明脉起於鼻交頞中下循鼻外入上齒中還出俠口環脣下交承漿却循頤後下廉出大迎其支別者從大迎前下人迎循喉嚨入缺盆又其支別者起胃下口循腹裏至氣街中而合以下髀故令人腰痛不可顧顧如有見者陽虛故悲也刺陽明於䯒前三痏上下和之出血秋無見血按內經中誥流注圖經陽明脉穴俞之所主此腰痛者悉刺䯒前三痏則正三里穴也三里穴在膝下同身寸之三寸䯒骨外廉兩筋肉分間刺可入同身寸之一寸留七呼若灸者可灸三壯陽明合脾脾王長夏土衰於秋故秋無見血。新校正云按甲乙經䯒作骭足少陰令人腰痛痛引脊內廉足少陰脉上股內後廉貫脊屬腎故令人腰痛痛引脊內廉也。新校正云按全元起本脊內廉作脊內痛太素亦同此前少足太陰腰痛證并刺足太陰法應古文脫簡也刺少陰於內踝上二痏春無見血出血太多不可復也按內經中誥流注圖經少陰脉穴俞所主此腰痛者當刺內踝上則正復溜穴也復溜在內踝後上同身寸之二寸動脉陷者中刺可入同身寸之三分留三呼若灸者可灸五壯厥陰之脉令人腰痛腰中如張弓弩弦足厥陰脉自陰股環陰器抵少腹其支別者與太陰少陽結於腰髁下俠脊第三第四骨空中其穴即中髎下髎故腰痛則中如張弓弩之弦也如張弦者言強急之甚刺厥陰之脉在腨踵魚腹之外循之累累然乃刺之腨踵者言脉在腨外則下當足跟也腨形勢如卧魚之腹故曰魚腹之外也循其分肉有血絡累累然乃刺出之此正當蠡溝穴分足厥陰之絡在內踝上五寸別走少陽者刺可入同身寸之二分留三呼若灸者可灸三壯厥陰一經作居陰是傳寫草書厥字為居也。新校正云按經言厥陰之脉令人腰痛次言刺厥陰之脉注言刺厥陰之絡經注相違疑經中脉字乃絡字之誤也

其病令人善言嘿嘿然不慧刺之三痏厥陰之脉循喉嚨之後上入頏顙絡於舌本故病則善言風盛則昏冒故不爽慧也三刺其處腰痛乃除。新校正云按經云善言嘿嘿然不慧詳善言與嘿嘿二病難相兼全元起本無善字於義為允又按甲乙經厥陰之脉不絡舌本王氏於素問之中五處引注而注厥論與刺熱及此三篇皆云絡舌本注風論注瘧論二篇不言絡舌本蓋王氏亦疑而兩言之也

解脉令人腰痛痛引肩目𥆧𥆧然時遺溲解脉散行脉也言不合而別行也此足太陽之經起於目內眥上額交巔上循肩髆俠脊抵腰中入循膂絡腎屬膀胱下入膕中故病斯候也又其支別者從髆內別下貫胂循髀外後廉而下合於膕中兩脉如繩之解股故名解脉也

刺解脉在膝筋肉分間郄外廉之橫脉出血血變而止膝後兩傍大筋雙上股之後兩筋之間橫文之處努肉高起則郄中之分也古中誥以膕中為太陽之郄當取郄外廉有血絡橫見迢然紫黑而盛滿者乃刺之當見黑血必候其血色變赤乃止血不變赤極而寫之必行血色變赤乃止此太陽中經之為腰痛也

解脉令人腰痛如引帶常如折腰狀善恐足太陽之別脉自肓而別下循背脊至腰而橫入髀外後廉而下合膕中故若引帶如折腰之狀。新校正云按甲乙經如引帶作如裂善恐作善怒

刺解脉在郄中結絡如黍米刺之血射以黑見赤血而已郄中則委中穴足太陽合也在膝後屈處膕中央約

文中動脉刺可入同身寸之五分留七呼若灸者可灸三壯此經刺法也今則取其結絡大如黍米者當黑血箭射而出見血變赤然可止也。新校正云按全元起云有兩解脉病源各異恐誤未詳

同陰之脉令人腰痛痛如小錘居其中怫然腫足少陽之別絡也並少陽經上行去足外踝上同身寸之五寸乃別走厥陰並經下絡足跗故曰同陰脉也怫怒也言腫如嗔怒也。新校正云按太素小錘作小鍼

刺同陰之脉在外踝上絕骨之端為三痏絕骨之端如前同身寸之三分陽輔穴也足少陽脉所行刺可入同身寸之五分留七呼若灸者可灸三壯

陽維之脉令人腰痛痛上怫然腫陽維起於陽則太陽之所生奇經八脉此其一也

刺陽維之脉脉與太陽合腨下間去地一尺所太陽所生與正經並行而上至腨下復與太陽合而上也腨下去地正同身寸之一尺是則承光穴在鍼腨陽下肉分間陷者中刺可入同身寸之七分若灸者可灸五壯以其取腨陽下肉分間故云合腨下間。新校正云按穴之所在乃承山穴非承光也中字誤為光

衡絡之脉令人腰痛不可以俛仰仰則恐仆得之舉重傷腰衡絡絕惡血歸之衡橫也謂太陽之外絡自腰中橫入髀外後廉而下與中經合於膕中者今舉重傷腰則橫絡絕中經獨盛故腰痛不可以俛仰矣一經作衡絕之脉傳寫魚魯之誤也若是衡脉中誥不應取太陽脉委陽殷門之穴也

刺之在郄陽筋之間上郄數寸衡居為二痏出血橫居二穴謂委陽殷門平視橫相當也郄陽謂浮郄穴上側委陽穴也筋之間謂膝後膕上兩筋之間殷門穴也二穴皆去臀下橫文同身寸之六寸故曰上郄數寸也委陽刺可入同身寸之十分

五呼若灸者可灸三壯殷門刺可入同身寸之五分留七呼若灸者可灸三壯故曰衡居爲二痏。新校正云詳王氏云浮郄穴上側委陽穴也按甲乙經委陽在浮郄穴下一寸不得言上側也會陰之脉令人腰痛痛上漯漯然汗出汗乾令人欲飲飲已欲走足太陽之中經也其脉循腰下會於後陰故曰會陰之脉其經自腰下行至足今陽氣大盛故痛上漯然汗出汗液既出則腎燥陰虚故汗乾令人欲飲水以救腎也水入腹已腎氣復生陰氣流行太陽又盛故飲水已反欲走也刺直陽之脉上三痏在蹻上郄下五寸横居視其盛者出血直陽之脉則太陽之脉俠脊下行貫臀下至膕中下循腨過外踝之後條直而行者故曰直陽之脉也蹻爲陽蹻所生申脉穴在外踝下也郄下則膕下也言此刺處在膕下同身寸之五寸上承郄中之穴下當申脉之穴是謂承筋穴即腨中央如外陷者中也太陽脉氣所發禁不可刺可灸三壯今云刺者謂刺其血絡之盛滿者也兩腨皆有太陽經氣下行當視兩腨中央有血絡盛滿者乃刺出之故曰視其盛者出血。新校正云詳上云會陰之脉令人腰痛此云刺直陽之脉者詳此直陽之脉即會陰之脉也文變而事不殊又承筋穴注云腨中央如外按甲乙經及骨空論注無如外二字飛陽之脉令人腰痛痛上拂拂然甚則悲以恐是陰維之脉也去內踝上同身寸之五寸腨分中並少陰經而上也少陰之脉前則陰維脉所行也足少陰之脉從腎上貫肝鬲入肺中循喉嚨俠舌本其支別者從肺出絡心注胸中故甚則悲以恐也恐者生於腎悲者生於心刺飛陽之脉在內踝上五寸新校正云按甲乙經作二寸少陰之前與陰維之會內踝後上同身寸之五寸復溜穴少陰脉所行刺可入同身寸之三分內踝之後築賓穴陰維之郄刺可入同身寸之三分若灸者可灸五壯少陰之前陰維之會以三脉會在此穴位分也刺可入同身寸之三分若灸者可灸五壯今中誥經文正同此法。新校正云按甲乙經足太陽之絡別走少陰者名曰飛揚在外踝上七寸又云築賓陰維之郄在內踝上腨分中復溜穴在內踝上二寸今此經注都與甲乙不合者疑經注中五寸字當作二寸則素問與甲乙相應矣昌陽之脉令人腰痛痛引膺目䀮䀮然甚則反折舌卷不能言陰蹻脉也陰蹻者足少陰之別也起於然骨之後上內踝之上直上循陰股入陰而循腹上入胷裏入缺盆上出人迎之前入頄內廉屬目內眥合於太陽陽蹻而上行故腰痛之狀如此刺內筋為二痏在內踝上大筋前太陰後上踝二寸所內筋謂大筋之前分肉也太陰後大筋前即陰蹻之郄交信穴也在內踝上同身寸之二寸少陰前太陰後筋骨之間陷者之中刺可入同身寸之四分留五呼若灸者可灸三壯今中誥經文正主此散脉令人腰痛而熱熱甚生煩腰下如有橫木居其中甚則遺溲散脉足太陰之脉也散行而上故以名焉其脉循股內入腹中與少陰少陽結於腰髁下骨空中故病則腰下如有橫木居其中甚乃遺溲也刺散脉在膝前骨肉分間絡外廉束脉為三痏謂膝前內側也骨肉分謂膝內輔骨之下下廉腨肉之兩間也絡外廉則太陰之絡色青而見者也輔骨之下後有大筋擷束膝胻之骨令其連屬取此筋骨繫束之處脉以去其病是曰地機三刺而已故曰束脉為之三痏也肉里之脉令人腰痛不可以欬欬則筋縮急肉里之脉少陽所生則陽維之脉氣所發也里裏也刺肉里之脉為二痏在太陽之外少陽絕骨之後分肉主之一經云少陽絶骨之前傳寫誤也絶骨之前足少陽脉所行絶骨之後陽維脉所過故指曰在太陽之外少陽絶骨之後也分肉穴在足外踝直上絶骨之端如後同身寸之二分筋肉分間陽維脉氣所發刺可入同身寸之五分留十呼若灸者可灸三壯◐新校正云按分肉之穴甲乙經不見与氣穴注兩出而分寸不同氣穴注二分作三分五分乍三分十呼作七呼腰痛俠脊而痛至頭几几然目䀮䀮欲僵仆刺足太陽郄中出血郄中委中◐新校正云按太素作頭沉沉然腰痛上寒刺足太陽陽明上熱刺足厥陰不可以俛仰刺足少陽中熱而喘刺足少陰刺郄中出血此法玄妙中誥不同莫可窺測當用知其應否隨皆應先去血絡乃調之也腰痛上寒不可顧刺足陽明上寒陰市主之陰市在膝上同身寸之三寸伏兎下陷者中足陽明脉氣所發刺可入同身寸之三分留七呼若灸者可灸三壯不可顧三里主之三里在膝下同身寸之三寸䯒外廉兩筋肉分間足陽明脉之所入也刺可入同身寸之一寸留七呼若灸者可灸三壯上熱刺足太陰地機主之地機在膝下同身寸[illegible]足太陰之郄也刺可入同身寸之[illegible]分若灸者可灸三壯◐新校正云按甲乙經作五壯中熱而喘刺足少陰湧泉太鍾悉主[illegible]在足心陷者中[illegible]指宛宛中足少陰脉之所出刺可入同身寸之三分留三呼若灸者可灸[illegible]太鍾在足跟後衝中動脉足少陰之絡刺可入同身寸之二分留七呼若灸者[illegible]可灸三壯◐新校正云按刺瘧注大鍾在內踝後衝中水穴論注在內踝[illegible]此注在跟後衝中動脉二注不同甲乙經亦云在跟後衝中當從甲乙經爲正大便難刺足少陰涌泉主之少腹滿刺足厥陰太衝主之在足大指本節後內間同身寸

之二寸陷者中脉動應手足厥陰脉之所注也刺可入同身寸之三分留十呼若灸者可灸三壯**可舉刺足太陽**如折束骨主之不可以俛仰京骨崑崙悉主之不可舉申脉僕參悉主之束骨在足小指外側本節後赤白肉際陷者中足太陽脉之所注也刺可入同身寸之三分留三呼若灸者可灸三壯京骨在足外側大骨下赤白肉際陷者中按而得之足太陽脉之所過也刺可入同身寸之三分留七呼若灸者可灸三壯崑崙在足外踝後跟骨上陷者中細脉動應手足太陽脉之所行也刺可入同身寸之五分留十呼若灸者可灸三壯申脉在外踝下同身寸之五分容爪甲陽蹻之所生也刺可入同身寸之六分留十呼若灸者可灸三壯僕參在跟骨下陷者中足太陽陽蹻二脉之會刺可入同身寸之三分留七呼若灸者可灸三壯●新校正云按甲乙經申脉在外踝下陷者中無五分字刺入六分作三分留十呼作留六呼氣穴注作七呼僕參留七呼甲乙經作六呼**引脊內廉刺足少陰**復溜主之取同飛陽注從腰痛上寒不可顧至此件經語除注並合朱書●新校正云按全元起本及甲乙經并太素自腰痛上寒至此並無乃王氏所添也今注云從腰痛上寒至並合朱書十九字非王冰之語蓋後人所加也**腰痛引少腹控眇不可以仰**新校正云按甲乙經作不可以俛仰**刺腰尻交者兩髁胂上以月生死為痏數發針立已**此邪客於足太陰之絡也控通引也眇謂季脇下之空軟處也腰尻交者謂髁下尻骨兩傍四骨空左右八穴俗呼此骨為八髎骨也此腰痛取腰髁下第四髎即下髎穴也足太陰厥陰少陽三脉左右交結於中故曰腰尻交者也兩髁胂謂兩髁骨下堅起肉也胂上非胂之上巔正當刺胂肉矣直刺胂肉即胂上也何者胂之上巔別有中膂肉俞白環俞雖並主腰痛考其形證經不相應矣髁骨即腰脊兩傍起骨也俠脊兩傍腰髁之下各有胂肉隴起而斜趣於髁骨之後內承其髁故曰兩髁胂也下承髁胂肉左右兩

胂各有四骨空故曰上髎次髎中髎下髎上髎當髁骨下陷者中餘三髎少斜下按之陷中是也四空悉主腰痛惟下髎所主文與經同即太陰厥陰少陽所結者也刺可入同身寸之二寸留十呼若灸者可灸三壯以月生死爲痏數者月初向圓爲月生月半向空爲月死死月刺少生月刺多繆刺論曰月生一日一痏二日二痏漸多之十五日十五痏十六日十四痏漸少之其痏數多少如此即知也**左取右右取左**右痛在左針取右痛在右針取左所以然者以其脉左右交結於尻骨之中故也新校正云詳此腰痛引少腹一節與繆刺論重

黄帝内經素問卷第十一

音釋

舉痛論篇第三十九

捫音門 卒千骨切下同 泣舊音澁 踡巨員切踡跼不伸也 絀竹聿式出二切 炅古永切下同 癉都寒切 飧音孫

腹中論篇第四十

臰臭同 鰂音賊 藘茹上呂居切下人恕切 鮑平教切 不音否 脘音管 髀音彼髀股也 胻戶當切脛骨也 著直略切 肓音荒 濇所力切又音澁不滑也 脖胦上蒲沒切下烏郎切 瘨音顛癲同 慓音漂 悍音捍 頸居郢切 瘖音陰 䐜音瞋

刺腰痛篇第四十一

尻苦高切髖也下同 郄綺戟切本作郤下同 骱戶當切胻腸前骨 痏音鮪 踝胡瓦切下同 髁苦瓦故又二 骨以膂間下同

髎音遼髖也 踹市兖切脛耑也腨同 踵章勇切 蠡盧啓落戈二切 䀮音荒不明下同 溲所有切小便也亦作溇 [illegible]

章垂切 佛扶未扶勿二切 腨市兖切踹同 仆匹候切又覆匐二音倒也 漯佗合切 蹻去遥切 髂苦夏切 [illegible]

虛結切 眇亡表切 便平聲 胂音申脢也

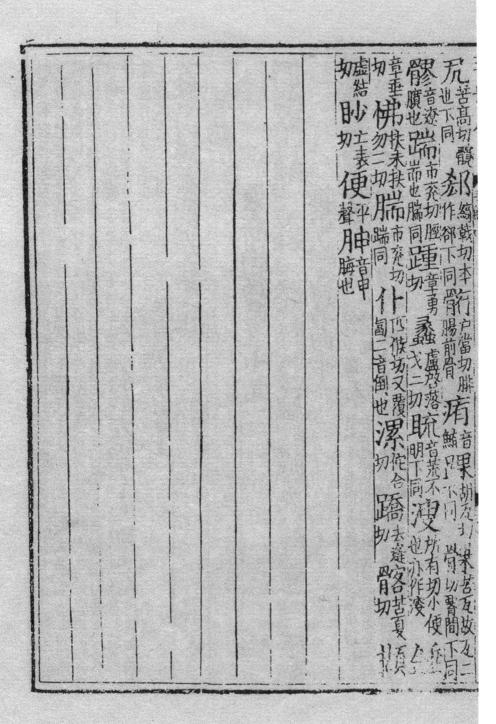

黄帝内經素問卷第十二

啓玄子次註林億孫奇高保衡等奉 勅校正孫兆重改誤

風論篇第四十二 新校正云按全元起本在第六卷

黄帝問曰風之傷人也或為寒熱或為熱中或為寒中或為癘風或為偏枯或為風也其病各異其名不同或内至五藏六府不知其解願聞其說 傷謂人自中之 岐伯對曰風氣藏於皮膚之間内不得通外不得泄 腠理開踈則邪風入風氣入已玄府閉封故内不得通外不得泄也 風者善行而數變腠理開則洒然寒閉則熱而悶 洒然寒貌悶不爽貌腠理開則風飄揚故寒腠理閉則風混亂故悶 其寒也則衰食飲其熱也則消肌肉故使人怢慄而不能食名曰寒熱 寒風入胃故食飲衰熱氣内藏故消肌肉寒熱相合故怢慄而不能食名曰寒熱也怢慄卒振寒貌○新校正云詳怢慄全元起本作失味甲乙經作解㑊 風氣與陽

明入胃循脉而上至目内眥其人肥則風氣不得外泄則爲熱中而目黄人瘦則外泄而寒則爲寒中而泣出〔陽明者胃脉也胃脉起於鼻交頞中下循鼻外入上齒中還出俠口環脣下交承漿却循頤後下廉循喉嚨入缺盆下鬲屬胃故與陽明入胃循脉而上至目内眥也人肥則腠理密緻故不得外泄則謂熱中而目黄人瘦則腠理開踈風得外泄則寒中而泣出也〕風氣與太陽俱入行諸脉俞散於分肉之間與衛氣相干其道不利故使肌肉憤䐜而有瘍衛氣有所凝而不行故其肉有不仁也〔肉分之間衛氣行處風與衛氣相薄俱行於肉分之間故氣道澁而不利也氣道不利風氣内攻衛氣相持故肉憤䐜而瘡出也瘍瘡也若衛氣被風吹之不得流轉所在偏併凝而不行則肉有不仁之處也不仁謂𤸷而不知寒熱痛癢〕癘者有榮氣熱胕其氣不清故使其鼻柱壞而色敗皮膚瘍潰〔此則風入於經脉之中也榮行脉中故風入脉中内攻於血與榮氣合合熱而血胕壞也其氣不清言潰亂也然血脉潰亂榮復挾風陽脉盡上於頭鼻爲呼吸之所故鼻柱壞而色惡皮膚破而潰爛也脉要精微論曰脉風盛爲癘〕風寒客於脉而不去名曰癘風或名曰寒熱〔始爲寒熱熱成曰癘風 ○新校正云按别本成一作盛〕以春甲乙傷於風者爲肝風以夏丙丁傷於風者爲心風以季夏戊己傷於邪者爲脾風以秋庚辛

中於邪者爲肺風以冬壬癸中於邪者爲腎風春甲乙木肝主之夏丙丁火心主之季夏戊己土脾主之秋庚辛金肺主之冬壬癸水腎主之風中五藏六府之俞亦爲藏府之風各入其門戶所中則爲偏風隨俞左右而偏中之則爲偏風風氣循風府而上則爲腦風風入係頭則爲目風眼寒風府穴名正入項髮際一寸大筋內宛宛中督脉陽維之會自風府而上則腦戶也腦戶者督脉足太陽之會故循風府而上則爲腦風也足太陽之脉者起於目內眥上額交巔上入絡腦還出故風入係頭則爲目風眼寒也飲酒中風則爲漏風熱鬱腠踈中風汗出多如液漏故曰漏風經具名曰酒風入房汗出中風則爲內風內耗其精外開腠理因內風襲故曰內風經具名曰勞風新沐中風則爲首風沐髮中風舍於頭故曰首風久風入中則爲腸風飧泄風在腸中上熏於胃故食不化而下出焉飧泄者食不化而出也新校正云按全元起云飧泄者水穀不分爲利外在腠理則爲泄風風居腠理則玄府開通風薄汗泄故云泄風故風者百病之長也至其變化乃爲他病也無常方然致有風氣也長先也先百病而有也○新校正云按全元起本及甲乙經致字作故攻帝曰五藏風之形狀不同者何願聞其診及其病能診謂可言之證能謂內作病形岐伯曰肺風之狀多汗惡風色皏然白時欬短氣

晝日則差暮則甚診在眉上其色白 凡內多風氣則熱有餘熱則腠理開故多汗也風薄於內故惡風焉皏謂薄白色也肺色白在變動為欬主藏氣風內迫之故色皏然白時欬短氣也晝則陽氣在表故差暮則陽氣入裏風內應之故甚也眉上謂兩眉間之上闕庭之部所以外司肺候故診在焉白肺色也 心風之狀多汗惡風焦絕善怒嚇赤色病甚則言不可快診在口其色赤 焦絕謂脣焦而文理斷絕也何者熱則皮剥故也風薄於心則神亂故善怒而嚇人也心脉支別者從心系上俠咽喉而主舌故病甚則言不可快也口脣色赤故診在焉赤者心色○新校正云按甲乙經無嚇字

肝風之狀多汗惡風善悲色微蒼嗌乾善怒時憎女子診在目下其色青 肝病則心藏無養心氣虛故善悲肝合木木色蒼故色微蒼也肝脉者循股陰入髦中環陰器抵少腹俠胃屬肝絡膽上貫鬲布脇肋循喉嚨之後入頏顙上出額與督脉會於巔其支別者從目系下故嗌乾善怒時憎女子診在目下也青肝色也 脾風之狀多汗惡風身體怠墮四支不欲動色薄微黃不嗜食診在鼻上其色黃 脾脉起於足上循胻骨又上膝股內前廉入腹屬脾絡胃上鬲俠咽連舌本散舌下其支別者復從胃別上鬲注心中心脉出於手循臂故身體怠墮四支不欲動而不嗜食脾氣合土主中央鼻於面部亦居中故診在焉黃脾色也○新校正云按王注脾風不當引心脉出於手循臂七字於義無取脾主四支脾風則四支不欲動矣 腎風之狀多汗惡風面痝然浮腫脊痛不能正立其色炲隱曲不利診在肌上其色

黑痝然言腫起也炲黑色也腎者陰也目下亦陰也故腎藏受風則面痝然而浮腫腎脉者起於足下上循腨内出膕内廉上股内後廉貫脊故脊痛不能正立也隱曲者謂隱蔽委曲之處也腎藏精外應交接今藏被風薄精氣内微故隱蔽委曲之事不通利所爲也陰陽應象大論曰氣歸精精食氣今精不足則氣内歸精氣不主皮故肌皮上黑也黑腎色也

胃風之狀頸多汗惡風食飲不下鬲塞不通腹善滿失衣則䐜脹食寒則泄診形瘦而腹大胃之脉支別者從頥後下廉過人迎循喉嚨入缺盆下鬲屬胃絡脾其直行者從缺盆下乳内廉下俠齊入氣街中其支別者起胃下口循腹裏至氣街中而合故頸多汗食飲不下鬲塞不通腹善滿也然失衣則外寒而中熱故腹䐜脹食寒則寒物薄胃而陽不内消故泄利胃合脾而主肉胃氣不足則肉不長故瘦也胃中風氣搐聚故腹大也○新校正云按孫思邈云新食竟取風爲胃風

首風之狀頭面多汗惡風當先風一日則病甚頭痛不可以出内至其風日則病少愈頭者諸陽之會風客之則皮腠疎故頭面多汗也夫人陽氣外合於風故先當風一日則病甚以先風甚故亦先衰是以至其風日則病少愈内謂室屋之内也不可以出室屋之内者以頭痛甚而不喜外風故也○新校正云按孫思邈云新沐浴竟取風爲首風

漏風之狀或多汗常不可單衣食則汗出甚則身汗喘息惡風衣裳濡口乾善渴不能勞事肺胃風熱故不可單衣腠理開疎故食則汗出甚則風薄於肺故身汗喘息惡風衣裳濡口乾善渴也形勞則喘息故不能勞事○新校正云按孫思邈云因醉取風爲漏風其狀惡風多汗少氣口乾善渴近衣則身熱如火臨食則汗流如雨骨節

懈惰不欲自勞泄風之狀多汗汗出泄衣上口中乾上漬其風不能勞事身體盡痛則寒上漬謂皮上濕如水漬也以多汗出故爾汗多則津液涸故口中乾形勞則汗出甚故不能勞事身體盡痛以其汗多汗多則亡陽故寒也○新校正云按孫思邈云新房室竟取風為內風其狀惡風汗流沾衣裳疑此泄風乃內風也按本論前文先云漏風內風首風次言入中為腸風在外為泄風今有泄風而無內風孫思邈載內風乃此泄風之狀故知此泄字內之誤也帝曰善

痺論篇第四十三

新校正云按全元起本在第八卷

黃帝問曰痺之安生安猶何也言何以生岐伯對曰風寒濕三氣雜至合而為痺也雖合而為痺發起亦殊矣其風氣勝者為行痺寒氣勝者為痛痺濕氣勝者為著痺也風則陽受之故為痺行寒則陰受之故為痺痛濕則皮肉筋脈受之故為痺著而不去也故乃痺從風寒濕之所生也帝曰其有五者何也言風寒濕氣各異則三痺生有五何氣之勝也岐伯曰以冬遇此者為骨痺以春遇此者為筋痺以夏遇此者為脈痺以至陰遇此者為肌痺以秋遇此者為皮痺冬主骨春主筋夏主脈秋主皮至陰主肌肉故各為其痺也至陰謂戊己月及土寄王月帝曰內舍五藏六府何氣使然言皮肉筋骨脈痺以五時之外遇然內居藏府何以致之岐伯曰五藏皆有合病久而不去者

內舍於其合也肝合筋心合脉脾合肉肺合皮腎合骨久病不去則入於是故骨痺不已復感於邪內舍於腎筋痺不已復感於邪內舍於肝脉痺不已復感於邪內舍於心肌痺不已復感於邪內舍於脾皮痺不已復感於邪內舍於肺所謂痺者各以其時重感於風寒濕之氣也時謂氣王之月也肝王春心王夏肺王秋腎王冬脾王四季之月感謂感應也凡痺之客五藏者肺痺者煩滿喘而嘔以藏氣應息又其脉還循胃口故使煩滿喘而嘔心痺者脉不通煩則心下鼓暴上氣而喘嗌乾善噫厥氣上則恐心合脉受邪則脉不通利也邪氣內擾故煩也手心主心包之脉起於胸中出屬心包下鬲手少陰心脉起於心中出屬心系下鬲絡小腸其支別者從心系上俠咽喉其直者復從心系却上肺故煩則心下鼓滿暴上氣而喘嗌乾也心主為噫以下鼓滿故噫之以出氣也若是逆氣上乘於心則恐畏也神懼凌弱故爾肝痺者夜臥則驚多飲數小便上為引如懷肝主驚駭氣相應故中夜臥則驚也肝之脉循股陰入髦中環陰器抵少腹俠胃屬肝絡膽上貫鬲布脇肋循喉嚨之後上入頏顙故多飲水數小便上引少腹如懷妊之狀腎痺者善脹尻以代踵脊以代頭腎者胃之關關不利則胃氣不轉故善脹也尻以代踵謂足攣急也脊以代頭謂身踡屈也踵足跟也腎之脉起於足小指之下斜趣足心出於然骨之下循內踝之後別入跟中以上腨內出膕內廉上股內後廉貫脊屬腎[illegible]

膀胱其直行者從腎上貫肝鬲入肺中氣不足而受邪故不伸展○新校正云詳然骨一作然谷

脾痺者四支解墯發欬嘔汁上為大塞

土王四季外主四支故四支解墯又以其脈起於足循腨胻上膝股也然脾脈入腹屬脾絡胃上鬲俠咽故發欬嘔汁脾氣養肺胃復連咽故上為大塞也

腸痺者數飲而出不得中氣喘爭時發飧泄

大腸之脈入缺盆絡肺下鬲屬大腸小腸之脈又入缺盆絡心循咽下鬲抵胃屬小腸今小腸有邪則脈不下鬲脈不下鬲則腸不行化而胃氣蓄熱故多飲水而不得下出也腸胃中陽氣與邪氣奔喘交爭得時通利以腸氣不化故時或得通則為飧泄

胞痺者少腹膀胱按之內痛若沃以湯澀於小便上為清涕

膀胱為津液之府胞內居之少腹處關元之中內藏胞器然膀胱之脈起於目內眥上額交巔上入絡腦還出別下項循肩髆內俠脊抵腰中入循膂絡腎屬膀胱其支別者從髆中下貫臀入膕中今胞受風寒濕氣則膀胱太陽之脈不得下流於足故少腹膀胱按之內痛若沃以湯澀於小便也小便既澀太陽之脈不得下行故上爍其腦而為清涕出於鼻竅矣沃猶灌也○新校正云按全元起本內痛二字作兩髀

陰氣者靜則神藏躁則消亡

陰謂五神藏也所以說神藏與消亡者言人安靜不涉邪氣則神氣寧以內藏人躁動觸冒邪氣則神被害而離散藏無所守故曰消亡此言五藏受邪之為痺也

飲食自倍腸胃乃傷

藏以躁動致傷府以食飲見損皆謂過用越性則受其邪此言六府受邪之為痺也

淫氣喘息痺聚在肺淫氣憂思痺聚在心淫氣遺溺痺聚在腎淫氣乏竭痺聚在肝淫氣飢絕痺聚在脾

淫氣謂氣之妄行者各隨

藏之所主而入爲痺也。新校正云詳從上凡痺之客五藏者至此全元起本在陰陽别論中此王氏之所移也諸痺不已亦益內也從外不去則益深至於身內其風氣勝者其人易已也帝曰痺其時有死者或疼久者或易已者其故何也岐伯曰其入藏者死其留連筋骨間者疼久其留皮膚間者易已入藏者死以神去也筋骨疼久以其定也皮膚易已以浮淺也由斯深淺故有是不同帝曰其客於六府者何也岐伯曰此亦其食飲居處爲其病本也四方雖土地溫涼高下不同物性剛柔食居亦異但動過其分則六府致傷陰陽應象大論曰水穀之寒熱感則害於六府。新校正云按傷寒論云物性剛柔飡居亦異六府亦各有俞風寒濕氣中其俞而食飲應之循俞而入各舍其府也六府俞亦謂背俞也膽俞在十椎之傍胃俞在十二椎之傍三焦俞在十三椎之傍大腸俞在十六椎之傍小腸俞在十八椎之傍膀胱俞在十九椎之傍隨形分長短而取之如是各去脊同身寸之一寸五分並足太陽脉氣之所發也。新校正云詳六府俞並在本椎下兩傍此注言在椎之傍者文略也帝曰以鍼治之奈何岐伯曰五藏有俞六府有合循脉之分各有所發各隨其過新校正云按甲乙經隨作治則病瘳也肝之俞曰太衝心之俞曰太陵脾之俞曰太白肺之俞曰太淵腎之俞曰太谿皆經脉之所注也太衝在足大指間本節後二寸陷者中。新校正云按刺腰痛注云太衝在足大指本節後內間二寸

陷者中動脉應手　刺可入同身寸之三分留十呼若灸者可灸三壯太陵在手掌後骨兩筋間陷者中刺可入同身寸之六分留七呼若灸者可灸三壯太白在足內側核骨下陷者中刺可入同身寸之三分留七呼若灸者可灸三壯太淵在手掌後陷者中刺可入同身寸之二分留二呼若灸者可灸三壯太谿在足內踝後跟骨上動脉陷者中刺可入同身寸之三分留七呼若灸者可灸三壯也胃合入于三里膽合入于陽陵泉大腸合入于曲池小腸合入于小海三焦合入于委陽膀胱合入于委中三里在膝下三寸䯒外廉兩筋間刺可入同身寸之一寸留七呼若灸者可灸三壯陽陵泉在膝下一寸䯒外廉陷者中刺可入同身寸之六分留十呼若灸者可灸三壯小海在肘內大骨外去肘端五分陷者中屈肘乃得之刺可入同身寸之二分留七呼若灸者可灸五壯曲池在肘外輔屈肘曲骨之中刺可入同身寸之五分留七呼若灸者可灸三壯委陽在足膕中外廉兩筋間刺可入同身寸之七分留五呼若灸者可灸三壯屈伸而取之委中在膕中央約文中動脉刺可入同身寸之五分留七呼若灸者可灸三壯○新校正云按刺熱注委中在足膝後屈處餘並同此　故經言循脉之分各有所發各隨其過則病瘳也過謂脉所經過處○新校正云詳王氏以委陽爲三焦合按甲乙經云委陽三焦下輔俞也足太陽之別絡三焦之合自在手少陽經天井穴爲少陽脉之所入爲合詳此六府之合俱引本經所入之穴獨三焦不引本經所入之穴者王氏之誤也王氏但見甲乙經云三焦合于委陽彼説自異彼又以大腸合于巨虛上廉小腸合于下廉此以曲池小海易之故知當以天井穴爲合也　帝曰榮衛之氣亦令人遲乎岐伯曰榮者水穀之精氣也和調於五藏灑陳於六府乃能入於脉也正理論曰穀入於胃脉道乃行水入於經其血乃成又靈樞經曰榮氣之道內穀爲寶○新校正云按別本寶作實穀入於胃氣傳與肺精專者上行經隧由此故水穀精氣合榮氣運行而入於脉也　故循脉上下

貫五藏絡六府也 榮行脈內故無所不至 衛者水穀之悍氣也其氣慓疾滑利不能入於脈也 悍氣謂浮盛之氣也以其浮盛之氣故慓疾滑利不能入於脈中也 故循皮膚之中分肉之間熏於肓膜散於胷腹 皮膚之中分肉之間謂脈外也肓膜謂五藏之間鬲中膜也以其浮盛故能布散於胷腹之中空虛之處熏其肓膜令氣宣通也 逆其氣則病從其氣則愈不與風寒濕氣合故不為痺帝曰善痺或痛或不痛或不仁或寒或熱或燥或濕其故何也岐伯曰痛者寒氣多也有寒故痛也 風寒濕氣客於肉分之間迫切而為沫得寒則聚聚則排分肉肉裂則痛故有寒則痛也 其不痛不仁者病久入深榮衛之行濇經絡時踈故不通 新校正云按甲乙經不通作不痛詳甲乙經此條論不痛與不仁兩事後言不痛是載明不痛之為重也 皮膚不營故為不仁 不仁者皮頑不知有無也 其寒者陽氣少陰氣多與病相益故寒也 病本生於風寒濕氣故陰氣益之也 其熱者陽氣多陰氣少病氣勝陽遭陰故為痺熱 遭遇也言遇於陰氣陰氣不勝故為熱○新校正云按甲乙經遭作乘 其多汗而濡者此其逢濕甚也陽氣少陰氣盛兩氣相感故汗出而濡也 中表相應則相感也 帝曰

夫痺之爲病不痛何也岐伯曰痺在於骨則重在於脉則血凝而不流在於筋則屈不伸在於肉則不仁在於皮則寒故具此五者則不痛也凡痺之類逢寒則蟲逢熱則縱帝曰善（蟲謂皮中如蟲行縱謂縱緩不相就○新校正云按甲乙經蟲作急）

痿論篇第四十四（新校正云按全元起本在第四卷）

黄帝問曰五藏使人痿何也（痿謂痿弱無力以運動）岐伯對曰肺主身之皮毛心主身之血脉肝主身之筋膜（新校正云按全元起云膜者人皮下肉上筋膜也）脾主身之肌肉腎主身之骨髓（所主不同痿生亦各歸其所主）故肺熱葉焦則皮毛虚弱急薄著則生痿躄也（躄謂攣躄足不得伸以行也肺熱則腎受熱氣故尒）心氣熱則下脉厥而上上則下脉虚虚則生脉痿樞折挈脛縱而不任地也（心熱盛則火獨光火獨光則內炎上腎之脉常下行今火盛而上炎用事故腎脉亦隨火炎爍而逆上行也陰氣厥逆火復內燔陰上隔陽下不守位心氣通脉故生脉痿腎氣主足故膝腕樞紐如折去而不相提挈脛筋縱緩而不能任用於地）肝氣熱則膽泄口苦筋膜乾筋膜乾則筋急而攣發爲筋痿（膽約肝葉而汁味至

苦故肝熱則膽液滲泄膽病則口苦今膽液滲泄故口苦也肝主筋膜故熱則筋膜乾而攣急發爲筋痿也八十一難經曰膽在肝短葉間下脾氣熱則胃乾而渴肌肉不仁發爲肉痿脾與胃以膜相連脾氣熱則胃液滲涸故乾而渴也脾主肌肉今熱薄於肉故肌肉不仁而發爲肉痿腎氣熱則腰脊不舉骨枯而髓減發爲骨痿腰爲腎府人腎脉上股內貫脊屬腎故腎氣熱則腰脊不舉也腎主骨髓故熱則骨枯而髓減發則爲骨痿帝曰何以得之岐伯曰肺者藏之長也爲心之蓋也位高而布葉於胸中是故爲藏之長心之蓋有所失亡所求不得則發肺鳴鳴則肺熱葉焦志若不暢氣鬱故也肺藏氣氣鬱不利故喘息有聲而肺熱葉焦也故曰五藏因肺熱葉焦發爲痿躄此之謂也肺者所以行榮衛治陰陽故引曰五藏因肺熱而發爲痿躄也悲哀太甚則胞絡絕胞絡絕則陽氣內動發則心下崩數溲血也悲則心系急肺布葉舉而上焦不通榮衛不散熱氣在中故胞絡絕而陽氣內鼓動發則心下崩數溲血也心下崩謂心包內崩而下血也溲謂溺也○新校正云按楊上善云胞絡者心上胞絡之脉也詳經注中胞字俱當作包全本胞又作肌故本病曰大經空虛發爲肌痺傳爲脉痿本病古經論篇名也大經謂大經脉也以心崩溲血故大經空虛脉空則熱內薄衛氣盛榮氣微故發爲肌痺也先見肌痺後漸脉痿故曰傳爲脉痿也思想無窮所願不得意淫於外入房太甚宗筋弛縱發爲筋痿

及爲白淫思想所願爲所欲也施寫勞損故爲筋痿及白淫也白淫謂白物淫衍如精之狀男子因溲而下女子陰器中綿綿而下也故下經曰筋痿者生於肝使內也下經上古之經名也使內謂勞役陰力費竭精氣也有漸於濕以水爲事若有所留居處相濕肌肉濡漬痹而不仁發爲肉痿業惟近濕居處澤下皆水爲事也平者久而猶殆感之者尤甚矣肉屬於脾脾氣惡濕濕著於內則衛氣不榮故肉爲痿也故下經曰肉痿者得之濕地也陰陽應象大論曰地之濕氣感則害皮肉筋脉此之謂害內也有所遠行勞倦逢大熱而渴渴則陽氣內伐內伐則熱舍於腎腎者水藏也今水不勝火則骨枯而髓虛故足不任身發爲骨痿陽氣內伐謂伐腹中之陰氣也水不勝火以熱舍於腎中也故下經曰骨痿者生於大熱也腎性惡燥熱反居中熱薄骨乾故骨痿無力也帝曰何以別之岐伯曰肺熱者色白而毛敗心熱者色赤而絡脉溢肝熱者色蒼而爪枯脾熱者色黃而肉蠕動腎熱者色黑而齒槁各求藏色及所主養而命之則其應也帝曰如夫子言可矣論言治痿者獨取陽明何也岐伯曰陽明者五藏六府之海陽明胃脉也胃爲水穀之海主潤宗筋宗筋主束骨而

利機關也（宗筋謂陰髦中橫骨上下之竪筋也上絡胷腹下貫髖骨又經於背腹上頭項故云宗筋主束骨而利機關也然腰者身之大關節所以司屈伸故曰機關）衝脈者經脈之海也（靈樞經曰衝脈者十二經之海）主滲灌谿谷與陽明合於宗筋（尋此則橫骨上下齊兩旁竪筋正宗筋也衝脈循腹俠齊旁各同身寸之五分而上陽明脈亦俠齊旁各同身寸之一寸五分而上宗筋脈於中故云與陽明合於宗筋也以為十二經海故主滲灌谿谷也肉之大會為谷小會為谿○新校正云詳宗筋脈於中一作宗筋縱於中）陰陽揔宗筋之會會於氣街而陽明為之長皆屬於帶脈而絡於督脈（宗筋聚會會於橫骨之中從上而下故云陰陽揔宗筋之會也宗筋俠齊下合於橫骨陽明輔其外衝脈居其中故云會於氣街而陽明為之長也氣街則陰髦兩旁脈動處也帶脈者起於季脇迴身一周而絡於督脈也督脈者起於關元上下循腹故云皆屬於帶脈而絡於督脈也督脈任脈衝脈三脈者同起而異行故經文或參差而引之）故陽明虛則宗筋縱帶脈不引故足痿不用也（陽明之脈從缺盆下乳內廉下俠齊至氣街中其支別者起胃下口循腹裏下至氣街中而合以下髀抵伏兔下入膝髕中下循胻外廉下足跗入中指內間其支別者下膝三寸而別以下入中指外間故陽明虛則宗筋縱緩帶脈不引而足痿弱不可用也引謂牽引）帝曰治之奈何岐伯曰

其滎而通其俞調其虛實和其逆順筋脈骨肉各以其時受月則病已矣帝曰善（時受月謂受氣時月也如肝王甲乙心王丙丁脾王戊己肺王庚辛腎王壬癸皆王氣法也時受月則正謂五常受氣月也）

厥論篇第四十五

新校正云按全元起本在第五卷

黃帝問曰厥之寒熱者何也厥謂氣逆上也世謬傳為脚氣廣飾方論焉岐伯對曰陽氣衰於下則為寒厥陰氣衰於下則為熱厥陽謂足之三陽脉陰謂足之三陰脉下謂足也帝曰熱厥之為熱也必起於足下者何也陽主外而厥在內故問之岐伯曰陽氣起於足五指之表陰脉者集於足下而聚於足心故陽氣勝則足下熱也大約而言之足太陽脉出於足小指之端外側足少陽脉出於足小指次指之端足陽明脉出於足中指及大指之端並循足陽而上肝脾腎脉集於足下聚於足心陰弱故足下熱也○新校正云按甲乙經陽氣起於足作走於足起當作走帝曰寒厥之為寒也必從五指而上於膝者何也陰主內而厥在外故問之岐伯曰陰氣起於五指之裏集於膝下而聚於膝上故陰氣勝則從五指至膝上寒其寒也不從外皆從內也亦大約而言之也足太陰脉起於足大指之端內側足厥陰脉起於足大指之端三毛中足少陰脉起於足小指之下斜趣足心並循足陰而上循股陰入腹故云集於膝下而聚於膝之上也帝曰寒厥何失而然也岐伯曰前陰者宗筋之所聚太陰陽明之所合也宗筋俠齊下合於陰器故云前陰者宗筋之所聚也太陰者脾脉陽

明者胃脉脾胃之脉皆輔近宗筋故云太陰陽明之所合○新校正云按甲乙經前陰者宗筋之所聚作厥陰者衆筋之所聚全元起云前陰者厥陰也與王注義異亦自一說春夏則陽氣多而陰氣少秋冬則陰氣盛而陽氣衰此乃天之常道此人者質壯以秋冬奪於所用下氣上爭不能復精氣溢下邪氣因從之而上也質謂形質也奪於所用謂多欲而奪其精氣也氣因於中新校正云按甲乙經氣因於中作所中陽氣衰不能滲營其經絡陽氣日損陰氣獨在故手足為之寒也帝曰熱厥何如而然也源其所由爾岐伯曰酒入於胃則絡脉滿而經脉虛脾主為胃行其津液者也陰氣虛則陽氣入陽氣入則胃不和胃不和則精氣竭精氣竭則不營其四支也前陰為太陰陽明之所合故胃不和則精氣竭也內精不足故四支無氣以營之此人必數醉若飽以入房氣聚於脾中不得散酒氣與穀氣相薄熱盛於中故熱遍於身內熱而溺赤也夫酒氣盛而慓悍腎氣有衰陽氣獨勝故手足為之熱也醉飽入房內亡精氣中虛熱入由是腎衰陽盛陰虛故熱生於手足也帝曰厥或令人腹

滿或令人暴不知人或至半日遠至一日乃知人者何也暴猶卒也言卒然冒悶不醒覺也不知人謂悶甚不知識人也或謂尸厥岐伯曰陰氣盛於上則下虛下虛則腹脹滿陽氣盛於上則下氣重上而邪氣逆逆則陽氣亂陽氣亂則不知人也陰謂足太陰氣。新校正云按甲乙經陽氣盛於上五字作腹滿二字當從甲乙經之說何以言之別按甲乙經云陽脉下墜陰脉上爭發尸厥焉有陰氣盛於上而又言陽氣盛於上又按張仲景云少陰脉不至腎氣微少精血奔氣促迫上入胷鬲宗氣反聚血結心下陽氣退下熱歸陰股與陰相動令身不仁此為尸厥仲景言陽氣退下則是陽氣不得盛於上故知當從甲乙經也又王注陰謂足太陰亦為未盡按繆刺論云邪客於手足少陰太陰足陽明之絡此五絡皆會於耳中上絡左角五絡俱竭令人身脉皆動而形無知其狀若尸或曰尸厥焉得尊解陰為太陰帝曰善願聞六經脉之厥狀病能也為前問解故請備聞諸經厥也岐伯曰巨陽之厥則腫首頭重足不能行發為眴仆巨陽太陽也足太陽脉起於目內眥上額交巔上其支別者從巔至耳上角其直行者從巔入絡腦還出別下項循肩髆內俠脊抵腰中入循膂絡腎屬膀胱其支別者從腰中下貫臀入膕中其支別者從髆內左右別下貫胂過髀樞循髀外後廉下合膕中以下貫腨內出外踝之後循京骨至小指之端外側由是厥逆外形斯證也腫或作踵非陽明之厥則癲疾欲走呼腹滿不得卧面赤而熱妄見而妄言足陽明脉起於鼻交頞中下循鼻外入上齒中還出俠口環脣下交承漿却循頤後下廉出大迎循頰車上耳前過客主人循髮際至額顱其支別者從大迎前下人迎循喉嚨入缺盆下鬲屬胃絡脾其直行者從缺盆下乳內廉下俠齊入氣街中其支別者起胃下口循腹裏下至氣街中而合以下髀抵伏兔下入膝臏中下循胻外廉下足跗入中指內間其支別者下膝三寸而別以下入中指外間其支別者跗上入大指間出其端故厥如是也顛一爲巔非少陽之厥則暴聾頰腫而熱脅痛胻不可以運足少陽脉起於目銳眥上抵頭角下耳後循頸行手少陽之前至肩上交出手少陽之後入缺盆其支別者從耳後入耳中出走耳前至目銳眥後其支別者目銳眥下大迎合手少陽於頰下加頰車下頸合缺盆以下胸中貫鬲絡肝屬膽循脇裏出氣街遶髦際橫入髀厭中其直行者從缺盆下腋循胸過季脇下合髀厭中以下循髀陽出膝外廉下入外輔骨之前直下抵絕骨之端下出外踝之前循足跗出小指次指之端故厥如是太陰之厥則腹滿䐜脹後不利不欲食食則嘔不得卧足太陰脉起於大指之端上膝股內前廉入腹屬脾絡胃上鬲俠咽連舌本散舌下其支別者復從胃別上鬲注心中故厥如是少陰之厥則口乾溺赤腹滿心痛足少陰脉上股內後廉貫脊屬腎絡膀胱其直行者從腎上貫肝鬲入肺中循喉嚨俠舌本其支別者從肺出絡心注胸中故厥如是厥陰之厥則少腹腫痛腹脹涇溲不利好卧屈膝陰縮腫胻內熱足厥陰脉去內踝一寸上踝八寸交出太陰之後上膕內廉循股陰入髦中下環陰器抵少腹俠胃屬肝絡膽上貫鬲故厥如是矣胻內熱一本云胻外熱傳寫行書內外誤也盛則寫之虛則補之不盛不虛以經取之不盛不虛謂邪氣未盛真氣未虛如是則以穴俞經法留呼多少而取之太陰厥逆

胻急攣心痛引腹治主病者足太陰脉起於大指之端循指內側上內踝前廉上腨內循胻骨後上膝股內前廉入腹其支別者復從胃別上鬲注心中故胻急攣心痛引腹也太陰之脉行有左右候其有過者當發取之故言治主病者○新校正云詳從太陰厥逆至篇末全元起本在第九卷王氏移於此少陰厥逆虛滿嘔變下泄清治主病者以其脉從腎上貫肝鬲入肺中循喉嚨故如是厥陰厥逆攣腰痛虛滿前閉譫言新校正云按全元起云譫言者氣虛獨言也治主病者以其脉循股陰入髦中環陰器復上循喉嚨之後絡舌本故如是○新校正云按甲乙經厥陰之經不絡舌本王氏注刺熱篇刺瘧篇并此三注俱云絡舌本又注風論痺論各不云絡舌本王注自有異同當以甲乙經為正三陰俱逆不得前後使人手足寒三日死三陰絕故三日死太陽厥逆僵仆嘔血善衄治主病者以其脉起目內眥又循脊絡腦故如是少陽厥逆機關不利機關不利者腰不可以行項不可以顧以其脉循頸下繞髮際横入髀厭中故如是發腸癰不可治驚者死足少陽脉貫鬲絡肝屬膽循脅裏出氣街發腸癰則經氣絕故不可治驚者死也陽明厥逆喘欬身熱善驚衄嘔血以其脉循喉嚨入缺盆下鬲屬胃絡脾故如是手太陰厥逆虛滿而欬善嘔沫治主病者手太陰脉起於中焦下絡大腸還循胃口上鬲屬肺故如是手心主少陰厥逆心痛引喉身熱死不可治手心主脉起於胷中出屬心包手少

陰脉支別者從心系上俠咽喉故如是 手太陽厥逆耳聾泣出項不可以顧腰不可以俛仰治主病者 手太陽脉支別者從缺盆循頸上頰至目銳眥却入耳中其支別者從頰上䪼抵鼻至目內眥故耳聾泣出項不可以顧也腰不可以俛仰脉不相應恐古錯簡文 手陽明少陽厥逆發喉痺嗌腫痓治主病者 手陽明脉支別者從缺盆上頸手少陽脉支別者從膻中上出缺盆上項故如是 新校正云按全元起本痓作痙

黄帝內經素問卷第十二

音辨

風論篇第四十二

癘音例 數入聲 洒所賣切 怢他對他沒二切肆也忘也怨也与悖悖也 眥在詣切 俞音庶腧同 䐜音嗔 潰胡對切 中去聲 腦奴晧切 飧音孫 惡去聲 皏普耕切白也 差楚介切 診之忍切 嚇音赫 嗌於昔切咽也 炲音臺煤炲 頸音景

痺論篇第四十三

痺音畀 著直略切 噫乙介切 數入聲 尻去高切 欬口亥切 飧音孫 澀所立切 易音異 俞音庶腧同 瘳敕留切 灑所買所綺二切 悍音捍 慓音漂 肓音荒 濇所力切又澁同

痿論篇第四十四

痿於危切 薄兵各切 著直略切 躄必亦切跛也 脛乎正切 髖音寬 臏音牝 溲所久切小便也 漸子廉切 別兵節切 蠕而兗切或作蝡動也 滲所禁切

厥論篇第四十五

眴音舜瞚瞬同 顤於交切 什匹候切又匐覆二音倒也 胻户當切脛也 䐜音嗔 溲所有所求二切小便也 嗌於昔切 髦音毛 痓充至切

黄帝内經素問卷第十三

啓玄子次註林億孫奇高保衡等奉 勅校正孫兆重改誤

病能論篇第四十六（新校正云按全元起本在第五卷）

黄帝問曰人病胃脘癰者診當何如岐伯對曰診此者當候胃脉其脉當沈細沈細者氣逆（胃者水穀之海其血盛氣壯今反脉沈細者是逆常平也○新校正云按甲乙經沈細作沈濇太素作沈細）逆者人迎甚盛甚盛則熱（沈細為寒寒氣格陽故人迎脉盛盛入迎者陽明之脉故盛則熱也人迎謂結喉傍脉動應手者）人迎者胃脉也（胃脉循喉嚨而入缺盆故云人迎者胃脉也）逆而盛則熱聚於胃口而不行故胃脘為癰也（血氣壯盛而熱內薄之兩氣合熱故結為癰也）帝曰善人有臥而有所不安者何也岐伯曰藏有所傷及精有所之寄則安故人不能懸其病也（五藏有所傷損及之水穀精氣有所之寄扶其下則臥安以傷及於藏故人不能懸其病處於空中也○新校正云按甲乙經精有所之寄則安作情有所倚則臥不安太素作精有所倚則不安）帝

曰人之不得偃卧者何也（謂不得仰卧也）岐伯曰肺者藏之蓋也（居高布葉四藏下之故言肺者藏之蓋也）肺氣盛則脉大脉大則不得偃卧（肺氣盛滿偃卧則氣促喘奔故不得偃卧也）論在奇恒陰陽中（奇恒陰陽上古經篇名世本闕）帝曰有病厥者診右脉沈而緊左脉浮而遲不然病主安在（不然言不沈也○新校正云按甲乙經不然作不知）岐伯曰冬診之右脉固當沈緊此應四時左脉浮而遲此逆四時在左當主病在腎頗關在肺當腰痛也（以冬左脉浮而遲浮為肺脉故言頗關在肺也腰者腎之府故腎受病則腰中痛也）帝曰何以言之岐伯曰少陰脉貫腎絡肺今得肺脉腎為之病故腎為腰痛之病也（左脉浮遲非肺來見以左腎不足而脉不能沈故得肺脉腎為病也）帝曰善有病頸癰者或石治之或鍼灸治之而皆已其真安在（言所攻則異所愈則同故問真法何所在也）岐伯曰此同名異等者也（言雖同曰頸癰然其皮中別異不一等也故下云）夫癰氣之息者宜以鍼開除去之夫氣盛血聚者宜石而寫之此所謂同病異治也（息瘜也死肉也石砭石也可以破大癰出膿今以鈹鍼代之）帝曰有病怒狂者（新校正云按太素怒狂作喜怒）此病

安生岐伯曰生於陽也帝曰陽何以使人狂怒不慮禍故謂之狂岐伯曰陽氣者因暴折而難決故善怒也病名曰陽厥言陽氣被折鬱不散也此人多怒亦曾因暴折而心不疏暢故爾如是者皆陽逆躁極所生故病名陽厥帝曰何以知之岐伯曰陽明者常動巨陽少陽不動不動而動大疾此其候也言頸項之脈皆動不止也陽明常動者動於結喉旁是謂人迎氣舍之分位也若以少陽之動動於曲頰下是謂天窗天牖之分位也若巨陽之動動於項兩旁大筋前陷者中是謂天柱天容之分位也不應常動而反動甚者動當病也新校正云詳王注以天窗為少陽之分位天容為太陽之分位按甲乙經天窗乃太陽脈氣所發天容乃少陽脈氣所發二位交互當以甲乙為正帝曰治之奈何岐伯曰奪其食即已夫食入於陰長氣於陽故奪其食即已食少則氣衰故節去其食即病自止◐新校正云按甲乙經奪作衰太素同使之服以生鐵洛為飲新校正云按甲乙經鐵洛作鐵液為飲作為後飯夫生鐵洛者下氣疾也之或為人傳文誤也鐵洛味辛微溫平主治下氣方俗或呼為鐵漿非是生鐵液也帝曰善有病身熱解墯汗出如浴惡風少氣此為何病岐伯曰病名曰酒風飲酒中風者也風論曰飲酒中風則為漏風是亦名漏風也夫極飲者陽氣盛而腠理疎玄府開發陽盛則筋痿弱故身體解墯也腠理疎則風內攻玄府發則氣外泄故汗出如浴也風氣外薄膚腠復開汗多內虛癉熱熏肺故惡風少氣也因酒而病故曰

酒風

帝曰治之奈何岐伯曰以澤瀉朮各十分麋銜五分合以三指撮為後飯（朮味苦温平主治大風止汗麋銜味苦寒平主治風濕筋痿澤瀉味甘寒平主治風濕益氣由此功用方故先之飯後藥先謂之後飯）所謂深之細者其中手如鍼也摩之切之聚者堅也博者大也上經者言氣之通天也下經者言病之變化也金匱者決死生也揆度者切度之也奇恒者言奇病也所謂奇者使奇病不得以四時死也恒者得以四時死也（新校正云按楊上善云得病傳之至於勝時而死此為恒中生喜怒令病次傳者此為奇）所謂揆者方切求之也言切求其脉理也度者得其病處以四時度之也（凡言所謂者皆釋未了義今此所謂尋前後經文悉不與此篇義相接似今數句少成文義者終是別釋經文世本既闕第七二篇應彼闕經錯簡文也古文斷裂繆續於此）

奇病論篇第四十七（新校正云按全元起本在第五卷）

黃帝問曰人有重身九月而瘖此為何也（重身謂身中有身則懷任者也瘖謂不得言語也任娠九月足少陰脉養胎約氣斷則瘖不能言也）岐伯對曰胞之絡脉絕也（絕謂脉斷絕而不通）

流而不能言非天眞之氣斷絕也帝曰何以言之岐伯曰胞絡者繫於腎少陰之脉貫腎繫舌本故不能言少陰腎脉也氣不營養故舌不能言帝曰治之奈何岐伯曰無治也當十月復十月胎去胞絡復通腎脉上營故復舊而言也刺法曰無損不足益有餘以成其疹疹謂久病也反法而治則胎死不去遂成久固之疹病也然後調之新校正云按甲乙經及太素無此四字按全元起注云所謂不治者其身九月而瘖身重不得為治須十月滿生後復如常也然後調之則此四字本全元起注文誤書於此當刪去之所謂無損不足者身羸瘦無用鑱石也任娠九月筋骨瘦勞力少身重又拒於穀故身形羸瘦不可以鑱石傷也無益其有餘者腹中有形而泄之泄之則精出而病獨擅中故曰疹成也胎約胞絡腎氣不通因而泄之腎精隨出精液內竭胎則不全胎死腹中著而不去由此獨擅故疹成焉帝曰病脇下滿氣逆二三歲不已是為何病岐伯曰病名曰息積此不妨於食不可灸刺積為導引服藥藥不能獨治也腹中無形脇下逆滿頻歲不愈息且形之氣逆息難故名息積也氣不在胃故不妨於食也灸之則火熱內爍氣化為風刺之則必寫其經轉成虛敗故不可灸刺是可積為導引使氣流行又以藥攻內消瘀稸則可矣若獨憑其藥而不積為導引則藥亦不能獨治之也帝曰人有身體髀股䯒皆腫環齊而痛是

為何病岐伯曰病名曰伏梁以衝脉病故名曰伏梁然衝脉起於足少陰之絡起於腎下出於氣街循陰股內廉斜入膕中循胻骨內廉並少陰經下入內踝之後入足下其上行者出齊下同身寸之三寸關元之分侠齊直上循腹各行會於咽喉故身體髀皆腫繞齊而痛名曰伏梁環謂圓繞如環也此風根也其氣溢於大腸而著於肓肓之原在齊下故環齊而痛也大腸廣腸也經說大腸當言迴腸也何者靈樞經曰迴腸當齊右環迴周葉積而下廣腸附脊以受迴腸右環葉積上下辟大尋此則是迴腸非應言大腸也然大腸迴腸俱与肺合從合而命故通曰大腸也不可動之動之為水溺濇之病也以衝脉起於腎下出於氣街其上行者起於胞中上出齊下關元之分故動之則為水而溺濇也動謂齊其毒藥而擊動之使其大下也此一問答之義与腹中論同以為奇病故重出於此帝曰人有尺脉數甚筋急而見此為何病筋急謂掌後尺中兩筋急也脉要精微論曰尺外以候腎尺裏以候腹中今尺脉數急脉數為熱熱當筋緩反尺中筋急而見腹中筋當急故問為病乎靈樞經曰熱即筋緩寒則筋急岐伯曰此所謂疹筋是人腹必急白色黑色見則病甚腹急謂俠齊竪筋俱急以尺裏候腹中故見尺中筋急則必腹中拘急矣色見謂見於面部也夫相五色者白為寒黑為寒故二色見病弥甚也帝曰人有病頭痛以數歲不已此安得之名為何病頭痛之疾不當踰月數年不愈故怪而問之岐伯曰當有所犯大寒內至骨髓髓者以腦為主腦逆故令頭痛齒

亦痛夫腦爲髓主齒是骨餘腦逆反寒骨亦寒入故令頭痛齒亦痛病名曰厥逆帝曰善全注人先生於
腦緣有腦則有骨髓齒者骨之本也帝曰有病口甘者病名爲何何以得之岐
伯曰此五氣之溢也名曰脾癉癉謂熱也脾熱則四藏同禀故五氣上溢也生因脾熱故曰脾癉
夫五味入口藏於胃脾爲之行其精氣津液在脾故令
人口甘也脾熱內滲津液在脾胃穀化餘精氣隨溢口通脾氣故口甘津液在脾是脾之濕此肥美之所發
也新校正云按太素發作致此人必數食甘美而多肥也肥者令人內熱
甘者令人中滿故其氣上溢轉爲消渴食肥則腠理密陽氣不得外泄故肥令人內熱
甘者性氣和緩而發散逆故甘令人中滿然內熱則陽氣炎上炎上則欲飲而嗌乾中滿則陳氣有餘有餘則脾氣上溢故曰其氣上溢轉爲消渴也陰陽應
象大論曰辛甘發散爲陽靈樞經曰甘多食之令人悶然從中滿以生之。新校正云按甲乙經消渴作消癉治之以蘭除陳
氣也蘭謂蘭草也神農曰蘭草味辛熱平利水道辟不祥胷中痰澼也除謂去也陳謂久也言蘭除陳久甘肥不化之氣者以辛能發散故也藏氣
法時論曰辛者散也。新校正云按本草蘭平不言熱帝曰有病口苦取陽陵泉口苦者
病名爲何何以得之岐伯曰病名曰膽癉亦謂熱也膽汁味苦故口苦。新校
正云按全元起本及太素無口苦取陽陵泉六字詳前後文勢疑此爲誤夫肝者中之將也取決於膽

咽爲之使靈蘭祕典論曰肝者將軍之官謀慮出焉膽者中正之官決斷出焉肝與膽合氣性相通故諸謀慮取決於膽咽膽相應故咽爲使焉○新校正云按甲乙經云膽者中精之府五藏取決於膽咽爲之使疑此文誤此人者數謀慮不決故膽虛氣上溢而口爲之苦治之以膽募俞胷腹曰募背脊曰俞膽募在乳下二肋外期門下同身寸之五分俞在脊第十推下兩傍相去各同身寸之一寸半治在陰陽十二官相使中言治法具於彼篇今經已亡

帝曰有癃者一日數十溲此不足也身熱如炭頸膺如格人迎躁盛喘息氣逆此有餘也是陽氣太盛於外陰氣不足故有餘也○新校正云詳此十五字舊作文寫按甲乙經太素並無此文再詳乃是全元起注後人誤書於此今作注書太陰脉微細如髮者此不足也其病安在名爲何病癃小便不得也溲小便也頸膺如格言頸與胷膺如相格拒不順應也人迎躁盛謂結喉兩傍脉動盛滿急數非常躁速也胃脉也太陰脉微細如髮者謂手大指後同身寸之一寸骨高脉動處脉則肺脉也此正手太陰脉氣之所流可以候五藏也岐伯曰病在太陰其盛在胃頗在肺病名曰厥死不治病癃數溲身熱如炭頸膺如格息氣逆者皆手太陰脉當洪大而數今太陰脉反微細如髮者是病与脉相反也何以致之肺氣逆陵於胃而爲是上使人迎躁盛也故曰病在太陰其盛在胃也以喘息氣逆故云頗亦在肺也病因氣逆之不相應故病名曰厥死不治也此所謂得五有餘二不足也帝曰何謂五有餘二不足岐伯曰

所謂五有餘者五病之氣有餘也二不足者亦病氣之不足也今外得五有餘內得二不足此其身不表不裏亦正死明矣（外五有餘者一身熱如炭二頸膺如格三人迎躁盛四喘息五氣逆也內二不足者一病癃一日數十溲二太陰脈微細如髮夫如是者謂其病在表則內有二不足謂其病在裏則外得五有餘表裏既不可憑補寫固難為法故曰此其身不表不裏亦正死明矣）帝曰人生而有病巔疾者病名曰何安所得之（夫百病者皆生於風雨寒暑陰陽喜怒也然始生有形未犯邪氣已有巔疾豈邪氣素傷耶故問之巔謂上巔則頭首也）岐伯曰病名為胎病此得之在母腹中時其母有所大驚氣上而不下精氣并居故令子發為巔疾也（精氣謂陽之精氣也）帝曰有病痝然如有水狀切其脈大緊身無痛者形不瘦不能食食少名為何病（痝然謂面目浮腫而色雜也大緊謂如弓弦也大即為氣緊即為寒寒氣內薄而反無痛與衆別異常故問之也）岐伯曰病生在腎名為腎風（脈如弓弦大而且緊勞氣內稸寒復內爭勞氣薄寒故化為風風勝於腎故曰腎風）腎風而不能食善驚驚已心氣痿者死（腎水受風心火痿弱水火俱困故必死）帝曰善

大奇論篇第四十八

（新校正云按全元起本在第九卷）

肝滿腎滿肺滿皆實，即為腫。〔滿謂脈氣滿實也。腫謂癰腫也。藏氣滿乃如是。〕肺之雍，喘而兩胠滿。〔肺藏氣而外主息，其脈支別者，從肺系橫出腋下，故喘而兩胠滿也。○新校正云：詳肺雍、肝雍、腎雍，甲乙經俱作癰。〕肝雍，兩胠滿，臥則驚，不得小便。〔肝之脈循股陰入髦中，環陰器，抵少腹，上貫肝鬲，布脇肋，故胠滿，不得小便也。肝主驚駭，故臥則驚。〕腎雍，脚下至少腹滿。〔新校正云：按甲乙經脚下作胠下。脚當作胠，不得言脚下至少腹也。〕脛有大小，髀骭大跛，易偏枯。〔衝脈者，經脈之海，與少陰之絡俱起於腎下，出於氣街，循陰股內廉，斜入膕中，循骭骨內廉，並少陰之經，下入內踝之後，入足下；其上行者，出齊下同身寸之三寸。故如是。若血氣變易，為偏枯也。〕心脈滿大，癇瘛筋攣。〔心脈滿大，則肝氣下流，熱氣內薄，筋乾血涸，故癇瘛而筋攣。〕肝脈小急，癇瘛筋攣。〔肝養筋，內藏血，肝氣受寒，故癇瘛而筋攣。脈小急者，寒也。〕肝脈騖暴，有所驚駭。〔騖謂馳騖，言其迅急也。陽氣內薄，故發為驚也。〕脈不至若瘖，不治自已。〔肝氣若厥，厥則脈不通，厥退則脈復通矣。又其脈布脇肋，循喉嚨之後，故脈不至若瘖，不治亦自已。〕腎脈小急，肝脈小急，心脈小急，不鼓，皆為瘕。〔小急為寒，甚不鼓則血不流，血不流而寒薄，故血內凝而為瘕也。〕腎肝并沈為石水。〔肝脈入陰內，貫少腹；腎脈貫脊中，絡膀胱。兩藏并藏氣熏衝脈，自腎下絡於胞，今水不行化，故堅而結。然腎主水，水冬冰，水宗於腎，腎象水而沈，故氣并而沈，名為石水。○新校正云：詳腎肝并沈至下并小弦欲驚，全元起本在厥論中，王氏移於此。〕并浮為風水。〔脈浮為風，下焦主水，風薄於下，故名風水。〕并虛為死。〔腎為五藏之根，肝為發生之主，二者不足是生主俱微故死并小弦欲驚脉小弦為肝腎俱不足故爾腎脉大急沉肝脉大急沉皆為疝疝者寒氣結聚之所為也夫脉沉為實脉急為痛氣實寒薄聚故為絞痛為疝心脉搏滑急為心疝肺脉沉搏為肺疝皆寒薄於藏故也三陽急為瘕三陰急為疝太陽受寒血凝為瘕太陰受寒氣聚為疝二陰急為癇厥二陽急為驚二陰少陰也二陽陽明也新校正云詳三陽急為瘕至此全元起本在厥論王氏移於此脾脉外鼓沉為腸澼久自已外鼓謂鼓動於臂外也肝脉小緩為腸澼易治肝脉小緩為脾乘肝故易治腎脉小搏沉為腸澼下血小為陰氣不足搏為陽氣乘之熱在下焦故下血也血溫身熱者死血溫身熱是陰氣喪敗故死心肝澼亦下血肝藏血心養血故澼皆下血也二藏同病者可治心火肝木木火相生故可治其脉小沉濇為腸澼心肝脉小而沉濇者澼也其身熱者死熱見七日死腸澼下血而身熱者是火氣內絶去心而歸於外也故死火成數七故七日死胃脉沉鼓濇胃外鼓大心脉小堅急皆鬲偏枯外鼓謂不當尺寸而鼓擊於臂外側也男子發左女子發右陽主左陰主右故爾陰陽應象大論曰左右者陰陽之道路此其義也不瘖舌轉可治三十日起偏枯之病瘖不能言腎與胞脉內絶也胞脉繫於腎腎之脉從腎上貫肝鬲入肺中循喉嚨俠舌本故氣內絶則瘖不能言也其從者瘖三歲

起俗謂男子發左女子發右也病順左右而瘖不能言三歲治之乃能起年不滿二十者三歲死以其五藏
始定血氣方剛藏始定則易傷氣方剛則其費易傷其費故三歲死脈至而搏血衄身熱者死血衄為虛脈不
應搏今反脈搏是氣逆乃然故死脈來懸鉤浮為常脈以是為血衄者之常脈也脈至如喘
名曰暴厥喘謂卒來盛急去而便衰如人之喘狀也暴厥者不知與人言所謂暴厥之候如此
脈至如數使人暴驚脈數為熱熱則內動肝心故驚三四日自已數為心脈木被火干病非
肝生不與邪合故三日後四日自除所以爾者木生數三也脈至浮合如浮波之合後至者凌前速疾而動無常候也浮合
如數一息十至以上是經氣予不足也微見九十日死脈
至如火薪然是心精之予奪也草乾而死薪然之火欻熸熸不定其形而便絕
也脈至如散葉是肝氣予虛也木葉落而死如散葉之隨風不常其狀○新
校正云按甲乙經散葉作叢棘脈至如省客省客者脈塞而鼓是腎氣予不
足也懸去棗華而死脈塞如鼓謂纔見不行旋復去也懸謂如懸物物動而絕去也脈至如丸
泥是胃精予不足也榆莢落而死如珠之轉是謂丸泥脈至如横格是
膽氣予不足也禾熟而死脈長而堅如横木之在指下也脈至如弦縷是胞

精予不足也病善言下霜而死不言可治胞之脉繫於腎腎之脉俠舌本今氣不足者則當不能言今反善言是真氣内絶去腎外歸於舌也故死脉至如交漆交漆者左右傍至也微見三十日死左右傍至言如瀝漆之交左右反戾新校正云按甲乙經交漆作交棘脉至如涌泉浮鼓肌中太陽氣予不足也少氣味韭英而死如水泉之動但出而不入脉至如頽土之狀按之不得是肌氣予不足也五色先見黑白壘發死頽土之狀謂浮之大而虚耎按之則無新校正云按甲乙經頽土作委土脉至如懸雍懸雍者浮揣切之益大是十二俞之予不足也水凝而死如顙中之懸雍也○新校正云按全元起本懸雍作懸離元起注云懸離者言脉与肉不相得也脉至如偃刀偃刀者浮之小急按之堅大急五藏菀熟寒熱獨并於腎也如此其人不得坐立春而死菀積也熟熱也脉至如丸滑不直手不直手者按之不可得也是大腸氣予不足也棗葉生而死脉至如華者令人善恐不欲坐卧行立常聽是小腸氣予不足也季秋而死脉至如華謂似華虚弱不可正取也小腸之脉上入耳中故常聽也

脈解篇第四十九（新校正云按全元起本在第九卷）

太陽所謂腫腰脽痛者正月太陽寅寅太陽也（脽謂臀肉也正月三陽生主建寅三陽謂之太陽故曰寅太陽也）正月陽氣出在上而陰氣盛陽未得自次也（正月雖三陽生而天氣尚寒以其尚寒故曰陰氣盛陽未得自次也次謂立王之次也）故腫腰脽痛也（以其脉抵腰中入貫臀過髀樞故爾）病偏虛為跛者正月陽氣凍解地氣而出也所謂偏虛者冬寒頗有不足者故偏虛為跛也（以其脉循股內後廉合膕中下循腨過外踝之後循京骨至小指外側故也○新校正云詳王氏云其脉循股內殊非按甲乙經太陽流注不到股內股內乃髀外之誤當云髀外後廉）所謂強上引背者陽氣大上而爭故強上也（強上謂頸項禁強也甚則引背矣所以爾者以其脉從腦出別下項背故也）所謂耳鳴者陽氣萬物盛上而躍故耳鳴也（以其脉支別者從巔至耳上角故爾）所謂甚則狂巔疾者陽盡在上而陰氣從下下虛上實故狂巔疾也（以其脉上額交巔上入絡腦還出其支別者從巔至耳上角故狂巔疾也項上曰巔）所謂浮為聾者皆在氣也（亦以其脉至耳故也）所謂入中為瘖者陽盛已衰故為瘖也（陽氣盛入中而薄於胞腎則胞絡腎絡氣不通故瘖也胞之脉繫於腎腎之脉俠舌本故瘖不能言）

也
内奪而厥則爲瘖俳此腎虚也卧廢也腎之脉與衝脉並出於氣街循陰股內廉斜入膕中循䯒骨內廉及內踝之後入足下故腎氣內奪而不順則舌瘖足廢故云此腎虚也○新校正云詳王注云腎之脉與衝脉並出按甲乙經是腎之絡非腎之脉况王注痿論并奇病論大奇論並云腎之絡則此脉字當爲絡少陰不至者厥也少陰腎脉也若腎氣內脫則少陰脉不至也少陰之脉不至是則太陰之氣逆上而行也少陽所謂心脇痛者言少陽盛也盛者
心之所表也心氣逆則少陽盛心氣宜木外鑠肺金故盛者心之所表也九月陽氣盡而陰氣
盛故心脇痛也足少陽脉循脇裏出氣街心主脉循胷出脇故爾火墓於戌故九月陽氣盡而陰氣盛也所謂不可
反側者陰氣藏物也物藏則不動故不可反側也所謂
甚則躍者躍謂跳躍也九月萬物盡衰草木畢落而墮則氣
去陽而之陰氣盛而陽之下長故謂躍亦以其脉循髀陽出膝外廉下入外輔之前直下抵絕骨之端下出外踝之前循足跗故氣盛則令人跳躍也陽明所謂洒洒振寒者陽明者
午也五月盛陽之陰也陽盛以明故云午也五月夏至一陰氣上陽氣降下故云盛陽之陰也陽盛
而陰氣加之故洒洒振寒也陽氣下陰氣升故五陽盛而陰加之也所謂脛腫
而股不收者是五月盛陽之陰也陽者衰於五月而一

陰氣上與陽始爭故脛腫而股不收也以其脈下髀抵伏菟下入膝臏中下循䯒外廉下足跗入中指內間又其支別者下膝三寸而別以下入中指外間故爾所謂上喘而為水者陰氣下而復上上則邪客於藏府間故為水也藏脾也府胃也足太陰脈從足走腹足陽明脈從頭走足今陰氣微下而太陰上行故云陰氣下而復上也復上則邪下之陰氣不散客於脾胃之間化為水也所謂胷痛少氣者水氣在藏府也水者陰氣也陰氣在中故胷痛少氣也水停於下則氣鬱於上氣鬱於上則肺滿故胷痛少氣也所謂甚則厥惡人與火聞木音則惕然而驚者陽氣與陰氣相薄水火相惡故惕然而驚也所謂欲獨閉戶牖而處者陰陽相薄也陽盡而陰盛故欲獨閉戶牖而居惡喧故爾所謂病至則欲乘高而歌棄衣而走者陰陽復爭而外并於陽故使之棄衣而走也新校正云詳所謂甚則厥至此与前陽明脈解論相通所謂客孫脈則頭痛鼻鼽腹腫者陽明并於上上者則其孫絡太陰也故頭痛鼻鼽腹腫也太陰所謂病脹者太陰子也十一月萬物氣皆

藏於中故曰病脹（陰氣大盛太陰始於子故云子也以其脉入腹屬脾絡胃故病脹也）所謂上走心爲噫者陰盛而上走於陽明陽明絡屬心故曰上走心爲噫也（按靈樞經説足陽明流注並無至心者太陰脉説云其支者復從胃別上鬲注心中法應以此絡爲陽明絡也○新校正云詳王氏以足陽明流注並無至心者按甲乙經陽明之正上通於心循咽出於口宜其經言陽明絡屬心爲噫王氏安得謂之無）所謂食則嘔者物盛滿而上溢故嘔也（以其脉屬脾絡胃上鬲俠咽故也）所謂得後與氣則快然如衰者十二月陰氣下衰而陽氣且出故曰得後與氣則快然如衰也少陰所謂腰脊痛者少陰者腎也十月萬物陽氣皆傷故腰脊痛也（少陰者腎脉也腰脊爲腎府故腰脊痛）所謂嘔欬上氣喘者陰氣在下陽氣在上諸陽氣浮無所依從故嘔欬上氣喘也（以其脉從腎上貫肝鬲入肺中故病如是）所謂色色（新校正云詳色色字疑誤）不能久立久坐起則目䀮䀮無所見者萬物陰陽不定未有主也秋氣始至微霜始下而方殺萬物陰陽內奪故目䀮䀮無所見也所謂少氣善怒者陽氣不治陽氣不治則陽

氣不得出肝氣當治而未得故善怒善怒者名曰煎厥所謂恐如人將捕之者秋氣萬物未有畢去陰氣少陽氣入陰陽相薄故恐也所謂惡聞食臭者胃無氣故惡聞食臭也所謂面黑如地色者秋氣內奪故變於色也所謂欬則有血者陽脉傷也陽氣未盛於上而脉滿滿則欬故血見於鼻也厥陰所謂癩疝婦人少腹腫者厥陰者辰也三月陽中之陰邪在中故曰癩疝少腹腫也以其脉循股陰入髀中環陰器抵少腹故爾所謂腰脊痛不可以俛仰者三月一振榮華萬物一俛而不仰也所謂癩癃疝膚脹者曰陰亦盛而脉脹不通故曰癩癃疝也所謂甚則嗌乾熱中者陰陽相薄而熱故嗌乾也此一篇殊與前後經文不相連接別釋經脉發病之源與靈樞經流注略同所指殊異○新校正云詳此篇所解多甲乙經是動所生之病雖復少有異處大槩則不殊矣

黃帝內經素問卷第十三

音辨

病能論篇第四十六

脘音管 解舊音介 憒徒對切 撮七活切子活二切三指取也

奇病論篇第四十七

瘖音陰 疹籀文胗字之忍切 鑱士衫切鋭也鑱石刺病 髀音彼股也 骭戶當切脛也 稸音蓄 肓音荒 癉都赧切 之將去聲 募音墓 癃音隆与癃同 溲所有切小便也 巔音顛頂也 拢莫江切

大奇論篇第四十八

胠音祛脅上 髀音彼股也 骭戶當切脛也 癇音閑 瘛尺世切 騖音務 瘕音賈 疝音訕 澼音僻 濇所力切又音澁 衄女六切鼻出血 數入聲 予音与下同 餤弋念切 瞥浦滅切 胞匹交切 揣初委切 菀宛鬱二音

脉解論篇第四十九

脽是惟切尻也非關雎之字舊音蛆誤矣 腓皮皆切 洒所賣切 鼽音求説文云寒鼻窒也 噫乙介切 䀮音荒不明 癩音賴賣同 癃癃同 嗌於昔切

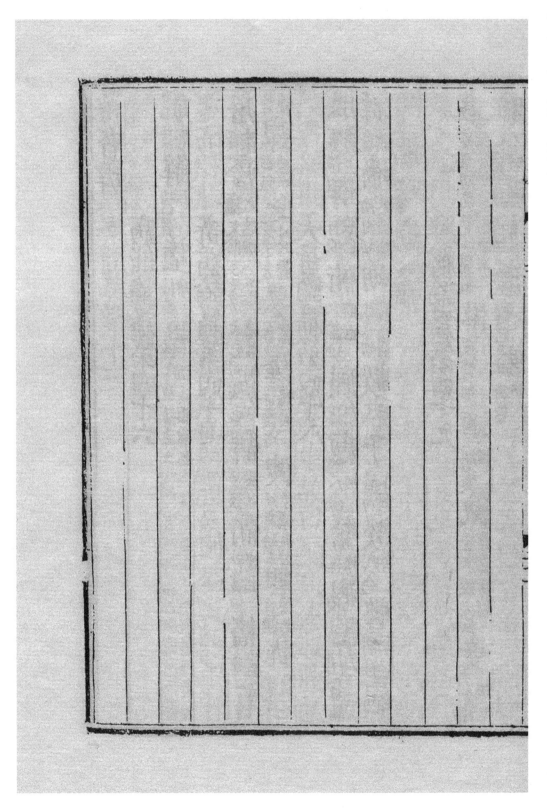

黃帝內經素問卷第十四

啓玄子次註林億孫奇高保衡等奉 敕校正孫兆重改誤

刺要論篇第五十

新校正云按全元起本在第六卷刺齊篇中

黃帝問曰願聞刺要岐伯對曰病有浮沈刺有淺深各至其理無過其道道謂氣所行之道也過之則內傷不及則生外壅壅則邪從之過之內傷以太深也不及外壅以妄益他分之氣也氣益而外壅故邪氣隨虛而從之也淺深不得反為大賊內動五藏後生大病賊謂私害動謂動亂然不及則外壅過之則內傷既且外壅內傷是為大病之階漸爾故曰後生大病也故曰病有在毫毛腠理者有在皮膚者有在肌肉者有在脉者有在筋者有在骨者有在髓者毛之長者曰毫皮之文理曰腠理然二者皆皮之可見者也是故刺毫毛腠理無傷皮皮傷則

內動肺肺動則秋病温瘧泝泝然寒慄鍼經曰凡刺有五以應五藏一曰半刺半刺者淺內而疾發鍼令鍼傷多如拔髮狀以取皮氣此肺之應也然此其淺以瘧於肺腠理毫毛猶應更淺當取髮根淺深之半爾肺之合皮王於秋氣故肺動則秋病温瘧泝泝然寒慄也刺皮無傷肉肉傷則內動脾脾動則七十二日四季之月病腹脹煩不嗜食脾之合肉寄王四季又其脈從股內前廉入腹屬脾絡胃上鬲俠咽連舌本散舌下其支別者復從胃別上鬲注心中故傷肉則動脾脾動則四季之月病腹脹煩而不嗜食也七十二日四季之月者謂三月六月九月十二月各十二日後土寄王十八日也刺肉無傷脈脈傷則內動心心動則夏病心痛心之合脈王於夏氣眞心少陰之脈起於心中出屬心系心包心主之脈起於胷中出屬心包平人氣象論曰藏眞通於心故脈傷則動心心動則夏病心痛刺脈無傷筋筋傷則內動肝肝動則春病熱而筋弛肝之合筋王於春氣鍼經曰熱則筋緩故筋傷則動肝肝動則春病熱而筋弛緩弛猶縱緩也刺筋無傷骨骨傷則內動腎腎動則冬病脹腰痛腎亦合骨王於冬氣腰為腎府故骨傷則動腎腎動則冬病腰痛也腎之脈直行者從腎上貫肝鬲故脹也刺骨無傷髓髓傷則銷鑠胻酸體解㑊然不去矣髓者骨之充鍼經曰髓海不足則腦轉耳鳴胻酸眩冒故髓傷則腦髓銷鑠胻酸體解㑊然不去也銷鑠謂髓腦銷鑠解㑊謂強不強弱不弱熱不熱寒不寒解解㑊㑊然不可名之也腦髓銷鑠骨空之所致也

刺齊論篇第五十一 新校正云按全元起本在第六卷

黄帝問曰：願聞刺淺深之分。謂皮肉筋脉骨之分位也 歧伯對曰：刺骨者無傷筋，刺筋者無傷肉，刺肉者無傷脉，刺脉者無傷皮，刺皮者無傷肉，刺肉者無傷筋，刺筋者無傷骨。帝曰：余未知其所謂，願聞其解。歧伯曰：刺骨無傷筋者，鍼至筋而去，不及骨也；刺筋無傷肉者，至肉而去，不及筋也；刺肉無傷脉者，至脉而去，不及肉也；刺脉無傷皮者，至皮而去，不及脉也。是皆謂遣邪也。然筋有寒邪，肉有風邪，脉有濕邪，皮有熱邪，則如是遣之。所謂邪者，皆言其非順正氣而相干犯也。新校正云：詳此謂刺淺不至所當刺之處也，下文則誡其大深也。所謂刺皮無傷肉者，病在皮中，鍼入皮中，無傷肉也；刺肉無傷筋者，過肉中筋也；刺筋無傷骨者，過筋中骨也。此之謂反也。此則誡過分大深也。新校正云：按全元起云：刺如此者，是謂傷，此皆過，過必損其血氣，是謂逆也，邪必因而入也。

刺禁論篇第五十二 新校正云按全元起本在第六卷

黄帝問曰：願聞禁數。歧伯對曰：藏有要害，不可不察。肝生於左肝象木王於春春陽發生故生於左也肺藏於右肺象金王於秋秋陰收殺故藏於右也。新校正云按楊上善云肝爲少陽陽長之始故曰生肺爲少陰陰藏之初故曰藏心部於表陽氣主外心象火也腎治於裏陰氣主內腎象水也。新校正云按楊上善云心爲五藏部主故得稱部腎間動氣內治五藏故曰治脾爲之使營動不已糟粕水穀故使者也胃爲之市水穀所歸五味皆入如市雜故爲市也鬲肓之上中有父母鬲肓之上氣海居中氣者生之原生者命之主故氣海爲人之父母也。新校正云按楊上善云心下鬲上爲肓心爲陽父也肺爲陰母也肺主於氣心主於血共榮衛於身故爲父母七節之傍中有小心小心謂眞心神靈之宮室。新校正云按太素小心作志心楊上善云脊有三七二十一節腎在下七節之傍腎神曰志五藏之靈皆名爲神神之所以任得名爲志者心之神也從之有福逆之有咎從謂隨順也八者父之所以生形之所以成故順之則福延逆之則咎至刺中心一日死其動爲噫心在氣爲噫刺中肝五日死其動爲語肝在氣爲語新校正云按全元起本并甲乙經語作欠元起云腎傷則欠子母相感也王氏改欠作語刺中腎六日死其動爲嚏腎在氣爲嚏。新校正云按全元起本及甲乙經六日作三日刺中肺三日死其動爲欬肺在氣爲欬刺中脾十日死其動爲吞脾在氣爲吞。新校正云按全元起本及甲乙經十日從十五日刺中五藏與診要經終論并四時刺逆從論相重此叙五藏相次之法以所生爲次甲乙經以心肺肝脾腎爲次是以所剋爲次全元起本舊文則錯亂無次矣刺中膽一日半死其動爲嘔膽在氣勇故爲嘔新校正云按診

要經絡論刺中膽下又云刺中膽者為陽中其病難愈不過一歲死刺跗上中大脈血出不止死跗為足跗
大脈動而不止者則胃之大經也胃為水穀之海然血出不止則胃氣將傾海竭氣亡故死刺面中溜脈不幸為
盲面中溜脈者手太陽任脈之交會手太陽脈自顴而斜行至目內眥任脈自鼻鼽兩傍上行至瞳子下故刺面中溜脈不幸為盲刺頭
中腦戶入腦立死腦戶穴名也在枕骨上通於腦中然腦為髓之海真氣之所聚鍼入腦則真氣泄故立死刺舌
下中脈太過血出不止為瘖舌下脈脾之脈也脾脈者俠咽連舌本散舌下血出不止則脾氣不能營運於
舌故瘖不能言語刺足下布絡中脈血不出為腫布絡謂當內踝前足下空處布散之絡正當然
谷穴分也絡中脈則衝脈也衝脈者並少陰之經下入內踝之後入足下也然刺之而血不出則腎脈與衝脈氣并歸於然谷之中故為腫刺郄
中大脈令人仆脫色尋此經郄中主治與中誥流注經委中穴正同應郄中者以經穴為名委中處所為名亦猶寸口脈
口氣口皆同一處爾然郄中大脈者足太陽經脈也足太陽之脈起於目內眥合手太陽手太陽脈自目內眥斜絡於顴足太陽脈上頭下項又循於足故刺
之過禁則令人仆倒而面色如脫去也刺氣街中脈血不出為腫鼠僕氣街之中膽胃脈也膽之
脈循脇裏出氣街胃之脈俠齊入氣街中其支別者起胃下口循腹裏至氣街中而合今刺之而血不出則血脈氣并聚於中故內結為腫如伏鼠之形也氣
街在腹下俠齊兩傍相去四寸鼠僕上一寸動脈應手也○新校正云按別本僕一作鼷氣府論注氣街在齊下橫骨兩端鼠鼷上一寸刺脊間
中髓為傴傴謂傴僂身踡屈也脊間謂脊骨節間也刺中髓則骨精氣泄故傴僂也刺乳上中乳房為

腫根蝕乳之上下皆足陽明之脉也乳房之中乳液滲泄胷中氣血皆外湊之然刺中乳房則氣更交湊故為大腫中有膿根内蝕肌膚化為膿水而久不愈刺缺盆中内陷氣泄令人喘欬逆五藏者肺為之蓋缺盆為之道肺藏氣而主息又在氣為欬刺缺盆中内陷則肺氣外泄故令人喘欬逆也刺手魚腹内陷為腫手魚腹内肺脉所流故刺之内陷則為腫也○新校正云按甲乙經肺脉所流當作留字無刺大醉令人氣亂脉數過度故因刺而亂也○新校正云按靈樞經氣亂當作脉亂無刺大怒令人氣逆怒者氣逆故刺之益甚無刺大勞人經氣越也無刺新飽人氣盛滿也無刺大飢人氣不足也無刺大渴人血脉乾也無刺大驚人神蕩越而氣不治也○新校正云詳無刺大醉至此七條與靈樞經相出入靈樞經云新内無刺已刺無内大怒無刺已刺無怒大勞無刺已刺無勞大醉無刺已刺無醉大飽無刺已刺無飽大飢無刺已刺無飢大渴無刺已刺無渴大驚大恐必定其氣乃刺之刺陰股中大脉血出不止死陰股之中脾之脉也脾者中土孤藏以灌四旁令血出不止脾氣將竭故死○新校正云按刺陰股中大脉條皇甫士安移在前刺跗上中大脉下相續自後至篇末遂條與前條相間刺客主人内陷中脉為内漏為聾客主人穴名也今名上關在耳前上廉起骨開口有空手少陽足陽明脉交會於中陷脉言刺太深也刺太深則交脉破決故為耳内之漏脉内漏則氣不營故聾○新校正云詳客主人穴與氣穴論注同按甲乙經及氣府論注云手足少陽足陽明三脉之會疑此脫足少陽一脉也刺膝髕出液為跛膝為筋府筋會於中液出筋乾故跛刺臂太陰脉出血多立死

臂太陰者肺脉也肺者主行榮衛陰陽治節由之血出多則榮衛絶故立死刺足少陰脉重虚出血為舌難以言足少陰腎脉也足少陰脉貫腎絡肺繫舌本故重虚出血則舌難言也刺膺中陷中肺為喘逆仰息肺氣上泄逆所致也刺肘中内陷氣歸之為不屈伸肘中謂肘屈折之中尺澤穴中也刺過陷脉惡氣歸之氣固關節故不屈伸也刺陰股下三寸内陷令人遺溺股下三寸腎之絡也衝脉與少陰之絡皆起於腎下出於氣街並循於陰股其上行者出胞中故刺陷脉則令人遺溺也刺掖下脇間内陷令人欬掖下肺脉也肺之脉從肺系横出掖下真心藏脉直行者從心系却上掖下刺陷脉則心肺俱動故欬也刺少腹中膀胱溺出令人少腹滿胞氣外泄穀氣歸之故少腹滿也少腹謂臍下也刺腨腸内陷為腫腨腸之中足太陽脉也太陽氣泄故為腫刺匡上陷骨中脉為漏為盲匡目匡也骨中謂目匡骨中也匡骨中脉目之系肝之脉也刺内陷則眼系絶故為目漏目盲刺關節中液出不得屈伸諸筋者皆屬於節津液滲潤之液出則筋膜乾故不得屈伸也

刺志論篇第五十三

新校正云按全元起本在第六卷

黄帝問曰願聞虚實之要岐伯對曰氣實形實氣虚形虚此其常也反此者病陰陽應象大論曰形歸氣氣由是故虚實同焉反謂不相合應失常平之候也形氣相反故

病生氣謂脈氣形謂身形穀盛氣盛穀虛氣虛此其常也反此者病

榮氣之道內穀為寶穀入於胃氣傳與肺精專者上行經隧出是故穀[illegible]氣虛實占必同焉候不相應則為病也○新校正云按甲乙經實作寶[illegible]

血實脈虛血虛此其常也反此者病脈者血之府故虛實同[illegible]焉反不相應則為病也[illegible]

曰如何而反岐伯曰氣虛身熱此謂反也氣虛為陽氣不足陽氣不足當身寒反身熱者脈氣當盛脈不盛而身熱證不相符故謂反也○新校正云按甲乙經云氣盛身寒氣虛身熱此謂反也當補此四字穀入多而氣少此謂反也胃之所出者穀氣而布於經脈也穀入於胃脈道乃散今穀入多而氣少者是胃氣不散故謂反也穀不入而氣多此謂反也胃氣外散肺并之也脈盛血少此謂反也脈少血多此謂反也經脈行氣絡脈受血經氣入絡絡受經氣候不相合故皆反常也氣盛身寒得之傷寒氣虛身熱得之傷暑傷謂觸冒也寒傷形故氣盛身寒熱傷氣故氣虛身熱穀入多而[illegible]氣少者得之有所脫血濕居下也脫血則血虛血虛則氣盛內鬱化成津液流入下焦故云濕居下也穀入少而氣多者邪在胃及與肺也胃氣不足肺氣下流於胃中故邪在胃然肺氣入胃則肺氣不自守氣不自守則邪氣從之故云邪在胃及與肺也脈小血多者飲中熱也飲謂留飲也飲留脾胃之中則脾氣溢脾氣溢則發熱中脈大血少者脈有風氣水漿不入此之謂也風氣盛滿

則水漿不入於脉 夫實者氣入也，虛者氣出也。入為陽出為陰陰生於內故出陽生於外故入 氣實者熱也，氣虛者寒也。陽盛而陰內拒故熱陰盛而陽外微故寒 入實者左手開鍼空也，入虛者左手閉鍼空也。言用鍼之補寫也右手持鍼左手捻穴故實者左手開鍼空以寫之虛者左手閉鍼空以補之

鍼解篇第五十四

新校正云按全元起本在第六卷

黃帝問曰：願聞九鍼之解，虛實之道。岐伯對曰：刺虛則實之者，鍼下熱也，氣實乃熱也。滿而泄之者，鍼下寒也，氣虛乃寒也。菀陳則除之者，出惡血也。菀積也陳久也除去也言絡脉之中血積而久者鍼刺而除去之也 邪勝則虛之者，出鍼勿按。邪者不正之目非本經氣是則謂邪非言鬼毒精邪之所勝也出鍼勿按穴俞且開故得經虛邪氣發泄也 徐而疾則實者，徐出鍼而疾按之。徐出謂得經氣已久乃出之疾按謂鍼出穴已速疾按之則真氣不泄經脉氣全故徐而疾乃實也 疾而徐則虛者，疾出鍼而徐按之。疾出鍼謂鍼入穴已至於經脉即疾出之徐按謂鍼出穴已徐緩按之則邪氣得泄精氣復固故疾而徐乃虛也 言實與虛者，寒溫氣多少也。寒溫謂經脉陰陽之氣也 若無若有者，疾不可知也。言其[illegible]

知也夫不可即知故若無惠然神悟故若有也察後與先者知病先後也知病先後乃補寫之爲虛
與實者工勿失其法鍼經曰緜氣已至慎守勿失此之謂也。新校正云按甲乙經云若存若亡爲虛與實若得
若失者離其法也妄爲補寫離亂大經誤補實者轉令若得誤寫虛者轉令若失故曰若得若失也鍼經曰無實實無虛虛
此其誡也。新校正云詳自篇首至此與太素九鍼解篇經同而解異二經互相發明也虛實之要九鍼最妙者
爲其各有所宜也熱在頭身宜鑱鍼肉分氣滿宜員鍼脉氣虛少宜鍉鍼寫熱出血發泄固病宜鋒鍼破癰腫出膿血宜鈹
鍼調陰陽去暴痺宜員利鍼治經絡中痛痺宜毫鍼痺深居骨解腰脊節腠理之間者宜長鍼虛風舍於骨解皮膚之間宜大鍼此之謂各有所宜也。新校
正云按別本鈚作鈹補寫之時者與氣開闔相合也氣當時刻謂之開已過未至謂之闔時刻
者然水下一刻人氣在太陽水下二刻人氣在少陽水下三刻人氣在陽明水下四刻人氣在陰分水下不已氣行不已如是則當刻者謂之開過刻及未至
者謂之闔也鍼經曰謹候其氣之所在而刺之是謂逢時此所謂補寫之時也新校正云詳自篇首至此文出靈樞經素問解之互相發明也甲乙經云補寫
之時以鍼爲之者此脫此四字也九鍼之名各不同形者鍼窮其所當補寫也
各不同形謂長短鋒穎不等窮其補寫謂各隨其療而用之也。新校正云按九鍼之形今具甲乙經刺實須其虛者留
鍼陰氣隆至乃去鍼也刺虛須其實者陽氣隆至鍼下
熱乃去鍼也言要以氣至而有效也經氣已至慎守勿失者勿變更也

變謂變易更謂改更皆變法也言得氣至必宜謹守無變其法反招損也深淺在志者知病之內外也志一為意志意皆行鍼之用也近遠如一者深淺其候等也言氣雖近遠不同然其測候皆以氣至而有効也如臨深淵者不敢墯也言氣候補寫如臨深淵不敢墯慢失補寫之法也手如握虎者欲其壯也壯謂持鍼堅定也鍼經曰持鍼之道堅者為實則其義也○新校正云按甲乙經實字作寶神無營於衆物者靜志觀病人無左右視也目絕妄視心專一務則用之必中無惑誤也○新校正云詳從刺實須其虛至此文見寶命全形論此又為之解亦互相發明也義無邪下者欲端以正也正指直刺鍼無左右必正其神者欲瞻病人目制其神令氣易行也檢彼精神令無散越則氣為神使中外易調也所謂三里者下膝三寸也所謂跗之者新校正云按全元起本跗之作低跗太素作付之按骨空論跗之疑作跗上舉膝分易見也三里穴名正在膝下三寸胻外兩筋肉分間極重按之則足跗上動脉止矣故曰舉膝分易見巨虛者蹻足胻獨陷也巨虛穴名也蹻謂舉也取巨虛下廉當舉足取之則胻外兩筋之間陷下也下廉者陷下者也欲知下廉穴者胻外兩筋之間獨陷下者則其處也帝曰余聞九鍼上應天地四時陰陽願聞其方令可傳於後世以為常也岐伯曰夫一天二地三人四時五音六律七星

風九野身形亦應之鍼各有所宜故曰九鍼新校正云詳此文與靈樞經相出入人皮應天覆蓋於物天之象也人肉應地柔厚安靜地之象也人脈應人盛衰變易人之象也人筋應時堅固真定時之象也人聲應音備五音故人陰陽合氣應律交會氣通相生無替則律之象。新校正云按別本氣一作度人齒面目應星人面應七星者所謂面有七孔應之也。新校正云詳此注乃全元起之辭人出入氣應風動出往來風之象也人九竅三百六十五絡應野身形之外野之象也故一鍼皮二鍼肉三鍼脈四鍼筋五鍼骨六鍼調陰陽七鍼益精八鍼除風九鍼通九竅除三百六十五節氣此之謂各有所主也一鑱鍼二員鍼三鍉鍼四鋒鍼五錑鍼六員利鍼七毫鍼八長鍼九大鍼。新校正云按別本錑一作鈹人心意應八風動靜不形風之象也人氣應天運行不息天之象也人髮齒耳目五聲應五音六律髮齒生長耳目清通五聲應同故應五音及六律也人陰陽脈血氣應地人陰陽有交會生成脈血氣有虛盈盛衰故應地也人肝目應之九肝氣通目木生數三三而三之則應之九也九竅三百六十五新校正云按全元起本無此七字人一以觀動靜天二以候五色七星應之以候髮毋澤五音一以候宮商角徵羽六律有餘不足應之二地一以候高下有餘九野一節俞應之以候閉節三人變一分人候齒泄多血少十分角之變五分以候緩急六分不足三分寒關節第九分四時人寒溫燥濕四時一應之以候相反一四方各作解此一百二十四字蠹簡爛文義理殘缺莫可尋究而上古之書故且載之以佇後之具本也。新校正云詳王氏云一百二十四字今有一百二十三字又亡一字

長刺節論篇第五十五 新校正云按全元起本在第三卷

刺家不診聽病者言在頭頭疾痛為藏鍼之藏猶深也言深刺之故下文曰新校正云按全元起本云爲鍼之無藏字刺至骨病已上無傷骨肉及皮皮者道也皮者鍼之道故刺骨無傷骨肉及皮也陰刺入一傍四處治寒熱頭有寒熱則用陰刺法治之陰刺謂卒刺之如此數也。新校正云按別本卒刺一作平刺按甲乙經陽刺者正内一傍内四陰刺者左右卒刺之此陰刺疑是陽刺深專者刺大藏寒熱病氣深專攻中者當刺五藏以拒之迫藏刺背背俞也迫近也漸近於藏則刺背五藏之俞也刺之迫藏藏會言刺近於藏者何也以是藏氣之會發也腹中寒熱去而止言刺背俞者無問其數要以寒熱去乃止鍼與刺之要發鍼而淺出血若與諸俞刺之則如此治腐腫者刺腐

上視癰小大深淺刺瘍腫謂腫中肉瘍敗為膿血者癰小者淺刺之癰大者深刺之。新校正云按全元起本及甲瘍作癰刺大者多血小者深之必端內鍼為故止癰之大者多出血癰之小者但直鍼之而已。新校正云按甲乙經云刺大者多而深之必端內鍼為故正也此文云小者深之疑此誤病在少腹有積刺皮䯒以下至少腹而止刺俠脊兩傍四椎間刺兩髂髎季脇肋間導腹中熱氣下已少腹積謂寒熱之氣結積也皮䯒謂齊下同身寸之五寸橫約文審刺而勿過深之刺禁論曰刺少腹中膀胱溺出令人少腹滿由此故不可深之矣俠脊四椎之間據經無俞恐當云五椎間五椎之下兩傍正心之俞心應少腹故當言椎間也髂謂腰骨髎一為髀字形相近之誤也髎謂居髎腰側穴也季脇肋間當是刺季肋之間京門穴也。新校正云按釋音皮䯒作皮骿光抹反是骿誤作䯒也及遍尋篇韻中無䯒字只有骿字骿骨端也皮骿者蓋謂齊下橫骨之端也全元起本作皮髓元起注云臍傍埵起也亦未為得病在少腹腹痛不得大小便病名曰疝得之寒刺少腹兩股間刺腰髁骨間刺而多之盡炅病已厥陰之脈環陰器抵少腹衝脉與少陰之絡皆起於腎下出於氣街循陰股其後行者自少腹以下骨中央女子入繫廷孔其絡循陰器合篡間遶篡後別繞臀至少陰與巨陽中絡者合少陰上股內後廉貫脊屬腎其男子循莖下至篡與女子等故刺少腹及兩股間又刺腰髁骨間也腰髁骨者腰房俠脊平立陷者中按之有骨處也疝為寒生故多刺之少腹盡熱乃止鍼炅熱也。新校正云按別本篡一作簒病在筋筋攣節痛不可以行名曰筋痹刺筋上為故刺分肉間不可中骨也（分謂肉分間有筋維絡處也刺筋無傷骨故不可中骨也）病起筋炅病已止（筋寒痺生故得筋熱病已乃止）病在肌膚肌膚盡痛名曰肌痺傷於寒濕刺大分小分多發鍼而深之以熱為故（大分謂大肉之分小分謂小肉之分）無傷筋骨傷筋骨癰發若變（鍼經曰病淺鍼深内傷良肉皮膚為癰又曰鍼太深則邪氣反沉病益甚傷筋骨則鍼太深故癰發若變也）諸分盡熱病已止（熱可消寒故病已則止）病在骨骨重不可舉骨髓酸痛寒氣至名曰骨痺深者刺無傷脉肉為故其道大分小分骨熱病已止（骨痺刺無傷脉肉者何自刺其氣通肉之大小分中也）病在諸陽脉且寒且熱諸分且寒且熱名曰狂（氣狂亂也）刺之虛脉視分盡熱病已止病初發歲一發不治月一發不治月四五發名曰癲病刺諸分諸脉其無寒者以鍼調之病已止（新校正云按甲乙經云刺諸分其脉尤寒以鍼補之）病風且寒且熱炅汗出一日數過先刺諸分理絡脉汗出且寒且熱三日一刺百日而已病大風骨節重鬚眉墮名曰大風刺肌肉為故汗出百日（泄衞氣之怫熱）刺骨髓汗

出百日（世榮氣之佛熱）几二百日鬚眉生而止鍼（佛熱屏退陰氣內復故多汗出鬚眉生也）

黃帝內經素問卷第十四

刺要論篇第五十

拆（桑故切）弛（施是切）鑠（詩若切）䯒（户當切）㑊（音亦）眩（音縣）中（去聲）

刺齊論篇第五十一（無字）

刺禁論篇第五十二

肓（音荒）噫（乙介切）中（去聲下同）嚏（音帝嚔同）跗（音夫）瘖（音陰）郄（綺戟切本作郤）仆（匹候切又副覆二音倒也）傴（因与切）髕（蒲忍切）腨（市兖切脛也）

刺志論篇第五十三（無字）

為其（上音位）鍉（音低）蹻（去遙切舉足也）䯒（户當切）

鍼解論篇第五十四

長刺論篇第五十五

⿰骨盾（音盾）髂（口亞切）髎（力調切）髁（音課又胡瓦切）⿰骨舌（光末切）篡（初患切）炅（古迴切熱也）中（去聲）

黃帝內經素問卷第十四

黄帝内經素問卷第十五

啓玄子次註林億孫竒高保衡等奉　勑校正孫兆重改誤

皮部論篇第五十六 新校正云按全元起本在第二卷

黄帝問曰余聞皮有分部脉有經紀筋有結絡骨有度量其所生病各異别其分部左右上下陰陽所在病之始終願聞其道岐伯對曰欲知皮部以經脉為紀者諸經皆然[illegible]害殺[illegible] 循經脉行止所主則皮部可知諸經謂十二經脉也十二經脉皆同 陽明之陽名曰害蜚[illegible]氣也[illegible]生化弭故曰害蜚 上下同法視其部中有浮絡者皆陽明之絡也 上謂手陽明下謂足陽明也 其色多青則痛多黑則痺黄赤則熱多白則寒

五色皆見則寒熱也絡盛則入客於經陽主外陰主內 陽謂陽絡
陰謂陰絡此通言之也手足身分所見經絡皆然 少陽之陽名曰樞持 樞謂樞要持謂執持 上下同法
視其部中有浮絡者皆少陽之絡也絡盛則入客於經故
在陽者主內在陰者主出以滲於內諸經皆然太陽之陽
名曰關樞 關司外動以靜鎮為事如樞之運則氣和平也 上下同法視其部中有浮絡
者皆太陽之絡也絡盛則入客於經少陰之陰名曰樞儒 儒順
也守要而順陰陽開闔之用也新校正云按甲乙經儒作檽 上下同法視其部中有浮絡者皆少
陰之絡也絡盛則入客於經其入經也從陽部注於經其
出者從陰內注於骨心主之陰名曰害肩 心主脉入腋下氣不和則妨害肩腋之動
運 上下同法視其部中有浮絡者皆心主之絡也絡盛則
入客於經太陰之陰名曰關蟄 關閉蟄類使順行藏新校正云按甲乙經蟄作執 上下
同法視其部中有浮絡者皆太陰之絡也絡盛則入客於
經 部皆謂本經絡之所部分浮謂浮見也 凡十二經絡脉者皮之部也 列陰陽位部主於皮故曰皮之

部也是故百病之始生也必先於皮毛邪中之則腠理開開則入客於絡脈留而不去傳入於經留而不去傳入於府廩於腸胃廩積也聚也邪之始入於皮也泝然起毫毛開腠理泝然惡寒也起謂毛起竪也腠理皆謂皮空及文理也其入於絡也則絡脈盛色變盛謂盛滿變謂易其常也其入客於經也則感虛乃陷下經虛邪入故曰感虛脈虛氣少故陷下也其留於筋骨之間寒多則筋攣骨痛熱多則筋弛骨消肉爍䐃破毛直而敗攣急也弛緩也消爍也鍼經曰寒則筋急熱則筋緩寒勝為痛熱勝為氣消䐃者肉之標故肉消則䐃破毛直而敗也帝曰夫子言皮之十二部其生病皆何如岐伯曰皮者脈之部也脈氣流行各有陰陽氣隨經所過而部主之故云脈之部邪客於皮則腠理開開則邪入客於絡脈絡脈滿則注於經脈經脈滿則入舍於府藏也故皮者有分部不與而生大病也脈行皮中各有部分脈受邪氣[illegible]而能生也新校正云按甲乙經不與作不愈全元[illegible]與元起云言不與經脈和調則氣傷於外邪流入於內必生大病帝曰善

經絡論篇第五十七

新校正云按全元起本在皮部論末王氏分篇

黃帝問曰夫絡脉之見也其五色各異青黃赤白黑不同其故何也岐伯對曰經有常色而絡無常變也經行氣故色見常應於持絡主血故受邪則亦受而不一矣帝曰經之常色何如岐伯[illegible]脾黃腎黑皆亦應其經脉之色也帝曰絡之陰陽亦應其經乎岐伯曰陰絡之色應其經陽絡之色變無常隨四時而行也順四時氣化之行止寒多則凝泣凝泣則青黑熱多則淖澤淖澤則黃赤此皆常色謂之無病五色具見者謂之寒熱淖濕也澤潤液也謂微濕潤也帝曰善

氣穴論篇第五十八

新校正云按全元起本在第二卷

黃帝問曰余聞氣穴三百六十五以應一歲未知其所願卒聞之岐伯稽首再拜對曰窘乎哉問也其非聖帝孰能窮其道焉因請溢意盡言其處孰誰也帝捧手逡巡而却曰夫子之開余道也目未見其處耳未聞其數而目以明耳以

聰矣目以明耳以聰言心志通明逈如意也歧伯曰此所謂聖人易語良馬易御也帝曰余非聖人之易語也世言真數開人意今余所訪問者真數發蒙解惑未足以論也問氣穴真數庶將解彼蒙昧之疑惑未足以論述深微之意也然余願聞夫子溢志盡言其處令解其意請藏之金匱不敢復出言其處謂穴俞處所歧伯再拜而起曰臣請言之背與心相控而痛所治天突與十椎及上紀天突在頸結喉下同身寸之四寸中央宛宛中陰維任脈之會低鍼取之刺可入同身寸之一寸留七呼若灸者可灸三壯按今甲乙經經脈流注孔穴圖經當脊十椎下並無穴目恐是七椎也此則督脈氣所主之上紀之處次如下說　新校正云按甲乙經天突在結喉下五寸上紀者胃脘也謂中脘也中脘者胃募也在上脘下同身寸之一寸居心蔽骨與齊之中手太陽少陽足陽明三脈所生任脈氣所發也刺可入同身寸之一寸二分若灸者可灸七壯　新校正云按甲乙經云任脈之會也下紀者關元也關元者小腸募也在齊下同身寸之三寸足三陰任脈之會刺可入同身寸之二寸留七呼若灸者可灸七壯背胸邪繫陰陽左右如此其病前後痛濇胸脇痛而不得息不得臥上氣短氣偏痛新校正云按別本偏一作滿脈滿起斜出尻脈絡胸脇支心貫鬲上肩加天突斜下肩交十椎下尋此支絡脈流注病形證悉是督脈支絡自尾骶出各上行斜

絡腸支心貫鬲上加天突斜之肩而下交於七推　新校正
云詳自背與心相控而痛至此疑是骨空論文簡脫誤於此

藏俞五十穴

藏謂五藏肝心脾肺腎非兼四形藏也俞謂井滎俞經合非背俞也然井滎俞
經合者肝之井者大敦也滎行間也俞太衝也經中封也合曲泉也大敦在足
大指端去爪甲角如韭葉及三毛之中足厥陰脈之所出也刺可入　之
三分留十呼若灸者可灸三壯行間在足大指之間　陷者中足厥陰
脈之所流也　新校正云按甲乙經流作留餘所流並作留　刺可入同身寸
之六分留十呼若灸者可灸三壯太衝在足大指本節後同身寸之二寸陷者
中　新校正云按刺腰痛注云本節後內間同身寸之二寸陷者中動脈應手
足厥陰脈之所注也刺可入同身寸之三分留十呼若灸者可灸三壯中封在
足內踝前同身寸之一寸半　新校正云按甲乙經云一寸　陷者中仰足而
取之伸足乃得之足厥陰之所行也刺可入同身寸之四分留七呼若灸者可
灸三壯曲泉在膝內輔骨下大筋上小筋下陷者中屈膝而得之足厥陰脈之
所入也刺可入同身寸之六分留十呼若灸者可灸三壯心包之井者中衝也
滎勞宮也俞太陵也經間使也合曲澤也中衝在手中指之端去爪甲角如韭
葉陷者中手心主脈之所出也刺可入同身寸之一分留三呼若灸者可灸一
壯勞宮在掌中央動脈手心主脈之所流也刺可入同身寸之三分留六呼若
灸者可灸三壯太陵在掌後骨兩筋間陷者中手心主脈之所注也刺可入同
身寸之六分留七呼若灸者可灸三壯間使在掌後同身寸之三寸兩筋間陷
者中手心主脈之所行也刺可入同身寸之六分留七呼若灸者可灸七壯　新
校正云按甲乙經灸三壯　曲澤在肘內廉下陷者中屈肘而得之手心主脈
之所入也刺可入同身寸之三分留七呼若灸者可灸三壯脾之井者隱白也
滎大都也俞太白也經商丘也合陰陵泉也隱白在足大指之端內側去爪甲
角如韭葉足太陰脈之所出也刺可入同身寸之一分留三呼若灸者可灸三
壯大都在足大指本節後陷者中足太陰脈之所流也刺可入同身寸之三分
留七呼若灸者可灸三壯太白在足內側核骨下陷者中足太陰脈之所注也

刺可入同身寸之三分留七呼若灸者可灸三壯商丘在足內踝下微前陷者中足太陰脉之所行也刺可入同身寸之四分留七呼若灸者可灸三壯陰陵泉在膝下內側輔骨下陷者中伸足乃得之足太陰脉之所入也刺可入同身寸之五分留七呼若灸者可灸三壯肺之井者少商也滎魚際也俞太淵也經經渠也合尺澤也少商在手大指之端內側去爪甲角如韭葉手太陰脉之所出也刺可入同身寸之一分留一呼若灸者可灸三壯 新校正云按甲乙經作一壯 魚際在手大指本節後內側散脉手太陰脉之所流也刺入同身寸之二分留三呼若灸者可灸三壯太淵在掌後陷者中手太陰脉之所注也刺可入同身寸之二分留二呼若灸者可灸三壯經渠在寸口陷者中手太陰脉之所行也刺可入同身寸之三分留三呼不可灸傷人神明尺澤在肘中約上動脉手太陰脉之所入也刺可入同身寸之三分留三呼若灸者可灸三壯腎之井者涌泉也滎然谷也俞太谿也經復溜也 新校正云按甲乙經溜作留餘復溜字並同 合陰谷也涌泉在足心陷者中屈足捲指宛宛中足少陰脉之所出也刺可入同身寸之三分留三呼若灸者可灸三壯然谷在足內踝前起大骨下陷者中足少陰脉之所流也刺可入同身寸之三分留三呼若灸者可灸三壯刺此多見血令人立飢欲食太谿在足內踝後跟骨上動脉陷者中足少陰脉之所注也刺可入同身寸之三分留七呼若灸者可灸三壯復溜在足內踝上同身寸之二寸陷者中 新校正云按刺腰痛篇注云在內踝後上二寸動脉。足少陰脉之所行也刺可入同身寸之三分留三呼若灸者可灸五壯陰谷在膝下內輔骨之後大筋之下小筋之上按之應手屈膝而得之足少陰脉之所入也刺可入同身寸之四分若灸者可灸三壯如是俞藏各五穴則二十五俞以左右脉具而言之則五十穴也

府俞七十二穴

府謂六府非兼九形府也俞亦謂井滎俞原經合非背俞也肝之府膽膽之井者竅陰也滎俠谿也俞臨泣也原丘虛也經陽輔也合陽陵泉也竅陰在足小指次指之端去爪甲角如韭葉足少陽脉之所出也刺可入同身寸之一分留一呼 新校正云按甲乙經作三呼 若灸者可灸三壯俠谿在足小指次指

歧骨間本節前陷者中足少陽脉之所流刺可入同身寸之三分留三呼若灸者可灸三壯臨泣在足小指次指本節後間陷者中去俠谿同身寸之一寸半足少陽脉之所注也刺可入同身寸之三分新校正云按甲乙經作二分留五呼若灸者可灸三壯丘虛在足外踝下如前陷者中去臨泣同身寸之三寸足少陽脉之所過也刺可入同身寸之五分留七呼若灸者可灸[illegible]輔在足外踝上新校正云按甲乙經云外踝上四寸[illegible]之端[illegible]前同身寸之三分所去丘虛同身寸之七寸足少陽脉之所行也刺可入同身寸之五分留七呼若灸者可灸三壯陽陵泉在膝下同身寸之一寸胻外廉陷者中足少陽脉之所入也刺可入同身寸之六分留十呼若灸者可灸三壯脾之府胃之井者厲兌也滎內庭也俞陷谷也原衝陽也經解谿也合三里也厲兌在足大指次指之端去爪甲角如韭葉足陽明脉之所出也刺可入同身寸之一分留一呼若灸者可灸一壯內庭在足大指次指外間陷者中足陽明脉之所流也刺可入同身寸之三分留十呼新校正云按甲乙經作二十呼若灸者可灸三壯陷谷在足大指次指外間本節後陷者中去內庭同身寸之二寸足陽明脉之所注也刺可入同身寸之五分留七呼若灸者可灸三壯衝陽在足跗上同身寸之五寸骨間動脉上去陷谷同身寸之三寸足陽明脉之所過也刺可入同身寸之三分留十呼若灸者可灸三壯解谿在衝陽後同身寸之二寸半新校正云按甲乙經作一寸半刺瘧注作三寸半素問二注不同當從甲乙經之說腕上陷者中足陽明脉之所行也刺可入同身寸之五分留五呼若灸者可灸三壯三里在膝下同身寸之三寸胻骨外廉兩筋肉分間足陽明脉之所入也刺可入同身寸之一寸留七呼若灸者可灸三壯肺之府大腸大腸之井者商陽也滎二間也俞三間也原合谷也經陽谿也合曲池也商陽在手大指次指內側去爪甲角如韭葉手陽明脉之所出也刺可入同身寸之一分留一呼若灸者可灸三壯二間在手大指次指本節前內側陷者中手陽明脉之所流也刺可入同身寸之三分留六呼若灸者可灸三壯三間在手大指次指本節後內側陷者中手陽明脉之所注也刺可入同身寸之三分留

三呼若灸者可灸三壯合谷在手大指次指歧骨之間手陽明脉之所過也刺可入同身寸之三分留六呼若灸者可灸三壯陽谿在腕中上側兩筋間陷者中手陽明脉之所行也刺可入同身寸之三分留七呼若灸者可灸三壯曲池在肘外輔屈肘兩骨之中手陽明脉之所入也以手拱胷取之刺可入同身寸之五分留七呼若灸者可灸三壯心之府小腸小腸之井者少澤也滎前谷也俞後谿也原腕骨也經陽谷也合少海也少澤在手小指之端去爪甲下同身寸之一分陷者中手太陽脉之所出也刺可入同身寸之一分留二呼若灸者可灸一壯前谷在手小指外側本節前陷者中手太陽脉之所流也刺可入同身寸之一分留三呼若灸者可灸三壯後谿在手小指外側本節後陷者中手太陽脉之所注也刺可入同身寸之一分留二呼若灸者可灸一壯腕骨在手外側腕前起骨下陷者中手太陽脉之所過也刺可入同身寸之二分留三呼若灸者可灸三壯陽谷在手外側腕中兊骨之下陷者中手太陽脉之所行也刺可入同身寸之二分留三呼新校正云按甲乙經作二呼○若灸者可灸三壯少海在肘內大骨外去肘端同身寸之五分陷者中屈肘乃得之手太陽脉之所入也刺可入同身寸之二分留七呼若灸者可灸五壯心包之府三焦三焦之井者關衝也滎液門也俞中渚也原陽池經支溝也合天井也關衝在手小指次指之端去爪甲角如韭葉手少陽脉之所出也刺可入同身寸之一分留三呼若灸者可灸三壯液門在手小指次指間陷者中手少陽脉之所流也刺可入同身寸之二分若灸者可灸三壯中渚在手小指次指本節後間陷者中手少陽脉之所注也刺可入同身寸之二分留三呼若灸者可灸三壯陽池在手表腕上陷者中手少陽脉之所過也刺可入[illegible]留六呼若灸者可灸三壯支溝在腕後同身寸之三寸兩骨之間陷者中手少陽[illegible]行也刺可入同身寸之二分留七呼若灸者可灸三壯天井在肘外大骨之後同身寸之一寸兩筋間陷者中屈肘得之手少陽脉之所入也刺可入同身寸之一寸留七呼若灸者可灸三壯腎之府膀胱膀胱之井者至陰也滎通谷也俞東骨也原京骨也經崑崙也合委中也至陰在足小指外側去爪甲角如韭葉

足太陽脉之所出也刺可入同身寸之一分留五呼若灸者可灸三壯通谷在足小指外側本節前陷者中太陽脉之所流也刺可入同身寸之二分留五呼若灸者可灸三壯束骨在足小指外側本節後赤白肉際陷者中足太陽脉之所注也刺可入同身寸之三分留三呼若灸者可灸三壯京骨在足外側大骨下赤白肉際陷者中按而得之足太陽脉之所過也刺可入同身寸[illegible]分留七呼若灸者可灸三壯崑崙在足外踝後跟骨上[illegible]動應手足太陽脉之所行也刺可入同身寸之五分留十呼若灸者可灸三壯委中在膕中央約文中動脉　新校正云詳委中穴與甲乙經及刺瘧篇注痹論注同又骨空論云在膝解之後曲脚之中背面取之又熱穴論注刺熱篇注云在足膝後屈處　足太陽脉之所入刺可入同身寸之五分留七呼若灸者可灸三壯如是六府之俞府各六穴則三十六俞以左右脉具而言之則七十二穴**熱俞五十九穴水俞五十七穴**並具水熱論中　新校正云按熱俞又見刺熱篇注**頭上五行行五五五二十五穴**此亦熱俞之五十九穴也**中膂兩傍各五凡十穴**謂五藏之背俞也肺俞在第三椎下兩傍心俞在第五椎下兩傍肝俞在第九椎下兩傍脾俞在第十一椎下兩傍腎俞在第十四椎下兩傍此五藏俞者各俠脊相去同身寸之一寸半並足太陽脉之會刺可入同身寸之三分肝俞留六呼餘並留七呼若灸者可灸三壯俠脊數之則十穴也**大椎上兩傍各一凡二穴**今甲乙經經脉流注孔穴圖經並不載未詳何俞也　新校正云按大椎上傍無穴大椎下傍穴名曰大杼後有故王氏云未詳**目瞳子浮白二穴**瞳子髎在目外去眥同身寸之五分手太陽手足少陽三脉之會刺可入同身寸之三分若灸者可灸三壯浮白在耳後入髮際同身寸之一寸足太陽少陽二脉之會刺可入同身寸之三分若灸者可灸三壯左右言之各二爲四也**兩髀厭分中二穴**謂環銚穴也在髀樞後足少陽太陽二脉之會刺可

入同身寸之一寸留二十呼若灸者可灸三壯　新校正云按王氏云在髀樞後按甲乙經云在髀樞中後當作中灸三壯甲乙經作五壯犢鼻
二穴在膝髕下胻上俠解大筋中足陽明脈氣所發刺可入同身寸之六分若灸者可灸三壯耳中多所聞二穴聽宮穴也
在耳中珠子大如赤小豆手足少陽手太陽三脈之會刺可入同身寸之一分若灸者可灸三壯　新校正云按甲乙經云刺可入三分眉本二
穴攢竹穴也在眉頭陷者中足太陽脈氣所發刺可入同身寸之三分留六呼若灸者可灸三壯完骨二穴在耳後入髮際同身寸之
四分足太陽少陽之會刺可入同身寸之三分留七呼若灸者可灸三壯　新校正云按甲乙經云刺可入三分灸七壯項中央一穴
風府穴也在項上入髮際同身寸之一寸大筋內宛宛中督脈陽維二經之會疾言其肉立起言休其肉立下刺可入同身寸之四分留三呼灸之不幸使人
瘖枕骨二穴竅陰穴也在完骨上枕骨下搖動應手足太陽少陽之會刺可入同身寸之三分若灸者可灸三壯　新校正云按甲乙經云
刺可入四分灸可五壯上關二穴鍼經所謂刺之則欬不能欠者也在耳前上廉起骨開口有空手少陽足陽明之會刺可入同身寸之三
分留七呼若灸者可灸三壯刺深令人耳無所聞大迎二穴在曲頷前同身寸之一寸三分骨陷者中動脈足陽明脈氣所發刺可入同身
寸之三分留七呼若灸者可灸三壯下關二穴鍼經所謂刺之則欠不能欬者也在上關下耳前動脈下廉合口有空張口而閉足陽明少陽
二脈之會刺可入同身寸之三分留七呼若灸者可[illegible]中有乾擿之不得灸也　新校正云按甲乙經擿之作擿抵[illegible]二穴在俠
項後髮際大筋外廉陷者中足太陽脈氣所發刺可入同身寸之二分留六呼若灸者可灸三壯巨虛上下廉四穴上廉足陽
明與大腸合也在膝犢鼻下骭外廉同身寸之六寸足陽明脈氣所發刺可入同身寸之八分若灸者可灸三壯下廉足陽明與小腸合也在上廉下同身寸

之三寸足陽明脉氣所發刺可入同身寸之三分若灸者可灸三壯　新校正云按甲乙經并刺熱篇注水熱穴注上廉在三里下三寸此云犢鼻下六寸者蓋三里在犢鼻下三寸上廉又在三里下三寸故云六寸也　曲牙二穴　頰車穴也在耳下曲頰端陷者中開口有空足陽明脉氣所發刺可入同身寸之三分若灸者可灸三壯　天突一穴　已前釋也　天府二穴　在腋下同身寸[illegible]手太陰脉氣所發禁不可灸刺可入同身寸之四分留三呼　天牖二穴　在頸筋間缺盆上天容後天柱前完骨下髮際上手少陽脉氣所發刺可入同身寸之一寸留七呼若灸者可灸三壯　扶突二穴　在頸當曲頰下同身寸之一寸人迎後手陽明脉氣所發仰而取之刺可入同身寸之四分若灸者可灸三壯　天窻二穴　在曲頰下扶突後動脉應手陷者中手太陽脉氣所發刺可入同身寸之六分若灸者可灸三壯　肩解二穴　謂肩井也在肩上陷解中缺盆上大骨前手足少陽陽維之會刺可入同身寸之五分若灸者可灸三壯　新校正云按甲乙經灸五壯　關元一穴　新校正云詳此已前釋舊當篇再注今去之　委陽二穴　三焦下輔俞也在膕中外廉兩筋間此足太陽之别絡刺可入同身寸之七分留五呼若灸者可灸三壯屈伸而取之　肩貞二穴　在肩曲甲下兩骨解間肩髃後陷者中手太陽脉氣所發刺可入同身寸之八分若灸者可灸三寸　瘖門一穴　在項髮際宛宛中入係舌本督脉陽維二經之會仰頭取之刺可入同身寸之四分不可灸之令人瘖　新校正云按氣府注云去風府一寸　齊一穴　齊中也禁不可刺刺之使人齊中惡瘍潰矢出者死不可治若灸者可灸三壯　胷俞十二穴　謂俞府或中神藏靈墟神封步廊左右則十二穴也俞府在巨骨下俠任脉兩傍橫去任脉各同身寸之二寸陷者中下五穴遞相去同身寸之一寸六分陷者中並足少陰脉氣所發仰而取之刺可入同身寸之四分若灸者可灸五壯　背俞二穴　大杼穴也

在脊第一椎下兩傍相去各同身寸之一寸半陷者中督脉別絡手足太陽三脉氣之會刺可入同身寸之三分留七呼若灸者可灸七壯　新校正云按

膺俞十二穴謂雲門中府周榮胷鄉天谿食竇左右則十二穴也　甲乙經作周榮胷鄉　雲門在巨骨下俠任脉傍横去任脉各同身寸之六寸　新校正云按水熱穴注作胷中行兩傍與此文雖異處所無別陷者中動脉應手雲門中府相去同身寸之一寸餘五穴遞相去同身寸之一寸六分陷者中並手太陰脉氣所發雲門食竇舉臂取之餘並仰而取之雲門刺可入同身寸之七分太深令人逆息中府刺可入同身寸之三分留五呼餘刺可入同身寸之四分若灸者可灸五壯　新校正云詳王氏以此十二穴并手太陰按甲乙經雲門乃手太陰中府乃手足太陰之會周榮已下乃足太陰非十二穴並手太陰也

分肉二穴在足外踝上絶骨之端同身寸之三分筋肉分間陽維脉氣所發刺可入同身寸之三分留七呼若灸者可灸三壯　新校正云按甲乙經無分肉穴詳處所疑是陽輔在足外踝上輔骨前絶骨端如前三分所又按刺腰痛注作絶骨之端如後二分刺入五分留十呼與此注小異

踝上横二穴內踝上者交信穴也交信去內踝上同身寸之二寸少陰前太陰後筋骨間足陰蹻之郄刺可入同身寸之四分留五呼若灸者可灸三壯外踝上附陽穴也附陽去外踝上同身寸之三寸太陽前少陽後筋骨間陽蹻之郄刺可入同身寸之六分留七呼若灸者可灸三壯　新校正云按甲乙經附陽作付陽

陰陽蹻四穴陰蹻穴在足內踝下是謂照海陰蹻所生刺可入同身寸之四分留六呼若灸者可灸三壯[illegible]蹻穴是謂申脉陽蹻所生在外踝下陷者中　新校正云按刺腰痛篇注作在外踝下五分[illegible]刺論注云外踝下半寸容爪甲刺可入同身寸之三分留七呼若灸者可灸三壯　新校正云按甲乙經留七呼作六呼刺腰痛篇注作十呼

水俞在諸分分謂肉之分理間治水取之

熱俞在氣穴寫熱則取之

寒熱俞在兩骸

厭中二穴 髕厭謂膝外俠膝之骨厭中也 大禁二十五在天府下五寸 謂五里穴也所以謂之大禁者謂其禁不可刺也鍼經曰迎之五里中道而止五至而已五往而藏之氣盡矣故五五二十五而竭其俞矣蓋謂此也又曰五里者尺澤之後五里與此文同 凡三百六十五穴鍼之所由行也 新校正云詳自藏俞五十至此并重複共得三百六十穴通前天突十椎上紀下紀共三百六十五穴除重複實有三百一十三穴 帝曰余已知氣穴之處遊鍼之居願聞孫絡谿谷亦有所應乎 孫絡小絡也謂絡之支別者 岐伯曰孫絡三百六十五穴會亦以應一歲以溢奇邪以通榮衛榮衛稽留衛散榮溢氣竭血著外為發熱內為少氣疾寫無怠以通榮衛見而寫之無問所會 榮積衛留內外相薄者見其血絡當即寫之亦無問其脉之俞會 帝曰善願聞谿谷之會也岐伯曰肉之大會為谷肉之小會為谿肉分之間谿谷之會以行榮衛以會大氣 新校正云按甲乙經作以舍大氣 邪溢氣壅脉熱肉敗榮衛不行必將為膿內銷骨髓外破大膕 熱過故致是 留於節湊必將為敗 若留於骨節之間津液所湊之處則骨節之間髓液皆潰為膿故必敗爛筋骨而不得屈伸矣 積寒留舍榮衛不居

卷內縮筋新校正云按全元起本作寒肉縮筋肋肘不得伸內為骨痺外為不仁

命曰不足大寒留於谿谷也邪氣盛甚真氣不榮髓液內消故為是也不足謂陽氣不足也寒邪外薄久積淹留陽不外勝內消筋髓故曰不足大寒留於谿谷之中也谿谷三百六十五穴會亦應一歲其

小痺淫溢循脉往來微鍼所及與法相同若小寒之氣流行淫溢隨脉往來為痺病用鍼調者與常法相同爾帝乃辟左右而起再拜曰今日發蒙解惑藏之

金匱不敢復出乃藏之金蘭之室署曰氣穴所在岐伯

曰孫絡之脉別經者其血盛而當寫者亦三百六十五脉並

注於絡傳注十二絡脉非獨十四絡脉也十四絡者謂十二經絡兼任脉督脉之絡也脾之大絡起自於脾故不并言之也內解寫於中者十脉解謂骨解之中經絡也雖則別行然所受邪亦還注寫於五藏之脉左右各五故十脉也

氣府論篇第五十九

新校正云按全元起本在第三卷

足太陽脉氣所發者七十八穴兼氣浮薄相通者言之當言九十三穴非七十八也正經脉會發者七十八穴浮薄相通者一十五穴則其數也兩眉頭各一謂攢竹穴也所在刺灸分壯與氣穴同法入髮至項三

寸半傍五相去三寸謂大杼風門各二穴也所在刺灸分壯與氣穴同法　新校正云按別本云入髮至頂三寸又注云寸同身寸也諸寸同法與此注全別此注謂大杼風門各二穴所在灸刺分壯與氣穴同法今氣穴篇中無風門穴而注言與同法此注之非可見此非王氏之誤誤在後人詳此入髮至項三寸半傍五相去三寸蓋是說下文浮氣之在皮中五行行五之穴故王都不解釋直云寸為同身寸也但以項誤作項剩半字耳所以言入髮至頂者自入髮顖會穴至頂百會凡三寸自百會後至後項又三寸故云入髮至項三寸傍五者為兼中行傍數有五行也相去三寸者蓋謂自百會項中數左右前後各三寸有五行行五共二十五穴也後人誤認將項為項以為大杼風門此甚誤也況大杼在第一椎下兩傍風門又在第二椎下上去髮際非止三寸半也其誤甚明其浮氣在皮中者凡五行行五五五二十五浮氣謂氣浮而通之可以去熱者也五行謂頭上自髮際中同身寸之一寸後至頂之後者也二十五者其中行則顖會前頂百會後頂強間五督脈氣也次俠傍兩行則五處承光通天絡却玉枕各五本經氣也又次傍兩行則臨泣目窗正營承靈腦空各五足少陽氣也兩傍四行各五則二十穴中行五則二十五也其刺灸分壯與水熱穴同法項中大筋兩傍各一謂天柱二穴也所在刺灸分壯與氣穴同法風府兩傍各一謂風池二穴也刺灸分壯與氣穴同法　新校正云按甲乙經風池是少陽陽維之會非太陽之所發也經言風府兩傍乃天柱穴之分位此亦覆明上項中大筋兩傍穴也此注剩出風池二穴於九十三數外更剩前大杼風門及此風池六穴也俠脊以下至尻尾二十一節十五間各一十五間各一者今中誥孔穴圖經所存者十三穴左右共二十六謂附分魄戶神堂譩譆鬲關魂門陽綱意舍胃倉肓門志室胞肓秩邊十三也附分在第二椎下附項內廉兩傍各相去俠脊同身寸之三寸足太陽之會刺可入同身寸之八分若灸者可

灸五壯魄戶在第三椎下兩傍上直附分足太陽脉氣所發下十二穴並同正坐取之刺可入同身寸之五分若灸者如附分法神堂在第五椎下兩傍上直魄戶刺可入同身寸之三分灸同附分法譩譆在第六椎下兩傍上直神堂新校正云按骨空論注云以手厭之令病人呼譩譆之聲則指下動矣刺可入同身寸之六分留七呼灸如附分法鬲關在第七椎下兩傍上直譩譆正坐開肩取之刺可入同身寸之五分若灸者可灸三壯新校正云按甲乙經云可灸五壯魂門在第九椎下兩傍上直鬲關正坐取之刺灸分壯如鬲關法陽綱在第十椎下兩傍上直魂門正坐取之刺灸分壯如魂門法意舍在第十一椎下兩傍上直陽綱正坐取之刺灸分壯如陽綱法胃倉在第十二椎下兩傍上直意舍刺灸分壯如意舍法肓門在第十三椎下兩傍上直胃倉刺同胃倉可灸三十壯新校正云按肓門灸三十壯與甲乙經同水穴注作灸三壯志室在第十四椎下兩傍上直肓門正坐取之刺灸分壯如魄戶法胞肓在第十九椎下兩傍上直志室伏而取之刺灸分壯如魄戶法新校正云按志室胞肓灸如魄戶五壯甲乙經作三壯水穴注亦作三壯熱穴注志室亦作三壯秩邊在第二十一椎下兩傍上直胞肓伏而取之刺灸分壯如魄戶法五藏之俞各五六府之俞各六肺俞在第三椎下兩傍俠脊相去各同身寸之一寸半刺可入同身寸之三分留七呼若灸者可灸三壯心俞在第五椎下兩傍相去及刺如肺俞法留七呼肝俞在第九椎下兩傍相去及刺如心俞法留六呼脾俞在第十一椎下兩傍相去及刺如肝俞法留七呼腎俞在第十四椎下兩傍相去及刺如脾俞法留七呼膽俞在第十椎下兩傍相去如肺俞法正坐取之刺可入同身寸之五分留七呼胃俞在第十二椎下兩傍相去及刺如脾俞法留七呼三焦俞在第十三椎下兩傍相去及刺如膽俞法大腸俞在第十六椎下兩傍相去及刺如肺俞法留六呼小腸俞在第十八椎下兩傍相去及刺如心俞法留六呼膀胱俞在第十九椎下兩傍相去及刺如腎俞法留六呼五藏六府之俞若灸者並可灸三壯新校

正云詳或者疑經中各五各六以各字爲誤者非也所以
言各者謂左右各五各六非謂每藏府而各五各六也委中以下至足
小指傍各六俞謂委中崑崙京骨束骨通谷至陰六穴也左右言之則
十二俞也其所在刺灸如氣穴法經言脉氣所發者七十
八穴今此所有兼亡者九十三穴由此則大數差錯傳寫有誤也新校正云
詳王氏云兼亡者九十三穴今兼大杼風門風池爲九十九穴以此王氏揔數
討之明知此三
穴後之妄增也足少陽脉氣所發者六十二穴兩角上各二謂天
衝曲
鬢左右各二也天衝在耳上如前同身寸之三分足太陽少陽二脉之會刺可
入同身寸之三分若灸者可灸三壯曲鬢在耳上入髮際曲隅陷者中鼓頷有
空足太陽少陽二脉之
會刺灸分壯如天衝法直目上髮際内各五謂臨泣目窻正營承靈腦
空左右十也臨泣在頭直
目上入髮際同身寸之五分足太陽少陽陽維三脉之會留七呼目窻在臨泣
後同身寸之一寸正營在目窻後同身寸之一寸承靈在正營後同身寸之一
寸半腦空在承靈後同身寸之一寸半俠枕骨後枕骨上並足少陽陽維二脉
之會刺可入同身寸之四分餘並刺可入同身寸之三分若灸者並可灸五壯
新校正云按腦空在枕骨後
枕骨上甲乙經作玉枕骨下耳前角上各一謂頷厭二穴也在曲角下顳
顬之上上廉手足少陽足陽
明三脉之會刺可入同身寸之七分留七
呼若灸者可灸三壯刺深令人耳無所聞耳前角下各一謂懸釐二穴也
在曲角上顳顬
之下廉手足少陽陽明四脉之交會刺可入同身寸之三分留七呼若灸
者可灸三壯　新校正云按後手少陽中云角上此云角下必有一誤鋭
髮下各一謂和髎二穴也在耳前鋭髮下橫動脉手足少陽二脉之會刺可
入同身寸之三分若灸者可灸三壯　新校正云按甲乙經云手
足少陽手
太陽之會客主人各一客主人穴名也在耳前上廉起骨開口有空手足少
陽足陽明三脉之會刺可入同身寸之三分留七呼

若灸者可灸三壯　新校正云按甲乙經及氣穴
注刺禁注並云手少陽足陽明之會與此異
耳後陷中各一 謂翳風二穴也在耳後
陷者中按之引耳中手足少陽二脉之會
刺可入同身寸之三分若灸者可灸三壯
下關各一 下關穴名也所在刺灸氣穴同法
耳
下牙車之後各一 謂頰車二穴也刺灸分壯氣穴同法
缺盆各一 缺盆穴名也在肩上橫骨陷者中足陽明脉氣
所發刺可入同身寸之二分留七呼若灸者可灸三
壯太深令人逆息　新校正云按骨空注作手陽明
掖下三寸脇下至胠
八間各一 掖下三寸同身寸也掖下謂淵掖輙筋天池脇下至胠則日月章
門帶脉五樞維道居髎九穴也左右共十八穴也淵掖在掖下同
身寸之三寸足少陽脉氣所發舉臂得之刺可入同身寸之三分禁不可灸輙
筋在掖下同身寸之三寸復前行同身寸之一寸搒脇　新校正云按甲乙經
搓作着下同　足少陽脉氣所發刺可入同身寸之六分若灸者可灸三壯天
池在乳後同身寸之二寸　新校正云按甲乙經作一寸　掖下三寸搓脇直
掖撤肋間手心主足少陽二脉之會刺可入同身寸之三分　新校正云按甲
乙經作七分　若灸者可灸三壯日月膽募也在第二肋端橫直心蔽骨旁各
同身寸之二寸五分上直兩乳　新校正云按甲乙經云日月在期門下五分
足太陰少陽二脉之會刺可入同身寸之七分若灸者可灸五壯章門脾募也
在季肋端足厥陰少陽二脉之會側卧屈上足伸下足舉臂取之刺可入同身
寸之八分留六呼若灸者可灸三壯帶脉在季肋下同身寸之一寸八分足少
陽帶脉二經之會刺可入同身寸之六分若灸者可灸五壯五樞在帶脉下同
身寸之三寸足少陽帶脉二經之會刺可入同身寸之一寸若灸者可灸五壯
維道在章門下同身寸之五寸三分足少陽帶脉二經之會刺灸分壯如章門
法居髎在章門下同身寸之四寸三分髂骨上　新校正云按甲乙經作監骨
上陷者中陽蹻足少陽二脉之會刺灸分壯如維道
法所以謂之八間者自掖下三寸至季肋凡八肋骨
髀樞中傍各一

謂環銚二穴也刺灸分壯氣穴同法　新校正云按氣穴論云兩髀厭分中主注為環銚穴又甲乙經注環銚在髀樞中今云髀樞中傍各一者蓋謂此穴在髀樞中也傍各一者謂左右各一穴也非謂環銚在髀樞中傍也

膝以下至足小指次指各六俞謂陽陵泉陽輔丘虛臨泣俠谿竅陰六穴也左右言之則十二俞也其所在刺灸分壯氣穴同法

足陽明脈氣所發者六十八穴額顱髮際傍各三謂懸顱陽白頭維左右共六穴也正面髮際橫行數之懸顱在曲角上顳顬之中足陽明脈氣所發刺可入同身寸之三分留三呼若灸者可灸三壯陽白在眉上同身寸之一寸直瞳子足陽明陰維二脈之會刺可入同身寸之三分灸三壯頭維在額角髮際俠本神兩傍各同身寸之一寸五分足少陽陽明二脈之交會刺可入同身寸之五分禁不可灸　新校正云按甲乙經陽白足少陽陽維之會今王氏注云足陽明陰維之會詳此在足陽明脈氣所發中則足陽明近是然陽明經不到此又不與陰維會疑王注非甲乙經為得

面鼽骨空各一謂四白穴也在目下同身寸之一寸足陽明脈氣所發刺可入同身寸之四分不可灸　新校正云按甲乙經刺入三分灸七壯

大迎之骨空各一大迎穴名也在曲頷前同身寸之一寸三分骨陷者中動脈足陽明脈氣所發刺可入同身寸之三分留七呼若灸者可灸三壯

人迎各一人迎穴名也在頸俠結喉傍大脈動應手足陽明脈氣所發刺可入同身寸之四分過深殺人禁不可灸

缺盆外骨空各一謂天髎二穴也在肩缺盆中上伏骨之陬陷者中手足少陽陽維三脈之會刺可入同身寸之八分若灸者可灸三壯　新校正云按甲乙經伏骨作毖骨

膺中骨間各一謂膺窗等六穴也膺窗在胷兩傍俠中行各相去同身寸之四寸巨骨下同身寸之四寸八分陷者中足陽明脈氣所發仰而取之刺可入同身寸之四分若灸者可灸五壯此穴之上又有氣户庫房屋翳下又有乳中乳根氣

户在巨骨下下直膺窻去膺窻上同身寸之四寸八分庫房在氣户下同身寸
之一寸六分屋翳在氣户下同身寸之三寸二分下即膺窻也膺窻之下即乳
中也乳中穴下同身寸之一寸六分陷者中則乳根穴也並足陽明脉氣所發
仰而取之乳中禁不可灸刺灸刺之不幸生蝕瘡瘡中有清汁膿血者可治瘡
中有瘜肉若蝕瘡者死餘五穴並刺可入同身寸之四
分若灸者可灸三壯 新校正云按甲乙經灸五壯

俠鳩尾之外當乳下三寸俠胃脘各五

謂不容承滿梁門關門太一五穴也左右共十也 新校
各俠腹中行兩傍相去各同身寸之四寸
正云按甲乙經云各二寸疑此注剩各字 不容在第四肋端下至太一各上
下相去同身寸之一寸並足陽明脉氣所發刺可入同身寸之八分若灸者可
灸五壯 新校正云按甲乙經不容
刺入五分此云並入八分疑此注誤

俠臍廣三寸各三

廣謂去臍橫廣
也廣三寸者各
如太一之遠近也各三者謂滑肉門天樞外陵也滑肉門在太一下同身寸之
一寸天樞在滑肉門下同身寸之一寸正當於臍外陵在天樞下同身寸之一
寸並足陽明脉氣所發天樞刺可入同身寸之五分留七呼滑肉門外陵各刺
可入同身寸之八分若灸者並可五壯 新校正云按甲乙經天樞在臍傍各
二寸上曰滑肉門下曰外陵是三穴者去臍各二寸也今此經注云
廣三寸素問甲乙經不同然甲乙經分寸與諸書同特此經為異也

下臍二寸俠之各三

下臍二寸則外陵下同身寸之一寸大巨穴也各三者謂大
巨水道歸來也大巨在外陵下同身寸之一寸足陽明脉氣
所發刺可入同身寸之八分若灸者可灸五壯水道在大巨下同身寸之三寸
足陽明脉氣所發刺可入同身寸之二寸半若灸者可灸二壯歸來在水道下
同身寸之二寸刺可入同身
寸之八分若灸者可灸五壯

氣街動脉各一

氣街穴名也在歸來下鼠
鼷上同寸之一寸脉動應
手足陽明脉氣所發刺可入同身寸之三分留七呼若灸者可灸三壯 新校
正云詳此注與甲乙經同刺熱注及熱穴注云氣街在腹臍下橫骨兩端鼠鼷

上刺禁論注在腹下俠齊兩傍相去四寸鼡僕上骨空注云在毛際兩傍鼠鼷上諸注不同今備録之

伏菟上各一 謂髀關二穴也在膝上伏菟後交分中刺可入同身寸之六分若灸者可灸三壯

三里以下至足中指各八俞分之所在穴空 謂三里上廉下廉解谿衝陽陷谷內庭厲兌八穴也左右言之則十六俞也上廉足陽明與大腸合下廉足陽明與小腸合也其所在刺灸分壯與氣穴同法所謂分之所在穴空者別陽明脉自三里穴分而下行其直者循骭過跗入中指出其端則厲兌也其支者與直俱行至足跗上入中指次間故云分之所在穴空也之往也言分而各行往指間穴空處也

手太陽脉氣所發者三十六穴

目內眥各一 謂睛明二穴也在目內眥手足太陽足陽明陰蹻陽蹻五脉之會刺可入同身寸之一分留六呼若灸者可灸三壯諸穴有云數脉會發而不於所會刺脉下言之者出從其正者也

目外各一 謂瞳子髎二穴也在目外去眥同身寸之五分手太陽手足少陽三脉之會刺可入同身寸之三分若灸者可灸三壯

鼽骨下各一 謂顴髎二穴也鼽頄也頄面顴也在面頄骨下陷者中手太陽少陽二脉之會刺可入同身寸之三分

耳郭上各一 謂角孫二穴也在耳上郭表之中間上髮際之下開口有空手太陽手足少陽三脉之會刺可入同身寸之三分若灸者可灸三壯 新校正云按甲乙經手太陽作手陽明

耳中各一 謂聽宮二穴也所在刺灸分壯與氣穴同法

巨骨穴各一 巨骨穴名也在肩端上行兩叉骨間陷者中手陽明蹻脉三經之會刺可入同身寸之一寸半若灸者可灸三壯 新校正云按甲乙經作五壯

曲掖上骨穴各一 謂臑俞二穴也在肩臑後大骨下胛上廉陷者中手太陽陽維蹻脉三經之會舉臂取之

刺可入同身寸之八分若灸者可灸三壯 新校正云按甲乙經作手足太陽 **柱骨上陷者各一** 謂肩井二穴也在肩上陷解中缺盆上大骨前手足少陽陽維三脈之會刺可入同身寸之五分若灸者可灸三壯 **上天窻四寸各一** 謂天窻竅陰四穴也所在刺灸分壯與氣穴同法 **肩解各一** 謂秉風二穴也在肩上小髃骨後舉臂有空手太陽陽明手足少陽四脈之會舉臂取之刺可入同身寸之五分若灸者可灸三壯 新校正云按甲乙經灸五壯 **肩解下三寸各一** 謂天宗二穴也在秉風後大骨下陷者中手太陽脈氣所發刺可入同身寸之五分留六呼若灸者可灸三壯 **肘以下至手小指本各六俞** 六俞所起於指端經言至小指本則以端為本言上之本也下文陽明少陽同也六俞謂小海陽谷腕骨後谿前谷少澤六穴也左右言之則十二俞也其所在刺灸分壯氣穴同法 新校正云按此手太陽陽明少陽三經各言至手某指本王注以端為本者非也詳手三陽之井穴盡出手某指之端爪甲下際此言本者是逐指爪甲之本也安得以端為本哉 **手陽明脈氣所發者二十二穴鼻空外廉項上各二** 謂迎香扶突各二穴也迎香在鼻下孔傍手足陽明二脈之會刺可入同身寸之三分扶突在曲頰下同身寸之一寸人迎後手陽明脈氣所發仰而取之刺可入同身寸之四分若灸者可灸三壯 **大迎骨空各一** 大迎穴名也在曲頷前同身寸之一寸三分骨陷者中動脈足陽明脈氣所發刺可入同身寸之三分留七呼若灸者可灸三壯 新校正云詳大迎穴已見前足陽明經中今又見於此王氏不注所以當如顴髎穴兩出之義 **柱骨之會各一** 謂天鼎二穴也在頸缺盆上直扶突氣舍後同身寸之半寸手陽明脈氣所發刺可入同身寸之四分若灸者可灸三壯 新校正云按甲乙經作一寸半 **髃骨之會各一** 謂肩髃二穴也所在刺灸分壯與氣穴同法 新校正云按髃骨氣

穴注中無刺熱注水熱穴注骨空論注中有之

肘以下至手大指次指本各六俞（謂三里陽谿合谷三間二間商陽六穴也左右言之則十二俞也所在刺灸分壯與氣穴同法　新校正云按氣穴論注有曲池而無三里此誤出三里而遺曲池也）

手少陽脈氣所發者三十二穴

鼽骨下各一（謂顴髎二穴也所在刺灸分壯與手太陽脈同法此穴中手少陽太陽脈氣俱會於中等無優劣故重說於此下有者同）

眉後各一（謂絲竹空二穴也在眉後陷者中手少陽脈氣所發刺可入同身寸之三分留六呼不可灸灸之不幸使人目小及肓　新校正云按甲乙經手少陽作足少陽留六呼作三呼）

角上各一（謂懸釐二穴也此與足少陽脈中同以是二脈之會也　新校正云按足少陽脈中言角下此去角上最此誤）

下完骨後各一（謂天牖一穴也所在刺灸分壯與氣穴同法）

項中足太陽之前各一（謂風池二穴也在耳後陷者中按之引於耳中手足少陽脈之會刺可入同身寸之四分若灸者可灸三壯　新校正云按甲乙經在顳顬後髮際足少陽陽維之會刺可入三分）

俠扶突各一（謂天窗二穴也在曲頰下扶突後動脈應手陷者中手太陽脈氣所發刺則入同身寸之六分若灸者可灸三壯）

肩貞各一（肩貞穴名也在肩曲胛下兩骨解間肩髃後陷者中手太陽脈氣所發刺可入同身寸之八分若灸者可灸三壯）

肩貞下三寸分間各一（謂肩髎臑會消濼各二穴也其穴名在肉分間也肩髎在肩端臑上斜舉臂取之手少陽脈氣所發刺可入同身寸之七分若灸者可灸三壯臑會在臂前廉去肩端同身寸之三寸手陽明少陽二絡氣之會刺可入同身寸之五分灸者可灸五壯消濼在肩下臂外開腋斜肘分下行間手少陽脈之會刺可入同身寸之六分若灸者可灸三壯）

肘以下至手小指次指本各六俞（謂天

井支溝陽池中渚液門關衝六穴也左右言之則十二俞也所在刺灸分壯與氣穴同法今少一穴　新校正云按會陽二穴爲二十九乃剩一穴非少也少當作剩

督脉氣所發者二十八穴

項中央二是謂風府瘖門二穴也悉在項中餘一穴今亡風府在項上入髮際同身寸之一寸大筋內宛宛中督脉陽維之會刺可入同身寸之四分留三呼不可妄灸灸之不幸令人瘖瘖門在項髮際宛宛中去風府同身寸之一寸　督脉陽維二經之會仰頭取之刺可入同身寸之四分禁不可灸灸之令人瘖　新校正云按王氏云風府瘖門悉在項中餘一穴今亡者非謂此二十八穴中亡一穴也王氏蓋見氣穴論大椎上兩旁各一穴亦在項之穴也今亡故云餘一穴今亡也

髮際後中八謂神庭上星顖會前頂百會後頂強間腦户八穴也其正髮際之中也神庭在髮際直鼻督脉足太陽陽明脉三經之會禁不可刺若刺之令人巔疾目失睛若灸者可灸三壯上星在顱上直鼻中央入髮際同身寸之一寸陷者中容豆顖會在上星後同身寸之一寸陷者中前頂在顖會後同身寸之一寸五分骨間陷者中百會在前頂後同身寸之一寸五分頂中央旋毛中陷容指督脉足太陽之交會後頂在百會後同身寸之一寸五分強間在後頂後同身寸之一寸五分腦户在強間後同身寸之一寸五分督脉足太陽之會不可灸此八者並督脉氣所發也上星百會強間腦户各刺可入同身寸之三分上星留六呼腦户留三呼餘並刺可入同身寸之四分若灸者可灸五壯　新校正云按甲乙經腦户不可灸骨空論注云不可妄灸矣

面中三謂素髎水溝齗交三穴也素髎在鼻柱上端督脉氣所發刺可入同身寸之三分水溝在鼻柱下人中直脣取之督脉手陽明之會刺可入同身寸之二分留六呼若灸者可灸三壯齗交在脣內齒上齗縫督脉任脉二經之會可逆刺之入同身寸之三分若灸者可灸三壯此三者正居面左右之中也

大椎以下至尻尾及傍十五穴脊椎之間有大椎陶道身柱神道靈臺至陽筋縮中樞脊中懸樞命門陽關腰俞長強會陽十五俞也大

椎在第一椎上陷者中三陽督脉之會陶道在項大椎節下間督脉足太陽之會俛而取之身柱在第三椎節下間俛而取之神道在第五椎節下間俛而取之靈臺在第六椎節下間俛而取之至陽在第七椎節下間俛而取之筋縮在第九椎節下間俛而取之中樞在第十椎節下間俛而取之脊中在第十一椎節下間俛而取之禁不可灸令人僂懸樞在第十三椎節下間伏而取之命門在第十四椎節下間伏而取之陽關在第十六椎節下間坐而取之膂俞在第二十一椎節下間長強在脊骶端督脉別絡少陰二脉所結會陽穴在陰尾骨兩傍凡此十五者並督脉氣所發腰俞長強各刺可入同身寸之二分　新校正云按甲乙經作二寸水穴論注作二分腰俞穴繆刺論注作二寸熱穴注作二寸刺熱注作二分諸注不同雖甲乙經作二寸疑太深與其失之深不若失之淺宜從二分之說　留七呼懸樞刺可入同身寸之三分會陽刺可入同身寸之八分並餘刺可入同身寸之五分陶道神道各留五呼陶道身柱神道筋縮可灸五壯大椎可九壯餘並可三壯　新校正云按甲乙經無靈臺中樞陽關三陽

至骶下凡二十一節脊椎法也通項骨三節即二十四節任脉之氣所發者二十八穴今少一穴喉中央二謂廉泉天突二穴也廉泉在頷下結喉上舌本下陰維任脉之會刺可入同身寸之三分留三呼若灸者可灸三壯天突在頸結喉下同身寸之四寸中央宛宛中陰維在脉之會低鍼取之刺可入同身寸之一寸留七呼若灸者可灸三壯膺中骨陷中各一謂旋璣華蓋紫宮玉堂膻中中庭六穴也旋璣在天突下同身寸之一寸華蓋在旋璣下同身寸之一寸紫宮玉堂膻中中庭各相去同身寸之一寸六分陷者中並在脉氣所發仰而取之各刺可入同身寸之三分若灸者可灸五壯鳩尾下三寸胃脘五寸胃脘以下至橫骨六寸半一新校正云詳一字疑誤腹脉法

也鳩尾心前穴名也其正當心蔽骨之端言其骨垂下如鳩鳥尾形故以爲名也鳩尾下有鳩尾巨闕上脘中脘建里下脘水分臍中陰交脖胦丹田關元中極曲骨十四俞也鳩尾在臆前蔽骨下同身寸之五分任脉之別不可灸刺人無蔽骨者從歧骨際下行同身寸之一寸　新校正云按甲乙經云一寸半爲鳩尾處○下次巨闕上脘中脘建里下脘水分遞相去同身寸之一寸上脘則足陽明手太陽之會中脘則手太陽少陽足陽明三脉所生也臍中禁不可刺若刺之使人齊中惡瘍潰矢出者死不治陰交在齊下同身寸之一寸任脉陰衝之會脖胦在齊下同身寸之一寸半丹田三焦募也在齊下同身寸之二寸關元小腸募也在齊下同身寸之三寸足三陰任脉之會也中極在關元下一寸足三陰之會也曲骨在橫骨上中極下同身寸之一寸足厥陰之會凡此十四者並任脉氣所發建里丹田並刺可入同身寸之六分留七呼　新校正云按甲乙經作五分十呼上脘陰交並刺可入同身寸之八分下脘水分並刺可入同身寸之一寸中脘脖胦並刺可入同身寸之一寸二分曲骨刺可入同身寸之一寸半留七呼餘並刺可入同身寸之一寸二分若灸者關元中脘各可灸七壯齊中中極曲骨各三壯餘並可五壯自鳩尾下至陰間並任脉主之腹脉法也　新校正云據此注云餘並刺入一寸二分關元在中與甲乙經及氣穴骨穴注刺入二寸不同當從甲乙經之寸數

下陰別一謂會陰一穴也自曲骨下至陰陰之下兩陰之間則此穴也是任脉別絡俠督脉者衝脉之會故曰下陰別一也刺可入同身寸之二寸留七呼若灸者可灸三壯　新校正云按甲乙經七呼作三呼

目下各一謂承泣二穴也在目下同身寸之七分上直瞳子陽蹻任脉足陽明三經之會刺可入同身寸之三分不可灸

下脣一謂承漿穴也在頤前下脣之下足陽明脉任脉之會開口取之刺可入同身寸之二分留五呼若灸者可灸三壯　新校正云按甲乙經作六呼

齗交一齗交穴名也所在刺灸分壯督脉法同

衝脉氣所發者二十二穴俠鳩尾外各半寸至齊寸一

謂幽門通谷陰都石關商曲肓俞六穴左右則十二穴也幽門俠巨闕兩傍相去各同身寸之半寸陷者中下五穴各相去同身寸之一寸並衝脈足少陰二經之會各刺可入同身寸之一寸若灸者可灸五壯　新校正云按此云各刺入一寸按甲乙經云幽門通谷刺入五分

俠齊下傍各五分至橫骨寸一腹脈法也謂中注髓府胞門陰關下極五穴左右則十穴也中注在肓俞下同身寸之五分上直幽門下四穴各相去同身寸之一寸並衝脈足少陰二經之會各刺可入同身寸之一寸若灸者可灸五壯

足少陰舌下厥陰毛中急脈各一足少陰舌下二穴在人迎前陷中動脈前是日月本左右二也足少陰脈氣所發刺可入同身寸之四分急脈在陰髮中陰上兩傍相去同身寸之二寸半按之隱指堅然甚按則痛引上下也其左者中寒則上引少腹下引陰丸善為痛為少腹急中寒此兩脈皆厥陰之大絡通行其中故曰厥陰急脈即睾之系也可灸而不可刺病疝少腹痛即可灸　新校正云詳舌下毛中之穴甲乙經无

手少陰各一謂手少陰郄穴也在腕後同身寸之半寸手少陰郄也刺可入同身寸之三分若灸者可灸三壯左右二也

陰陽蹻各一陰蹻一謂交信穴也交信在足內踝上同身寸之二寸少陰前太陰後筋骨間陰蹻之郄刺可入同身寸之四分留五呼若灸者可灸三壯陽蹻一謂附陽穴也附陽在足外踝上同身寸之三寸太陽前少陽後筋骨間謹取之陽蹻之郄刺可入同身寸之六分留七呼若灸者可灸三壯左右四也

手足諸魚際脈氣所發者凡三百六十五穴也經之所存者多凡一十九穴此所謂氣府也然散穴俞諸經脈部分皆有之故經或不言而甲乙經經脈流注多少不同者以此

黃帝內經素問卷第十五

音釋

皮部論篇第五十六

分部音忿　別兵結切　蜚飛同　滲所禁切　中去聲　腠七奏切 膚也　淅桑故切
爍外若切　䐃渠殞切 脂也

經絡論篇第五十七

夫音扶　見音現　泣戶及切　淖奴教切

氣穴論篇第五十八

易音異　突陀骨切　脘音管　澀所力切 又音澁　尻去高切 臗也　俞腧同　蔽必末切
擿音灰　臑奴到切　五行戶當切 下同　䏚力丰切 膂同　髀音彼 股也　厥入聲 下同　瘖音陰
踝胡瓦切　蹻去遙切　著直略切　䐃渠殞切　乃辟音璧　署常注切

氣府論篇第五十九

五行戶當切　胠音祛 腋下　顱音盧　鼽音求 說文云寒鼻塞　俠胡帖切　菀音兔　眥在計切
髃隅虞二音 在臑上　骶丁計切　膂脊也　齗語斤切　顖音信　譩譆上衣 下僖　顳如帖切　顬

汲居切 毖音祕 頄音仇

黃帝內經素問卷第十六

啓玄子次註林億孫奇高保衡等奉敕校正孫兆重改誤

骨空論

水熱穴論

骨空論篇第六十

新校正云按全元起本在第二卷自灸寒熱之法已下在第六卷刺齊篇末

黃帝問曰余聞風者百病之始也以鍼治之奈何始初也岐伯對曰風從外入令人振寒汗出頭痛身重惡寒風中身形則腠理閉密陽氣內拒寒復外勝勝拒相薄榮衛失所故如是治在風府風府穴也在項上入髮際同身寸之一寸宛宛中督脈足太陽之會刺可入同身寸之四分若灸者可灸五壯　新校正云按風府注氣穴論氣府論中各已注與甲乙經同此注云督脈足太陽之會可灸五壯者乃是風門熱府穴也當云督脈陽維之會留三呼不可灸乃是調其陰陽不足則補有餘則寫用鍼之道必法天常盛寫虛補此其常也大風頸項痛刺風府風府在上椎上椎謂大椎上入髮際同身寸之一寸大風汗出灸譩譆譩譆在背下俠脊傍三寸所厭之令病者呼譩譆譩譆應手譩譆穴也在肩髆內廉俠第六椎下兩傍各同身寸之三寸以手厭之令病人呼譩譆之聲則指下動矣足太

陽脈氣所發刺可入同身寸之六分留七呼若灸者可灸五壯譩譆者因取爲名爾從風憎風刺眉頭謂攢竹穴也在眉頭陷者
中脈動應手足太陽脈氣所發刺可入同身寸之三分若灸者可灸三壯失枕在肩上橫骨間謂缺盆穴也在肩上橫骨
陷者中手陽明脈氣所發刺可入同身寸之二分留七呼若灸者可灸三壯刺入深令人逆息　新校正云按氣府注作足陽明此云手陽明詳二經俱發於
此故正注兩言之折使榆臂齊肘正灸脊中榆讀爲搖搖謂搖動也然失枕非獨取肩上橫骨間亦當
正形灸脊中也欲而驗之則使搖動其臂屈折其肘自項之下橫齊肘端當其中間則其處也是曰陽關在第十六椎節下間督脈氣所發刺可入同身寸之
五分若灸者可灸三壯　新校正云詳陽關穴甲乙經無肞絡季脇引少腹而痛脹刺譩譆
肞謂俠脊兩傍空軟處也少腹齊下也腰痛不可以轉搖急引陰卵刺八髎與痛
上八髎在腰尻分間八或爲九驗眞骨及中誥孔穴經正有八髎無九髎也分謂腰尻筋肉分間陷下處鼠瘻
寒熱還刺寒府寒府在附膝外解營膝外骨間也屈伸之處寒氣喜中故名寒府也解謂
骨解營謂深刺而必中其營也取膝上外者使之拜取足心者使之跪拜而取者使膝
外空開也跪而取之者令足心宛宛處深定也任脈者起於中極之下以上毛際循腹裏
上關元至咽喉上頤循面入目新校正云按難經甲乙經無上頤循面入目六字衝脈者
起於氣街並少陰之經新校正云按難經甲乙經作陽明俠齊上行至胸中而

散任脉衝脉皆奇經也任脉當齊中而上行衝脉俠齊兩傍而上行然中極者謂齊下同身寸之四寸也言中極之下者言中極從少腹之內上行而外出於毛際而上非謂本起於此也關元者謂齊下同身寸之三寸也氣街者穴名也在毛際兩傍鼠䑛上同身寸之一寸也言衝脉起於氣街者亦從少腹之內與任脉並行而至於是乃循腹也何以言之鍼經曰衝脉者十二經之海與少陰之絡起於腎下出於氣街又曰衝脉任脉者皆起於胞中上循脊裏為經絡之海其浮而外者循腹各行會於咽喉別而絡脣口血氣盛則皮膚熱血獨盛則滲灌皮膚生毫毛由此言之則任脉衝脉從少腹之內上行至中極之下氣街之內明矣　新校正云按氣街與氣府論刺熱篇水熱穴篇刺禁論等注重文雖不同處所無別備注氣府論中　任脉為病男子內結七疝女子帶下瘕聚衝脉為病逆氣裏急督脉為病脊強反折督脉亦奇經也然任脉衝脉督脉者一源而三歧也故經或謂衝脉為督脉也何以明之今甲乙及古經脉流注圖經以任脉循背者謂之督脉自少腹直上者謂之任脉亦謂之督脉是則以背腹陰陽別為名目爾以任脉自胞上過帶脉貫齊而上故男子為病內結七疝女子為病則帶下瘕聚也以衝脉俠齊而上並少陰之經上至胷中故衝脉為病則逆氣裏急也以督脉上循脊裏故督脉為病則脊強反折也督脉者起於少腹以下骨中央女子入繫廷孔起非初起亦猶任脉衝脉起於胞中也其實乃起於腎下至於少腹則下行於腰橫骨圍之中央也繫廷孔者謂窈漏近所謂前陰穴也以其陰廷繫屬於中故名之其孔溺孔之端也孔則窈漏也窈漏之中其上有溺孔焉端謂陰廷在此溺孔之上端也而督脉自骨圍中央則至於是其絡循陰器合篡間繞篡後督脉別絡自溺孔之端分而各行下循陰器乃合篡間也所謂間者謂在

前陰後陰之兩間也自兩間之後已復分而行繞篡之後別繞臀至少陰與巨陽中絡者合少
陰上股內後廉貫脊屬腎別謂別絡分而各行之於焦也足少陰之絡者自股內後廉貫脊屬腎足太陽
絡之外行者循髀樞絡股陽而下其中行者下貫臀至膕中與外行絡合故言至少陰與巨陽中絡合少陰上股內後廉貫脊屬腎也　新校正云詳各行於
焦疑焦字誤與太陽起於目內眥上額交巔上入絡腦還出別下
項循肩髆內俠脊抵腰中入循膂絡腎腰繞臀而上行也　其男子
循莖下至篡與女子等其少腹直上者貫齊中央上貫心
入喉上頤環脣上繫兩目之下中央自與太陽起於目內眥下至女子等並督脈之別絡也其
直行者自尻上循脊裏而至於鼻人也自其少腹直上至兩目之下中央並任脈之行而云是督脈所繫由此言之則任脈衝脈督脈名異而同一體也
此生病從少腹上衝心而痛不得前後為衝疝尋此生病正是任脈經云為衝
疝者正明督脈以別主而異目也何者若一脈一氣而無陰陽之異主則此生病者當心背俱通豈獨衝心而為疝乎　其女子不孕
癃痔遺溺嗌乾亦以衝脈任脈並自少腹上至於咽喉又以督脈循陰器合篡間繞篡後別繞臀故不孕癃痔遺溺嗌乾也所
以謂之任脈者女子得之以任養也故經云此病其女子不孕也所以謂之衝脈者以其氣上衝也故經云此生病從少腹上衝心而痛也所以謂之督脈者
以其督領經脈之海也由此三用故一源三歧經或通呼似相謬引故下文曰督脈生病治督脈治在骨上

甚者在齊下營此亦正任脉之分也衝任督三脉異名同躰亦明矣骨上謂腰横骨上髮際中曲骨穴也任脉足厥陰之會刺可入同身寸之一寸半若灸者可灸三壯齊下謂齊直下同身寸之一寸陰交穴任脉陰衝之會刺可入同身寸之八分若灸者可灸五壯其上氣有音者治其喉中央在缺盆中者中謂缺盆兩間之中天突穴在頸結喉下同身寸之四寸中央宛宛中陰維任脉之會低鍼取之刺可入同身寸之一寸留七呼若灸者可灸三壯其病上衝喉者治其漸漸者上俠頤也陽明之脉漸上頤而環脣故以俠頤名爲漸也是謂大迎大迎在曲頷前骨同身寸之一寸三分陷中動脉足陽明脉氣所發刺可入同身寸之三分留七呼若灸者可灸三壯蹇膝伸不屈治其楗蹇膝謂膝痛屈伸蹇難也楗謂髀輔骨上横骨下股外之中側立搖動取之筋動應手坐而膝痛治其機髖骨兩傍相接處立而暑解治其骸關暑熱也若膝痛立而膝骨解中熱者治其骸關骸關謂膝解也一經云起而引解言膝痛起立痛引膝骨解之中也暑引二字其義則異起立二字其意頗同膝痛痛及拇指治其膕膕謂膝解之後曲脚之中委中穴背向取之脉動應手足太陽脉之所入刺可入同身寸之五分留七呼若灸者可灸三壯坐而膝痛如物隱者治其關關在膕上當揵之後背立按之以動搖筋應手膝痛不可屈伸治其背内謂大杼穴也所在灸刺分壯与氣穴同法連胻若折治陽明中俞髎若膝痛不可屈伸連胻痛如折者則鍼陽明脉中俞髎也是則正取三里穴也若別治巨陽少陰滎若痛而膝如别離者則治足太陽少陰之滎也足太陽滎

通谷也在足小指外側本節前陷者中刺可入同身寸之二分留五呼若灸者可灸三壯足少陰滎然谷也在足內踝前起大骨下陷者中刺可入同身寸之三分留三呼若灸者可灸三壯淫濼脛痠不能久立治少陽之維新校正云按甲乙經外踝上五寸乃足少陽之絡此云維者字之誤也在外踝上五寸淫濼謂似酸痛而無力也五寸一云四寸中誥圖經外踝上四寸無穴五寸是光明穴也足少陽之絡刺可入同身寸之七分留十呼若灸者可灸五壯新校正云按甲乙經云刺入六分留七呼輔骨上橫骨下為楗俠髖為機膝解為骸關俠膝之骨為連骸骸下為輔輔上為膕膕上為關頭橫骨為枕由是則謂膝輔骨上腰髖骨下為楗楗上為機膝外為骸關挾後為關關下為膕膕下為輔骨輔骨上為連骸連骸者是骸骨相連接處也頭上之橫骨為枕骨水俞五十七穴者尻上五行行五伏菟上兩行行五左右各一行行五踝上各一行行六穴所在刺灸分壯具水熱穴論中此皆是骨空故氣穴篇內與此重言爾髓空在腦後三分在顱際銳骨之下是謂風府通腦中也一在齗基下當頤下骨陷中有穴容豆中誥名下頤一在項後中復骨下謂瘖門穴也在項髮際宛宛中入係舌本督脈陽維之會仰頭取之刺可入同身寸之四分禁不可灸一在脊骨上空在風府上上謂腦戶穴也在枕骨上大羽後同身寸之一寸五分宛宛中督脈足太陽之會此別腦之戶不可妄灸灸之不幸令人瘖刺可入同身寸之三分留三呼新校正云按甲乙經大羽者強間之別名氣府注云若灸者可灸五壯脊骨下空在尻骨下空不應主療

經闕其名 新校正云按甲乙經長強在脊骶端正在尻骨下王氏云不應主療經闕其名得非誤乎數髓空在面俠鼻謂顴髎等穴經不一指陳其處小小者爾或骨空在口下當兩肩謂大迎穴也所在刺灸分壯與前俠頤同法兩髆骨空在髆中之陽近肩髃穴經無名臂骨空在臂陽去踝四寸兩骨空之間在支溝上同身寸之一寸是謂通間 新校正云按甲乙經支溝上一寸名三陽絡通間豈其別名歟股骨上空在股陽出上膝四寸在陰市上伏菟穴下在承楗也胻骨空在輔骨之上端謂犢鼻穴也在膝臏下骭骨上俠解大筋中足陽明脉氣所發刺可入同身寸之六分若灸者可灸三壯股際骨空在毛中動下經闕其名尻骨空在髀骨之後相去四寸是謂尻骨上八髎穴也扁骨有滲理湊無髓孔易髓無空扁骨謂尻間扁戾骨也其骨上有滲灌文理歸湊之無別髓孔也易亦也骨有孔則髓有孔骨若無孔髓亦無孔也灸寒熱之法先灸項大椎以年為壯數如患人之年數次灸撅骨以年為壯數尾窮謂之撅骨視背俞陷者灸之背胛骨際有陷處也舉臂肩上陷者灸之肩髃穴也在肩端兩骨間手陽明蹻脉之會刺可入同身寸之六分留六呼若灸者可灸三壯兩季脇之間灸之京門穴腎募也在髂骨與腰中季脇本俠脊刺可入同身寸之三分留七呼若灸者可灸三壯外踝上絕骨之端灸之陽輔穴也在足外踝上輔骨前絕骨之端如前同身寸之三分所去

丘虛七寸足少陽脈之所行也刺可入同身寸之五分留七呼若灸者可灸三壯　新校正云按甲乙經云在外踝上四寸

足小指次指間灸之俠谿穴也在足小指次指岐骨間本節前陷者中足少陽脈之所流也刺可入同身寸之三分留三呼若灸者可灸三壯　新校正云按甲乙經流當作留

腨下陷脈灸之承筋穴也在腨中央陷者中足太陽脈氣所發也禁不可刺可灸三壯　新校正云按刺腰痛篇注云腨中央如外陷者中

外踝後灸之崑崙穴也在足外踝後跟骨上陷者中細脈動應手足太陽脈之所行也刺可入同身寸之五分留十呼若灸者可灸三壯

缺盆骨上切之堅痛如筋者灸之經闕其名當隨其所有而灸之

膺中陷骨間灸之天突穴也所在灸刺分壯與前缺盆中者同法

掌束骨下灸之陽池穴也在手表腕上陷者中手少陽脈之所過也刺可入同身寸之二分留六呼若灸者可灸三壯

齊下關元三寸灸之正在齊下同身寸之三寸也足三陰任脈之會刺可入同身寸之二寸留七呼若灸者可灸七壯　新校正云按氣府注云刺入一寸二分者非

毛際動脈灸之以脈動應手為處即氣街穴也

膝下三寸分間灸之三里穴也在膝下同身寸之三寸胻骨外廉兩筋肉分間足陽明脈之所入也刺可入同身寸之一寸留七呼若灸者可灸三壯

足陽明跗上動脈灸之衝陽穴也在足跗上同身寸之五寸骨間動脈足陽明脈之所過也刺可入同身之三分留十呼若灸者可灸三壯　新校正云按全元起本及甲乙經足陽明下有灸之二字并跗上動脈是三穴今王氏去灸之二字則見一穴今於注中却存灸之二字以闕疑耳

巔上一灸之百會穴也在頂中央旋毛中陷容指督脈足太陽脈之交會刺可入同身寸之三分若灸者可灸五壯

犬所齧之處灸之三壯即以犬

傷病法灸之【犬傷而發寒熱者，即以犬傷法三炷灸之】凡當灸二十九處傷食灸之【傷食為病亦發寒熱故灸 新校正云詳足陽明不別灸則有二十八處疑王氏去上文灸之二字者非】不已者必視其經之過於陽者數刺其俞而藥之

水熱穴論篇第六十一【新校正云按全元起本在第八卷】

黃帝問曰少陰何以主腎腎何以主水岐伯對曰腎者至陰也至陰者盛水也肺者太陰也少陰者冬脉也故其本在腎其末在肺皆積水也【陰者謂寒也冬月至寒腎氣合應故云腎者至陰也水王於冬故云至陰者盛水也腎少陰脉從腎上貫肝鬲入肺中故云其本在腎其末在肺也腎氣上逆則水氣客於肺中故云皆積水也】帝曰腎何以能聚水而生病岐伯曰腎者胃之關也關門不利故聚水而從其類也【關者所以司出入也腎主下焦膀胱為府主其分注關竅二陰故腎氣化則二陰通二陰閟則胃填滿故云腎者胃之關也關閉則水積水積則氣停氣停則水生水積則氣溢氣水同類故云關閉不利聚水而從其類也靈樞經曰下焦溢為水此之謂也】上下溢於皮膚故為胕腫胕腫者聚水而生病也【上謂肺下謂腎肺腎俱溢故聚水於腹中而生病也】帝曰諸水皆生於腎乎岐伯曰腎者牝藏也【牝陰也以主陰位故云牝

藏地氣上者屬於腎而生水液也故曰至陰勇而勞甚則腎汗出腎汗出逢於風內不得入於藏府外不得越於皮膚客於玄府行於皮裏傳為胕腫本之於腎名曰風水勇而勞甚謂力房也勞勇汗出則玄府開汗出逢風則玄府復閉玄府閉已則餘汗未出內伏皮膚傳化為水從風而水故名風水所謂玄府者汗空也汗液色玄從空而出以汗聚於裏故謂之玄府府聚也帝曰水俞五十七處者是何主也岐伯曰腎俞五十七穴積陰之所聚也水所從出入也尻上五行行五者此腎俞腎部之俞凡有五行當其中者督脉氣所發次兩傍四行皆是太陽脉氣也故水病下為胕腫大腹上為喘呼水下居於腎則腹至足而胕腫上入於肺則喘息賁急而大呼也不得臥者標本俱病標本者肺為標腎為本如此者是肺腎俱水為病也故肺為喘呼腎為水腫肺為逆不得臥肺為喘呼氣逆不得臥者以其主呼吸故也腎為水腫者以其主水故也分為相輸俱受者水氣之所留也分其居處以名之則是氣相輸應本其俱受病氣則皆是水所留也伏菟上各二行行五者此腎之街也街謂道也腹部正俞凡有五行俠齊兩傍則腎藏足少陰脉及衝脉氣所發次兩傍則胃府足陽明脉氣所發此四行穴則伏菟之上也三陰之所交結於脚也踝上各

一行行六者此腎脈之下行也名曰太衝腎脈與衝脈並下行循足合而盛大故曰太衝凡五十七穴者皆藏之陰絡水之所客也經所謂五十七者然尻上五行行五則脊當中行督脈氣所發者脊中懸樞命門腰俞長強當其處也次俠督脈兩傍足太陽脈氣所發者有大腸俞小腸俞膀胱俞中膂內俞白環俞當其處也又次外俠兩傍足太陽脈氣所發者有胃倉肓門志室胞肓秩邊當其處也伏菟上各二行行五者腹部正俞俠中行任脈兩傍衝脈足少陰之會者有中注四滿氣穴大赫橫骨當其處也次俠衝脈足少陰兩傍足陽明脈氣所發者有外陵大巨水道歸來氣街當其處也踝上各一行行六者足內踝之上有足少陰陰蹻脈並循腨上行足少陰脈有太鍾復溜陰谷三穴陰蹻脈有照海交信築賓三穴陰蹻既足少陰脈之別亦可通而主之兼此數之猶少一穴脊中在第十一椎節下間俛而取之刺可入同身寸之五分不可灸令人傴僂懸樞在第十三椎節下間伏而取之刺可入同身寸之三分若灸者可灸三壯命門在第十四椎節下間伏而取之刺可入同身寸之五分若灸者可灸三壯腰俞在第二十一椎節下間刺可入同身寸之二分 新校正云按甲乙經及繆刺論注并熱穴注俱云刺入二寸而刺熱注氣府注并此注作二分宜從二分之說留七呼若灸者可灸三壯長強在脊骶端督脈別絡少陰所結刺可入同身寸之二分留七呼若灸者可灸三壯此五穴者並督脈氣所發也 新校正云詳王氏云少一穴按氣府論注十二椎節下有陽關一穴若通數陽關則不少矣 次俠督脈兩傍大腸俞在第十六椎下俠督脈兩傍去督脈各同身寸之一寸半刺可入同身寸之三分留六呼若灸者可灸三壯小腸俞在第十八椎下兩傍相去及刺灸分壯法如大腸俞膀胱俞在第十九椎下兩傍相去及刺灸分壯法如大腸俞中膂內俞在第二十椎下兩傍相去如大腸俞俠脊膂胂起肉留十呼白環俞在第二十一椎下兩傍相去如大腸俞伏而取之刺可入同身寸之五分若灸者可灸三壯 新校正云按甲乙經云刺入八分不

可灸 此五穴者足太陽脉氣所發所謂腎俞者則此也又次外兩傍胃倉
在第十二椎下兩傍相去各同身寸之三寸刺可入同身寸之五分若灸者可
灸三壯肓門在第十三椎下兩傍相去及刺灸分壯法如胃倉志室在第十四
椎下兩傍相去及刺灸分壯法如胃倉正坐取之胞肓在第十九椎下兩傍相
去及刺灸分壯法如胃倉伏而取之秩邊在第二十一椎下兩傍相去及刺灸
分壯法如胃倉伏而取之此五穴者並足太陽脉氣所發也次伏菟上兩行中
注在齊下同身寸之五分兩傍相去任脉各同身寸之五分 新校正云按甲
乙經同氣府注云俠中行方一寸文異而義同 四滿在中注下同身寸之一
寸氣穴在四滿下同身寸之一寸大赫在氣穴下同身寸之一寸橫骨在大赫
下同身寸之一寸各橫相去同身寸之一寸並衝脉足少陰之會刺可入同身
寸之一寸若灸者可灸五壯次外兩傍穴外陵在齊下同身寸之一寸 新校
正云按氣府論注云外陵在天樞下一寸與此正同 兩傍去衝脉各同身寸
之一寸半大巨在外陵下同身寸之一寸水道在大巨下同身寸之三寸歸來
在水道下同身寸之二寸氣街在歸來下 新校正云按氣府注刺熱注熱穴
注云在腹齊下橫骨兩端鼠鼷上一寸刺禁注云在腹下俠齊兩傍相去四寸
鼠僕上一寸動脉應手骨空注云在手際兩傍鼠鼷上諸注不同今備錄之
鼠鼷上同身寸之一寸各橫相去同身寸之二寸此五穴者並足陽明脉氣所
發水道刺可入同身寸之二寸半若灸者可灸五壯氣街刺可入同身寸之三
分留七呼若灸者可灸三壯餘三穴並刺可入同身寸之八分若灸者並可五
壯所謂腎之街者則此也踝上各一行行六者太鍾在足內踝後街中 新校
正云按甲乙經云跟後衝中刺瘧注刺腰痛注作跟後街中動脉此云內踝後
此注非 足少陰絡別走太陽者刺可入同身寸之二分留三呼若灸者可灸
三壯復溜在內踝上同身寸之二寸陷者中足少陰脉之所行也刺可入同身
寸之三分留三呼若灸者可灸五壯照海在內踝下刺可入同身寸之四分留
六呼若灸者可灸三壯交信在內踝上同身寸之二寸少陰前太陰後筋骨間
陰蹻之郄刺可入同身寸之四分留五呼若灸者可灸三壯築賓在內踝上端

分中陰維之郄刺可入同身寸之三分若灸者可灸五壯陰谷在膝下內輔骨之後大筋之下小筋之上按之應手屈膝而得之足少陰脉之所入也刺可入同身寸之四分若灸者可灸三壯所謂腎經之下行名曰太衝者則此也帝曰春取絡脉分肉何也岐伯曰春者木始治肝氣始生肝氣急其風疾經脉常深其氣少不能深入故取絡脉分肉間帝曰夏取盛經分腠何也岐伯曰夏者火始治心氣始長脉瘦氣弱陽氣留溢新校正云按別本留一作流熱熏分腠內至於經故取盛經分腠絕膚而病去者邪居淺也絕謂破絕令病得出也所謂盛經者陽脉也帝曰秋取經俞何也岐伯曰秋者金始治肺將收殺三陰已升故漸將收殺金將勝火陽氣在合金王火衰故云金將勝火陰氣初勝濕氣及體以漸於雨濕霧露故云濕氣及體未盛未能深入故取俞以寫陰邪取合以虛陽邪陽氣始衰故取於合新校正云按皇甫士安云是謂治秋之治變帝曰冬取井榮何也岐伯曰冬者水始治腎方閉陽氣衰少陰氣堅盛巨陽伏沈陽脉乃去去謂下去故取井以下陰逆取榮以實陽氣新校正云按全元起本實

作遺甲乙經千金作通故曰冬取井滎春不鼽衄新校正云按皇甫士安云是謂末冬之治變此之謂也新校正云按此與四時刺逆從論及診要經終論義頗不同與九卷之義相通帝曰夫子言治熱病五十九俞余論其意未能領別其處願聞其處因聞其意岐伯曰頭上五行行五者以越諸陽之熱逆也頭上五行者當中行謂上星顖會前頂百會後頂次兩傍謂五處承光通天絡却玉枕又次兩傍謂臨泣目窓正營承靈腦空也上星在顱上直鼻中央入髮際同身寸之一寸陷者中容瓜刺可入同身寸之三分顖會在上星後同身寸之一寸陷者中刺可入同身寸之四分前頂在顖會後同身寸之一寸五分骨間陷者中刺如顖會法百會在頂後同身寸之一寸五分頂中央旋毛中陷容指督脈足太陽脈之交會刺如上星法後頂在百會後同身寸之一寸五分枕骨上刺如顖會法然是五者皆督脈氣所發也上星留六呼若灸者並可灸五壯次兩傍穴五處在上星兩傍同身寸之一寸五分承光在五處後同身寸之一寸通天在承光後同身寸之一寸五分絡却在通天後同身寸之一寸五分玉枕在絡却後同身寸之七分然是五者並足太陽脈氣所發刺可入同身寸之三分五處通天各留七呼絡却留五呼玉枕留三呼若灸者可灸三壯新校正云按甲乙經承光不灸玉枕刺入二分又次兩傍臨泣在頭直目上入髮際同身寸之五分足太陽少陽陽維三脈之會目窓正營遞相去同身寸之一寸承靈腦空遞相去同身寸之一寸五分然是五者並足少陽陽維二脈之會腦空一穴刺可入同身寸之四分餘並可刺入同身寸之三分臨泣留七呼若灸者可灸五壯大杼膺俞缺盆背俞此八者以寫胷中之熱也大杼在項第一椎下兩傍相去各同身寸之一寸半陷者中督脈別絡手

足太陽三脉氣之會刺可入同身寸之三分留七呼若灸者可灸五壯新校正云按甲乙經并氣穴注作七壯刺瘧注刺熱注作五壯一膺俞者膺中俞也正名中府在胷中行兩傍相去同身寸之六分雲門下一寸乳上三肋間動脉應手陷者中仰而取之手足太陰脉之會刺可入同身寸之三分留五呼若灸者可灸五壯缺盆在肩上橫骨陷者中手陽明脉氣所發刺可入同身寸之二分留七呼若灸者可灸三壯背俞即風門熱府俞也在第二椎下兩傍各同身寸之一寸五分督脉足太陽之會刺可入同身之五分留七呼若灸者可灸五壯今中誥孔穴圖經雖不名之既曰風門熱府即治熱之背俞也新校正云按王氏注刺熱論云背俞未詳何處注此指名風門熱府注氣穴論以大杼為背俞三注不同者蓋亦疑之也

氣街三里巨虛上下廉此八者以寫胃中之熱也氣街在腹齊下橫骨兩端鼠鼷上同身寸之一寸動脉應手足陽明脉氣所發刺可入同身寸之三分留七呼若灸者可灸三壯新校正云按氣街諸注不同具前水穴注中三里在膝下同身寸之三寸䯒外廉兩筋肉分間足陽明脉之所入也刺可入同身寸之一寸留七呼若灸者可灸三壯巨虛上廉足陽明與大腸合在三里下同身寸之三寸足陽明脉氣所發刺可入同身寸之八分若灸者可灸五壯巨虛下廉足陽明與小腸合在上廉下同身寸之三寸足陽明脉氣所發刺可入同身寸之三分若灸者可灸三壯矣

雲門髃骨委中髓空此八者以寫四支之熱也雲門在巨骨下胷中行兩傍相去同身寸之六寸動脉應手足太陰脉氣所發新校正云按甲乙經同氣穴注作手太陰刺熱注亦作手太陰經舉臂取之刺可入同身寸之七分若灸者可灸三壯驗今中誥孔穴圖經無髃骨穴有肩髃穴正在肩端兩骨間手陽明蹻脉之會刺可入同身寸之六分留六呼若灸者可灸三壯委中在足膝後屈處膕中央約文中動脉足太陽脉之所入也刺可入同身寸之五分留七呼若灸者可灸三壯按今中誥孔穴圖經云腰俞穴一名髓

空在脊中第二十一推節下主汗不出足清不仁督脉氣所發也刺可入同身寸之二寸留七呼若灸者可灸三壯 新校正云詳膂俞刺入二寸當作二分以具前水穴注中

五藏俞傍五此十者以寫五藏之熱也

俞傍五者謂魄户神堂魂門意舍志室五穴俠脊兩傍各相去同身寸之三寸並足太陽脉氣所發也魄户在第五推下兩傍正坐取之刺可入同身寸之五分若灸者可灸五壯神堂在第五推下兩傍刺可入同身寸之三分若灸者可灸五壯魂門在第九椎下兩傍正坐取之刺可入同身寸之五分若灸者可灸三壯意舍在第十一推下兩傍正坐取之刺可入同身寸之五分若灸者可灸三壯志室在第十四椎下兩傍正坐取之刺可入同身寸之五分若灸者可灸三壯

凡此五十九穴者皆熱之左右也帝曰人傷於寒而傳為熱何也岐伯曰夫寒盛則生熱也

寒氣外凝陽氣內鬱腠理堅緻玄府閉封緻則氣不宜通封則濕氣內結中外相薄寒盛熱生故人傷於寒轉而為熱汗之而愈則外凝內鬱之理可知斯乃新病數日者也

黃帝內經素問卷第十六

音釋

骨空論篇第六十

譩譆 上音衣下音僖 髎 力調切 瘻 音漏 咽 於千切 俠 胡帖切 膞 音傳 瘕 音賈 篡 初患切 膂 呂胎同脊骨 癃 音隆又作𤻲膀胱不利也 嗌 於昔切咽也 楗 其偃切 膕 音國曲脚中也

骱戶當切脛也濼書若切踝胡瓦切髖音寬髋同在髀上字說謂汚襪所隱尻去高切五行戶當切下同髆音博髀音彼股也滲所禁切撅其月切腨市兗切腓腸也跗方无切足上也趺同

齧魚結切

水熱穴論篇第六十一

胕音附菀音宛閟音祕溜力救切䐈音奚綴持二切俞音無行戶當切

踝胡瓦切鼽音求衄奴六切別井節切杼直呂切髃偶魚二音肩前也

黄帝内經素問卷第十七

啓玄子次註林億孫奇高保衡等奉　勑校正孫兆重改誤

調經論篇第六十二

新校正云按全元起本在第一卷

黄帝問曰余聞刺法言有餘寫之不足補之何謂有餘何謂不足岐伯對曰有餘有五不足亦有五帝欲何問帝曰願盡聞之岐伯曰神有餘有不足氣有餘有不足血有餘有不足形有餘有不足志有餘有不足凡此十者其氣不等也神屬心氣屬肺血屬肝形屬脾志屬腎以各有所宗故不等也帝曰人有精氣津液四支九竅五藏十六部三百六十五節乃生百病百病之生皆有虛實今夫子乃言有餘有五不足亦有五何以生之乎鍼經曰兩神相薄合而成形常先身生是謂精上焦開發宣五穀味熏膚充身澤毛若霧露之溉是謂氣腠理發泄汗出腠理是謂津津之滲於空竅留而不行者為液也十六部者謂手足二九竅九五藏五合為十六部也三百六十五節者非謂骨節是神氣出入之處也鍼經曰所謂節之交三百六十五會皆神氣出入遊行之所非骨節也言人身所有則多所舉則少病生之數何以論之岐伯曰皆生於五藏也謂五神藏也夫

心藏神肺藏氣肝藏血脾藏肉腎藏志而此成形言所以病皆生於五藏者何哉以內藏五神而成形也志意通內連骨髓而成形五藏志意者通言五神之大凡也骨髓者通言表裏之成化也言五神通泰骨髓化成身形既立及五藏互相為有也　新校正云按甲乙經無五藏二字五藏之道皆出於經隧以行血氣血氣不和百病乃變化而生是故守經隧焉隧潛道也經脉伏行而不見故謂之經隧焉血氣者人之神邪侵之則血氣不正血氣不正故變化而百病乃生矣然經脉者所以決死生處百病調虛實故守經隧焉　新校正云按甲乙經經隧作經渠義各通帝曰神有餘不足何如岐伯曰神有餘則笑不休神不足則悲心之藏也鍼經曰心藏脉脉舍神心氣虛則悲實則笑不休也悲一為憂誤也　新校正云詳王注云悲一為憂誤也按甲乙經及太素并全元起注本並作憂皇甫士安云心虛則悲悲則憂心實則笑笑則喜夫心之與肺脾之與心互相成也故喜發於心而成於肺思發於脾而成於心一過其節則二藏俱傷楊上善云心之憂在心變動也肺之憂在肺之志是則肺主秋憂為正也心主於夏變而生憂也血氣未并五藏安定邪客於形洒淅起於毫毛未入於經絡也故命曰神之微并謂并合也未與邪合故曰未并也洒淅寒皃也始起於毫毛尚在於小絡神之微病故命曰神之微也　新校正云按甲乙經洒淅作悽厥太素作洫泝楊上善云洫毛孔也水逆流曰泝謂邪氣入於腠理如水逆流於洫帝曰補寫奈何岐伯曰神有餘則寫其小絡之血出血

勿之深斥無中其大經神氣乃平邪入小絡故可寫其小絡之脉出其血勿深推鍼鍼深則傷肉也以邪居小絡故不欲令鍼中大經也絡血既出神氣自平斥推也小絡孫絡也鍼經曰經脉爲裏支而横者爲絡絡之别者爲孫絡平謂平調也 新校正云詳此注引鍼經曰與三部九候論注兩引之在彼云靈樞而此曰鍼經則王氏之意指靈樞爲鍼經也按今素問注中引鍼經者多靈樞之文但以靈樞今不全故未得盡知也 神不足者視其虚絡按而致之刺而利之無出其血無泄其氣以通其經神氣乃平但通經脉令其和利抑按虚絡令其氣致以神不足故不欲出血及泄氣也 新校正云按甲乙經按作切利作和 帝曰刺微柰何覆前初起於毫毛未入於經絡者 岐伯曰按摩勿釋著鍼勿斥移氣於不足神氣乃得復按摩其病處手不釋散著鍼於病處亦不推之使其人神氣内朝於鍼移其人神氣令自充足則微病自去神氣乃得復常 新校正云按甲乙經及太素云移氣於足無不字楊上善云按摩使氣至於踵也 帝曰善氣有餘不足柰何岐伯曰氣有餘則喘欬上氣不足則息利少氣肺之藏也肺藏氣息不利則喘鍼經曰肺氣虚則鼻息利少氣實則喘喝胷盈仰息也 血氣未并五藏安定皮膚微病命曰白氣微泄肺合皮其色白故皮膚微病命曰白氣微泄 帝曰補寫柰何岐伯曰氣有餘則寫其經隧無傷其經無出其血無泄其氣不足則補其經隧無

出其氣氣謂榮氣也鍼寫若傷其經則血出而榮氣泄脫故不欲出血泄氣但寫其衛氣而已鍼補則又宜謹閉穴俞然其衛氣亦不欲泄之新校正云按揚上善云經隧者手太陰之別從手太陰走手陽明乃是手太陰向手陽明之道欲道藏府陰陽故補寫皆從正經別走之絡寫其陰經別走之路不得傷其正經也帝曰刺微柰何覆前白氣微泄者岐伯曰按摩勿釋出鍼視之曰我將深之適人必革精氣自伏邪氣散亂無所休息氣泄腠理眞氣乃相得亦謂按摩其病處也革皮也我將深之適人必革者謂其深而淺刺之也如是脇從則人懷懼色故精氣潛伏也以其調適於皮精氣潛伏邪無所據故乱散而無所休息發泄於腠理也邪氣既泄眞氣乃與皮腠相得矣新校正云按揚上善云革改也夫人聞樂至則身心忻悅聞痛及體情必改異忻悅則百體俱縱改革則情志必拒拒則邪氣消伏帝曰善血有餘不足柰何岐伯曰血有餘則怒不足則恐肝之藏也鍼經曰肝藏血肝氣虛則恐實則怒新校正云按全元起本恐作悲甲乙經及太素同血氣未并五藏安定孫絡外溢則經有留血絡有邪盛則入於經故云孫絡外溢則經有留血帝曰補寫柰何岐伯曰血有餘則寫其盛經出其血不足則視其虛經內鍼其脉中久留而視新校正云按甲乙經云久留之血至太素同脉大疾出其鍼無令血泄脉盛滿則血有餘故出之經氣虛則血不足故無令血泄也久留疾出是謂下之鍼解論曰徐而疾則實義與此同帝曰刺留血柰

何歧伯曰視其血絡刺出其血無令惡血得入於經以成其疾（血絡滿者刺按出之則惡色之血不得入於經脉）帝曰善形有餘不足柰何歧伯曰形有餘則腹脹涇溲不利不足則四支不用（脾之藏也鍼經曰脾氣虛則四支不用五藏不安實則腹脹涇溲不利涇大便溲小便也新校正云按楊上善云涇作經婦人月經也）血氣未并五藏安定肌肉蠕動命曰微風（邪薄肉分衛氣不通陽氣內鼓故肉蠕動新校正云按全元起本及甲乙經蠕作溢太素作濡）帝曰補寫柰何歧伯曰形有餘則寫其陽經不足則補其陽絡（並胃之經絡）帝曰刺微柰何歧伯曰取分肉間無中其經無傷其絡衛氣得復邪氣乃索（衛氣者所以温分肉而充皮膚肥腠理而司開闔故肉蠕動即取分肉間但開肉分以出其邪故無中其經無傷其絡衛氣復舊而邪氣盡索散蓋也）帝曰善志有餘不足柰何歧伯曰志有餘則腹脹飱泄不足則厥（腎之藏也鍼經曰腎藏精精舍志腎氣虛則厥實則脹脹謂脹起厥謂逆行上衝也足少陰脉下行今氣不足故隨衝脉逆行而上衝也）血氣未并五藏安定骨節有動（腎合骨故骨有邪薄則骨節鼓動或骨節之中如有物鼓動之也）帝曰補寫柰何歧伯曰志有餘則寫然筋血者（新校正云按甲乙經及太素云寫然筋血者出其血楊上善云然筋當是然谷下筋再詳諸處）

引然谷者多去然骨之前血者疑少骨之二字前字誤作筋字不足則補其復溜然謂然谷足少陰滎也在內踝之前大骨之下陷者中血絡盛則泄之其刺可入同身寸之三分留三呼若灸者可灸三壯復溜足少陰經也在內踝上同身寸之二寸陷者中刺可入同身寸之三分留三呼若灸者可灸五壯帝曰刺未并奈何岐伯曰即取之無中其經邪所乃能立虛不求穴俞而直取居邪之即故云即取之新校正云按甲乙經邪所作以去其邪帝曰善余已聞虛實之形不知其何以生岐伯曰氣血以并陰陽相傾氣亂於衛血逆於經血氣離居一實一虛衛行脈外故氣亂於衛血行經內故血逆於經血氣不和故一虛一實血并於陰氣并於陽故為驚狂氣并於陽則陽氣外盛故為驚狂血并於陽氣并於陰乃為炅中氣并於陰則陽氣內盛故為熱中炅熱也血并於上氣并於下心煩惋善怒血并於下氣并於上亂而喜忘上謂鬲上下謂鬲下帝曰血并於陰氣并於陽如是血氣離居何者為實何者為虛岐伯曰血氣者喜溫而惡寒寒則泣不能流溫則消而去之泣謂如雪在水中凝住而不行去也是故氣之所并為血虛血之所并為氣虛氣并於血則血少故血虛血并於氣則氣少故氣虛帝曰人之所有者血與氣耳

今夫子乃言血并爲虚氣并爲虚是無實乎岐伯曰有者爲實無者爲虚氣并於血則血無血并於氣則氣無故氣并則無血血并則無氣今血與氣相失故爲虚焉氣并於血則血失其氣血并於氣則氣失其血故曰血與氣相失絡之與孫脉俱輸於經血與氣并則爲實焉血之與氣并走於上則爲大厥厥則暴死氣復反則生不反則死帝曰實者何道從來虚者何道從去虚實之要願聞其故岐伯曰夫陰與陽皆有俞會陽注於陰陰滿之外陰陽勻平以充其形九候若一命曰平人平人謂平和之人夫邪之生也或生於陰或生於陽其生於陽者得之風雨寒暑其生於陰者得之飲食居處陰陽喜怒帝曰風雨之傷人奈何岐伯曰風雨之傷人也先客於皮膚傳入於孫脉孫脉滿則傳入於絡脉絡脉滿則輸於大經脉血氣與邪并客於分腠之間其脉堅大故曰實實者外堅充滿不可按之按之則痛

帝曰寒濕之傷人奈何岐伯曰寒濕之中人也皮膚不收
新校正云按全元起云不收不仁也甲乙經及太素云皮膚收無不字 肌肉堅緊榮血泣衛氣去故曰
虛虛者聶辟氣不足按之則氣足以溫之故快然而不痛
聶謂聶皺辟謂辟疊也新校正云按甲乙經作攝辟太素作攝辟 帝曰善陰之生實奈何實謂邪氣盛也岐
伯曰喜怒不節則陰氣上逆上逆則下虛下虛則陽氣走
之故曰實矣新校正云按經云喜怒不節則陰氣上逆疑剩喜字 帝曰陰之生虛奈何虛謂精氣
奪也 岐伯曰喜則氣下悲則氣消消則脉虛空因寒飲食寒
氣重滿新校正云按甲乙經作動藏 則血泣氣去故曰虛矣帝曰經言陽
虛則外寒陰虛則內熱陽盛則外熱陰盛則內寒余已聞
之矣不知其所由然也經言謂上古經言也 岐伯曰陽受氣於上焦以
溫皮膚分肉之間今寒氣在外則上焦不通上焦不通則
寒氣獨留於外故寒慄慄謂振慄也 帝曰陰虛生內熱奈何岐
伯曰有所勞倦形氣衰少穀氣不盛上焦不行下脘不通

（新校正云按甲乙經作下焦不通）胃氣熱熱氣熏胸中故內熱（甚用其力致勞倦也貪役不食
故穀氣不盛也）帝曰陽盛生外熱奈何岐伯曰上焦不通利則皮
膚緻密腠理閉塞玄府不通（新校正云按甲乙經及太素無玄府二字）衛氣不得
泄越故外熱（外傷寒毒內薄諸陽寒外盛則皮膚收皮膚收則腠理密故衛氣稸聚無所流行矣寒氣外薄陽氣內爭積火內燔故生外熱也）
帝曰陰盛生內寒奈何岐伯曰厥氣上逆寒氣積於
胸中而不寫不寫則溫氣去寒獨留則血凝泣凝則脉不
通（新校正云按甲乙經作腠理不通）其脉盛大以濇故中寒（溫氣謂陽氣也陰逆內滿則陽氣去於皮外也）
帝曰陰與陽并血氣以并病形以成刺之奈何岐伯曰刺
此者取之經隧取血於營取氣於衛用形哉因四時多少
高下（營主血陰氣也衛主氣陽氣也夫行鍼之道必先知形之長短骨之廣狹循三備法通計身形以施分寸故曰用形也四時多少高下具在下篇）
帝曰血氣以并病形以成陰陽相傾補寫奈何岐伯曰寫
實者氣盛乃內鍼鍼與氣俱內以開其門如利其戶鍼與
氣俱出精氣不傷邪氣乃下外門不閉以出其疾搖大其

道如利其路是謂大寫必切而出大氣乃屈（言欲開其穴而泄其氣也切謂急也言急出其鍼也鍼解論曰疾而徐則虛者疾出鍼而徐按之也大氣謂大邪氣也屈謂退屈也）帝曰補虛奈何岐伯曰持鍼勿置以定其意候呼内鍼氣出鍼入鍼空四塞精無從去方實而疾出鍼氣入鍼出熱不得還閉塞其門邪氣布散精氣乃得存動氣候時（新校正云按甲乙經作動無後時）近氣不失遠氣乃來是謂追之（言但密閉穴俞勿令其氣散泄也近氣謂已至之氣遠氣謂未至之氣也欲動經氣而為補補者皆必候水刻氣之所在而刺之是謂得時而調之追言補也鍼經曰追而濟之安得無實則此謂也）帝曰夫子言虛實者有十生於五藏五藏五脉耳夫十二經脉皆生其病（新校正云按甲乙經云皆生百病太素同）今夫子獨言五藏夫十二經脉者皆絡三百六十五節節有病必被經脉經脉之病皆有虛實何以合之岐伯曰五藏者故得六府與為表裏經絡支節各生虛實其病所居隨而調之（從其左右經氣支節而調之）病在脉調之血（脉者血之府脉實血實脉虛血虛由此脉病而調之血也新校正云按全元起本及甲乙經云病在血調之也）病在血調之絡（血病則絡脉易故調

之於絡也 病在氣調之衛 衛主氣故氣病而調之衛也 病在肉調之分肉 候寒熱而取之 病在筋調之筋 適緩急而刺熨之 病在骨調之骨 察輕重而調之 燔鍼劫刺其下及與急者 調筋法也筋急則燒鍼而劫刺之 病在骨焠鍼藥熨 調骨法也焠鍼火鍼也 病不知所痛兩蹻為上 兩蹻謂陰陽蹻脉陰蹻之脉出於照海陽蹻之脉出於申脉申脉在足外踝下陷者中容爪甲新校正云按刺腰痛注云在踝下五分中刺可入同身寸之三分留六呼若灸者可灸三壯照海在足內踝下刺可入同身寸之四分留六呼若灸者可灸三壯 身形有痛九候莫病則繆刺之 莫病謂無病也繆刺者刺絡脉左痛刺右右痛刺左 痛在於左而右脉病者巨刺之 巨刺者刺經脉左痛刺右右痛刺左 必謹察其九候鍼道備矣

黃帝內經素問卷第十七

音釋

調經論篇第六十二

隧音遂俗作隧 洒所賣切 淅音析 中去聲 溲所有切 蠕而兖切蠕同動也字說云蠕動耎而不強 索星各切 炅古迥切熱也 惋音腕驚也 綴持二切 濇所力切又音澁 焠七內切 蹻去遙切

黄帝内經素問卷第十八

啓玄子次註林億孫奇高保衡等奉敕校正孫兆重改誤

繆刺論篇第六十三 新校正云按全元起本在第二卷

黄帝問曰余聞繆刺未得其意何謂繆刺 繆刺言所刺之穴應用如紀繆綱紀也 岐伯對曰夫邪之客於形也必先舍於皮毛留而不去入舍於孫脈留而不去入舍於絡脈留而不去入舍於經脈内連五藏散於腸胃陰陽俱感五藏乃傷此邪之從皮毛而入極於五藏之次也如此則治其經焉今邪客於皮毛入舍於孫絡留而不去閉塞不通不得入於經流溢於大絡而生奇病也 病在血絡是謂奇邪新校正云按全元起本大絡十五絡也 夫邪客大絡者

左注右右注左上下左右與經相干而布於四末其氣無常處不入於經俞命曰繆刺四末謂四支也帝曰願聞繆刺以左取右以右取左柰何其與巨刺何以別之岐伯曰邪客於經左盛則右病右盛則左病亦有移易者新校正云按甲乙經作病易且移左痛未已而右脉先病如此者必巨刺之必中其經非絡脉也先病者謂彼痛未止而此先病以承之故絡病者其痛與經脉繆處故命曰繆刺絡謂正經之傍支非正別也亦兼公孫飛揚等之別絡也　新校正云按王氏云非正別也按本論邪客足太陰絡令人腰痛注引從髀合陽明上絡嗌貫舌中乃太陰之正也是亦兼脉之正安得謂之非正別也帝曰願聞繆刺奈何取之何如岐伯曰邪客於足少陰之絡令人卒心痛暴脹胷脇支滿以其絡支別者並正經從腎上貫肝鬲走於心包故邪客之則病如是無積者刺然骨之前出血如食頃而已然骨之前然谷穴也在足內踝前起大骨下陷者中足少陰榮也刺可入同身寸之三分留三呼若灸者可灸三壯刺此多見血令人立飢欲食不已左取右右取左言痛在左取之右痛在右取之左餘如此例病新發者取五日已素有此病而新發先刺之五日乃盡已

邪客於手少陽之絡令人喉痺舌卷口乾心煩臂外廉

痛手不及頭以其脉循手表出臂外上肩入缺盆布膻中散絡心包其支者從膻中上出缺盆上項又心主其舌故病如是刺手中指次指爪甲上去端如韭葉各一痏謂關衝穴少陽之井也刺可入同身寸之一分留三呼若灸者可灸三壯左右手皆刺之故言各一痏痏瘡也新校正云按甲乙經關衝穴出手小指次指之端今言中指者誤也壯者立已老者有頃已左取右右取左此新病數日已邪客於足厥陰之絡令人卒疝暴痛以其絡去內踝上同身寸之五寸別走少陽其支別者循脛上睾結於莖故令人卒疝景痛睾陰丸也刺足大指爪甲上與肉交者各一痏謂大敦穴是大指之端去爪甲角如韭葉厥陰之井也刺可入同身寸之三分留十呼若灸者可灸三壯男子立已女子有頃已左取右右取左邪客於足太陽之絡令人頭項肩痛以其經之正者從腦出別下項支別者從膊內左右別下又其絡自足上行循背上頭故頭項肩痛也新校正云按甲乙經云其支者從巔入絡腦還出別下項王氏云經之正者正當作支刺足小指爪甲上與肉交者各一痏立已謂至陰穴太陽之井也刺可入同身寸之一分留五呼若灸者可灸三壯新校正云按甲乙經云在足小指外側去爪甲角如韭葉不已刺外踝下三痏左取右右取左如食頃已謂金門穴足太陽郄也在外踝下刺可入同身寸之三分若灸者可灸三壯邪客於手陽明之絡令人氣滿胷中喘息而支胠胷中熱以其經自有端

入缺盆絡肺其支別者從缺盆中直而上頸故病如是刺手大指次指爪甲上去端如韭葉各一痏左取右右取左如食頃已謂商陽穴手陽明之井也刺可入同身寸之一分留一呼若灸者可灸一壯　新校正云按甲乙經云商陽在手大指次指內側去爪甲角如韭葉邪客於臂掌之間不可得屈刺其踝後新校正云　按全元起云是人手之本節踝也先以指按之痛乃刺之以月死生為數月生一日一痏二日二痏十五日十五痏十六日十四痏隨日數也月半以前謂之生月半以後謂之死虧滿而異也邪客於足陽蹻之脈令人目痛從內眥始以其脈起於足上行至頭而屬目內眥故病令人目痛從內眥始也何以明之八十一難經曰陽蹻脈者起於跟中循外踝上行入風池鍼經曰陰蹻脈入鼽屬目內眥合於太陽陽蹻而上行尋此則至於目內眥也刺外踝之下半寸所各二痏謂申脈穴陽蹻之所生也在外踝下陷者中容爪甲刺可入同身寸之三分留六呼若灸者可灸三壯　新校正云按刺腰痛注云外踝下五分左刺右右刺左如行十里頃而已人有所墮墜惡血留內腹中滿脹不得前後先飲利藥此上傷厥陰之脈下傷少陰之絡刺足內踝之下然骨之前血脈出血此少陰之絡也　新校正云詳血脈出血脈字疑是絡字刺足跗上動脈謂衝陽穴胃之原也刺可入同身寸之三分留十呼若灸者可灸三壯主腹大不嗜食以腹脹

滿故繆取之不已刺三毛上各一痏見血立已左刺右右刺左謂大敦穴

厥陰之井也善悲驚不樂刺如右方善悲驚不樂亦如上法刺之邪客於手陽

明之絡令人耳聾時不聞音以其經支者從缺盆上頸貫頰又其絡支別者入耳會於宗脉故病令人

耳聾時不聞聲刺手大指次指爪甲上去端如韭葉各一痏立聞亦同

前商陽穴不已刺中指爪甲上與肉交者立聞謂中衝穴手心主之井也在手中指之端

去爪甲如韭葉陷者中刺可入同身寸之一分留三呼若灸者可灸三壯古經脫簡無絡可尋之恐是刺小指爪甲上與肉交者也何以言之下文云手少陰

絡會於耳中也若小指之端是謂少衝手少陰之井刺可入同身寸之一分留一呼若灸者可灸一壯　新校正云按王氏云恐是小指爪甲上少衝穴按甲

乙經手心主之正上循喉嚨出耳後合少陽完骨之下如是則安得不刺中衝而疑為少衝也其不時聞者不可刺也

不時聞者絡氣已絕故不可刺耳中生風者亦刺之如此數左刺右右刺左

凡痹往來行無常處者在分肉間痛而刺之以月死生

為數用鍼者隨氣盛衰以為痏數鍼過其日數則脫

氣不及日數則氣不寫左刺右右刺左病已止不已復

刺之如法言所以約月死生為數者何以隨氣之盛衰也月生一日一痏二日二痏漸多之

十五日十五痏十六日十四痏漸少之如是刺之則無過數無不及也邪客於足陽明之經令人鼽衄上齒寒以其脈起於鼻交頞中下循鼻外入上齒中還出俠口環脣下交承漿却循頤後下廉出大迎循頰車上耳前故病令人鼽衄上齒寒也復以其脈左右交於面部故舉經脈之病以明繆處之類故下文云　新校正云按全元起本與甲乙經陽明之經作陽明之絡刺足中指次指爪甲上與肉交者各一痏左刺右右刺左中當為大亦傳寫中大之誤也據靈樞經孔穴圖經中指次指爪甲上無穴當言刺大指次指爪甲上乃厲兌穴陽明之井不當更有次指二字也厲兌者刺可入同身寸之一分留一呼若灸者可灸一壯　新校正云按甲乙經云刺足中指爪甲止無次指二字蓋以大指次指為中指義與王注同下文云凡陽明中指爪甲上亦謂此穴也厲兌在足大指次指之端去爪甲角如韭葉邪客於足少陽之絡令人脇痛不得息欬而汗出以其脈支別者從目兌眥下大迎合手少陽於䪼下加頰車下頸合缺盆以下胷中貫鬲絡肝膽循脇故令人脇痛欬而汗出刺足小指次指爪甲上與肉交者各一痏謂竅陰穴少陽之井也刺可入同身寸之一分留一呼若灸者可灸三壯　新校正云按甲乙經竅陰在足小指次指之端去爪甲角如韭葉不得息立已汗出立止欬者溫衣飲食一日已左刺右右刺左病立已不已復刺如法邪客於足少陰之絡令人嗌痛不可內食無故善怒氣上走賁上以其經支別者從肺出絡心注胷中又其正經從腎上貫肝鬲入肺中循

喉嚨俠舌本故病令人嗌乾痛不可內食無故善怒氣上走賁上也賁謂氣奔也　新校正云詳王注以賁上為氣奔者非按難經胃為賁門楊操云賁鬲也是氣上走鬲上也經既云氣上走安得更以賁為奔上之解　刺足下中央之脉各三痏凡六刺立已左刺右右刺左謂涌泉穴少陰之井也在足心陷者中屈足踡指宛宛中刺可入同身寸之三分留三呼若灸者可灸三壯

嗌中腫不能內唾時不能出唾者刺然骨之前出血立已左刺右右刺左亦足少陰之絡也以其絡並大經循喉嚨故爾刺之此二十九字本錯簡在邪客手足少陰太陰足陽明之絡前今遷於此　新校正云詳正注以其絡並大經循喉嚨差互按甲乙經足少陰之絡並經上走心包少陰之經循喉嚨今王氏之注經與絡交互當以甲乙經為正

邪客於足太陰之絡令人腰痛引少腹控䏚不可以仰息足太陰之絡從髀合陽明上貫尻骨中與厥陰少陽結於下髎而循尻骨內入腹上絡嗌貫脊中故腰痛則引少腹控於䏚中也䏚謂季脇下之空軟處也受邪氣則絡拘急故不可以仰伸而喘息也刺腰痛篇中無息字　新校正云詳王注云足太陰之絡按甲乙經乃太陰之正非絡也王氏謂之絡者未詳其理　刺腰尻之解兩胂之上是腰俞以月死生為痏數發鍼立已左刺右右刺左腰尻骨間曰解當中有腰俞刺可入同身寸之二寸　新校正云按氣府論注作二分刺熱論注作二分水穴篇注作二分熱穴篇注作二寸甲乙經作二寸　留七呼主與經同中誥孔穴經云左取右右取左穴當中不應爾也次腰下俠尻有骨空各四皆主腰痛下髎主與經同是足太陰厥陰少陽所結刺可入同身寸之二寸留十呼若灸者可灸三壯胂謂兩髁胂也腰俞髁胂皆當取之也　新校正云按此

邪客足太陰之絡并刺法一項已見刺腰痛篇中彼注甚詳此特多是腰俞三字耳別按全元起本舊無此三字王氏頗知腰俞無左右取之理而注之而不知全元起本舊無

邪客於足太陽之絡令人拘攣背急引脇而痛以其經從髆內左右別下貫胂合膕中故病令人拘攣背急引脅而痛新校正云按全元起本及甲乙經引脇而痛下更云內引心而痛刺之從項始數脊椎俠脊疾按之應手如痛刺之傍三痏立已從項始數脊椎者謂從大椎數之至第二椎兩傍各同身寸之一寸五分內循脊兩傍按之有痛應手則邪客之處也隨痛應手深淺即而刺之邪客在脊骨兩傍故言刺之傍也

邪客於足少陽之絡令人留於樞中痛髀不可舉以其經出髀樞繞髦際橫入髀厭中故痛令人留於髀樞後痛解不可舉也樞謂髀樞也刺樞中以毫鍼寒則久留鍼以月死生為數立已髀樞之後則環銚穴也正在髀樞後故言刺髀樞後也環銚者足少陽脈氣所發刺可入同身寸之一寸留二十呼若灸者可灸三壯毫鍼者第七鍼也新校正云按甲乙經環銚在髀樞中氣穴論云在兩髀厭分中此經云刺樞中而王氏以謂髀樞之後者誤也

治諸經刺之所過者不病則繆刺之正言也經不病則邪在絡故繆刺之若經所過有病是則經病不當繆刺矣

耳聾刺手陽明不已刺其通脈出耳前者手陽明謂前手大指次指去端如韭葉者也是謂商陽據中誥孔穴圖經手陽明脈中商陽合谷陽谿偏歷四穴並主耳聾今經所指謂前商陽不謂此合谷等穴也耳前通脈手陽明脈正當聽會之分刺可入同身寸之四分若灸者可灸三壯

齒齲刺手陽

明不已刺其脉入齒中者立已據甲乙流注圖經下陽明脉中商陽二間三間合谷陽谿徧歷溫留七穴並主齒痛手陽明脉貫頰入下齒中足陽明脉循鼻外入上齒中也邪客於五藏之間其病也脉引而痛時來時止視其病繆刺之於手足爪甲上各刺其井左取右右取左視其脉出其血間日一刺一刺不已五刺已有血脉者則刺之如此數繆傳引上齒齒脣寒痛視其手背脉血者去之若病繆傳而引上齒齒脣寒痛者刺手背陽明絡也足陽明中指爪甲上一痏手大指次指爪甲上各一痏立已左取右右取左謂第二指厲兌穴也手大指次指謂商陽穴手陽明井也鍼經曰齒痛不惡清飲取足陽明惡清飲取手陽明　新校正云詳前文邪客足陽明刺中指次指爪甲上是誤剩次指二字當如此只言中指爪甲上乃是邪客於手足少陰太陰足陽明之絡此五絡皆會於耳中上絡左角手少陰眞心脉足少陰腎脉手太陰肺脉足太陰脾脉足陽明胃脉此五絡皆會於耳中而出絡左額角也五絡俱竭令人身脉皆動而形無知也其狀若尸或曰尸厥言其卒冒悶而如死尸身脉猶如常人而動也然陰氣盛於上則下氣重上而邪氣逆邪氣逆則陽氣亂陽氣亂則五絡閉結而不通故其狀若尸也以是從厥而生故或曰尸厥刺其足大指內側爪甲上去端如韭葉謂隱白穴足太陰之井也刺可入同身寸之一分留三呼若灸者可灸三壯後刺

足心謂涌泉穴足少陰之井也刺同前取涌泉穴法後刺足中指爪甲上各一痏謂第二指足陽明之井也刺同前取厲兌穴法後刺手大指內側去端如韭葉謂少商穴手太陰之井也刺可入同身寸之一分留三呼若灸者可灸三壯後刺手心主謂中衝穴手心主之井也刺可入同身寸之一分留三呼若灸者可灸一壯　新校正云按甲乙經不刺手心主詳此五絡之數亦不及手心主而此刺之是有六絡未會王冰相隨注之不爲明辨之旨也少陰銳骨之端各一痏立已謂神門穴在掌後銳骨之端陷者中手少陰之俞也刺可入同身寸之三分留七呼若灸者可灸三壯不已以竹管吹其兩耳言使氣入耳中內助五絡令氣復通也當內管入耳以手密擫之勿令氣泄而極吹之令氣蹙然後絡脈通也　新校正云按陶隱居云吹其左耳極三度復吹其右耳三度鬄其左角之髮方一寸燔治飲以美酒一杯不能飲者灌之立已左角之髮是五絡血之餘故取之燔治飲之以美酒也酒者所以行藥勢又炎上而內走於心心主脈故以美酒服之凡刺之數先視其經脈切而從之審其虛實而調之不調者經刺之有痛而經不病者繆刺之因視其皮部有血絡者盡取之此繆刺之數也

四時刺逆從論篇第六十四新校正云按厥陰有餘至筋急目痛全元起本在第六卷春氣在經脈至篇末全元起本在第一卷

厥陰有餘病陰痹 痹謂痛也陰謂寒也有餘謂厥陰氣盛滿故陰發於外而爲寒痹 新校正云詳王氏以痹爲痛未通

不足病生熱痹 陰不足則陽有餘故爲熱痹

滑則病狐疝風濇則病少腹積氣 厥陰脉循股陰入髦中環陰器抵少腹又其絡支別者循脛上睪結於莖故爲狐疝少腹積氣也 新校正云按楊上善云狐夜不得尿日出方得人之所病與狐同故曰狐疝一日孤疝謂三焦孤府爲疝故曰孤疝

少陰有餘病皮痹隱軫不足病肺痹 腎水逆連於肺母故也足少陰脉從腎上貫肝鬲入肺中故有餘病皮痹隱軫不足病肺痹也

滑則病肺風疝濇則病積溲血 以其正經入肺貫腎絡膀胱故爲肺疝及積溲血也

太陰有餘病肉痹寒中不足病脾痹 脾主肉故如是

滑則病脾風疝濇則病積心腹時滿 太陰之脉入腹屬脾絡胃其支別者復從胃別上鬲注心中故爲脾疝心腹時滿也

陽明有餘病脉痹身時熱不足病心痹 胃有餘則上歸於心不足則心下痹故爲是

滑則病心風疝濇則病積時善驚 心主之脉起於胸中出屬心包下鬲歷絡三焦故爲心疝時善驚

太陽有餘病骨痹身重不足病腎痹 太陽與少陰爲表裏故有餘不足皆病歸於腎也

滑則病腎風疝濇則病積善時巔疾 太陽之脉交於巔上入絡腦下循膂絡腎故爲腎風及巔病也

少陽有餘病筋痹脇滿不足病肝痹 少陽與厥陰爲表裏故病歸於肝

滑則病肝風疝濇則病積

時筋急目痛肝主筋故時筋急厥陰之脉上出額與督脉會於巔其支別者從目系下頰裏故目痛是故春氣在經脉夏氣在孫絡長夏氣在肌肉秋氣在皮膚冬氣在骨髓中帝曰余願聞其故岐伯曰春者天氣始開地氣始泄凍解冰釋水行經通故人氣在脉夏者經滿氣溢入孫絡受血皮膚充實長夏者經絡皆盛內溢肌中秋者天氣始收湊理閉塞皮膚引急引謂牽引以縮急也冬者蓋藏血氣在內著骨髓通於五藏是故邪氣者常隨四時之氣血而入客也至其變化不可為度然必從其經氣辟除其邪除其邪則亂氣不生得氣而調故不亂帝曰逆四時而生亂氣奈何岐伯曰春刺絡脉血氣外溢令人少氣血氣溢於外則中不足故少氣新校正云按自春刺絡脉至令人目不明與診要經終論義同文異彼注甚詳於此此分四時此分五時然此有長夏刺肌肉之分而逐時各關刺秋分之事疑此肌肉之分即彼秋皮膚之分也也春刺肌肉環逆令人上氣血逆氣上故上氣新校正云按經關春刺秋分春刺筋骨血氣內著令人腹脹內著不散故脹夏刺經脉血氣乃竭令人解

㑊血氣竭少故解㑊然不可名之也解㑊謂寒不寒熱不熱壯不壯弱不弱故不可名之也夏刺肌肉血氣內却令
人善恐卻閉也血氣內閉則陽氣不通故善恐夏刺筋骨血氣上逆令人善怒血氣上逆
則怒氣相應故善怒 新校正云按經闕夏刺秋分秋刺經脉血氣上逆令人善忘血氣上逆滿於肺中故善
忘秋刺絡脉氣不外行新校正云按別本作血氣不行全元起本作氣不備外大素同令人卧不欲
動以虛甚故 新校正云按經闕秋刺長夏分秋刺筋骨血氣內散令人寒慄血氣內散則
氣虛故寒慄冬刺經脉血氣皆脫令人目不明以血氣無所營故也冬刺絡脉
內氣外泄留為大痺冬刺肌肉陽氣竭絕令人善忘陽氣不壯至春
而竭故善忘新校正云按經闕冬刺秋分凡此四時刺者大逆之病新校正云按全元起本作六經之形不
可不從也反之則生亂氣相淫病焉淫不次也不次而行如浸淫相染而生病也故
刺不知四時之經病之所生以從為逆正氣內亂與精相
薄必審九候正氣不亂精氣不轉不轉謂不逆轉也帝曰善刺五藏
中心一日死其動為噫診要經終論曰中心者環死刺禁論曰一日死其動為噫中肝五日死
其動為語診要經終論闕而不論刺禁論曰中肝五日死其動為語 新校正云按甲乙經語作欠中肺三日死

其動爲欬（診要經終論曰中肺五日死刺禁論曰中肺三日死其動爲欬）中腎六日死（新校正云按甲乙經作三日）其動爲嚏欠（診要經終論曰中腎七日死刺禁論曰中腎六日死其動爲嚏　新校正云按甲乙經無欠字）中脾十日死（新校正云按甲乙經作十五日）其動爲吞（診要經終論曰中脾五日死刺禁論曰中脾十日死其動爲吞然此三論皆岐伯之言而死日動變不同傳之誤也）刺傷人五藏必死其動則依其藏之所變候知其死也（變謂氣動變也中心下至此並爲逆從重文也）

標本病傳論篇第六十五（新校正云按全元起本在第二卷皮部論篇前）

黃帝問曰病有標本刺有逆從奈何岐伯對曰凡刺之方必別陰陽前後相應逆從得施標本相移故曰有其在標而求之於標有其在本而求之於本有其在本而求之於標有其在標而求之於本故治有取標而得者有取本而得者有逆取而得者有從取而得者（得病之情知治大體則逆從皆可施必中爲）故知逆與從正行無問知標本者萬舉萬當（道不疑惑識斷深明則無問於人正行皆當）不知標本是謂妄行（識猶褊淺道未高深舉且見違故行多妄）夫陰陽逆

從標本之爲道也小而大言一而知百病之害著之至也言別陰陽知逆順法明著
見精微觀其所舉則小尋其所利則大以斯明著故言一而知百病之害少而多淺而博可以言一而知百
也言少可以貫多舉淺可以料大者何法之明故非聖人之道孰能至於是耶故學之者猶可以言一而知百病也博大也以淺而知深
察近而知遠言標與本易而勿及雖事極深玄人非咫尺略以淺近而悉貫之然標本之道易而可為
言而世人識見無能及者治反爲逆治得爲從先病而後逆者治其本先
逆而後病者治其本先寒而後生病者治其本先病而後
生寒者治其本先熱而後生病者治其本先熱而後生中
滿者治其標先病而後泄者治其本先泄而後生他病者治
其本必且調之乃治其他病先病而後生中滿者治其標先中
滿而後煩心者治其本人有客氣有同氣新校正云按全元起本同作固小大
不利治其標小大利治其本本先病標後病必謹察之病發而有餘本而
標之先治其本後治其標病發而不足標而本之先治其
標後治其本本而標之謂有先病復有後病也以其有餘故先治其本後治其標也標而本之謂先發輕微緩者後發重大急者以其

不足故先治其標後治其本也謹察間甚以意調之間謂多也甚謂少也多謂多形證而輕易少謂少形證而重難也以意調之謂審量標本不足有餘非謂捨法而以意妄為也間者并行甚者獨行先小大不利而後生病者治其本并謂他脉共受邪氣而合病也獨為一經受病而無異氣相參也并甚則相傳傳急則亦死夫病傳者心病先心痛藏真通於心故心先痛一日而欬心火勝金傳於肺也肺在變動為欬故爾三日脇支痛肺金勝木傳於肝也以其脉循脇肋故如是五日閉塞不通身痛體重肝木勝土傳於脾也脾性安鎮木氣乘之故閉塞不通身痛體重三日不已死以勝相伐唯弱[illegible]傷豈其能久故為[illegible]死冬夜半夏日中謂正子午之時也或言冬夏有異非也晝夜之[illegible]甚昭然　新校正云按靈樞經大氣入藏病先發於心一日而之肺三日而之肝五日而之脾三日不已死冬夜半夏日中[illegible]經曰病先發於心心痛一日之肺而欬三日之肝肋支痛五日之脾閉塞不通身痛體重三日不已死冬夜半夏日中詳素問言其病靈樞言其藏甲乙經并素問靈樞二經之文而病與藏兼舉之肺病喘欬[illegible]肺而主息故喘欬三日而脇支滿痛肺傳於肝一日身重體痛[illegible]於脾五日而脹自傳於府十日不已死冬日入夏日出孟冬之中日入於申之八刻二分仲冬之中日入於申之七刻三分季冬之中入於申與孟月等孟夏之中日出於寅之八刻一分仲夏之中日出於寅之七刻三分季夏之中日出於寅與孟月等肝病頭目眩脇支痛藏真散於肝脉內連目脇故如是三日體重身痛肝傳於脾五日

而脹自傳於府三日腰脊少腹痛脛痠謂胃傳於腎以其脉起於足循腨內出膕內廉上股內後廉貫脊屬腎絡膀胱故如是也腰爲腎之府故腰痛三日不已死冬日入新校正云按甲乙經作日中夏早食日入早晏如冬法也早食謂早於食時則卯正之時也脾病身痛體重藏真濡於脾而主肌肉故爾一日而脹自傳於府二日少腹腰脊痛脛痠胃傳於腎三日背䏚筋痛小便閉自傳於府及之䏚也十日不已死冬人定夏晏食人定謂申後二十五刻晏食謂寅後二十五刻腎病少腹腰脊痛胻痠藏真下於腎故如是三日背䏚筋痛小便閉傳[illegible]新校正云按靈樞經云之䏚膀胱是自傳於府及之䏚也三日腹脹膀胱傳於小腸新校正云按[illegible]甲乙經云三日上之心心[illegible]三日兩脇支痛府傳於藏新校正云按靈樞經云二日之小腸[illegible]上之心今云兩脇支痛是小腸府傳心藏而[illegible]不已死冬大晨夏晏晡大晨謂寅後九刻大明之時也晏晡謂申後九刻向昏之時也胃病脹滿以其脉循腹故如是五日少腹腰脊痛胻痠胃傳於腎三日背䏚筋痛小便閉自傳於府及之䏚也五日身體重膀胱水府傳入脾也新校正云按靈樞經及甲乙經各云五日上之心是膀胱傳心爲相勝而身體重今王氏言傳脾者誤也六日不已死冬夜半後夏日昳夜半後謂子後八刻丑正時也日昳謂午後八刻未正時也膀胱病小便閉以其爲津液之府故爾五日少腹脹腰

脊痛胻痠自歸於藏一日腹脹腎復傳於小腸一日身體痛小腸傳於脾新校正云按靈樞經云一日上之心是府傳於藏也甲乙經作之脾與王注同二日不已死冬雞鳴夏下晡雞鳴謂早雞鳴丑正之分也下晡謂日下於晡時申之後五刻也

諸病以次相傳如是者皆有死期不可刺五藏相移皆如此有緩傳者有急傳者緩者或一歲二歲三歲而死其次或三月若六月而死急者一日二日三日四日或五六日而死則此類也尋此病傳之法皆五行之氣考其日數理不相應夫以五行為紀以不勝之數傳於所勝者謂火傳於金當云一日金傳於木當云二日木傳於土當云四日土傳於水當云三日水傳於火當云五日也若以己勝之數[illegible]者則木三日傳於土土五日傳於水水一日傳於火火二日傳於金[illegible]日傳於木經之傳日似法三陰三陽之氣玉機真藏論曰五藏相通移皆有[illegible]三月若六月若三日若六日傳而當死此與同也雖爾猶當臨病詳[illegible]數[illegible]悉是非爾間一藏止新校正云按甲乙經無止字及至三四藏者乃可刺也[illegible]前一藏而不更傳也則謂木傳土土傳水水傳火火傳金金傳木而止皆[illegible]一藏也及至三四藏者皆謂至前第三第四藏也諸至三藏者皆是其[illegible]勝[illegible]之氣也至四藏者皆至已所生之父母也不勝則不能為害於彼所生則父子無剋伐之期氣順以行故刺之可矣

黃帝內經素問卷第十八

音釋

繆刺論篇第六十三

繆明又切 別并戚切 必中去聲 卒七沒切 痏于鬼切也 踝胡瓦切 胠音祛脅上 背在計切

跗甫無切足上也 鼽音求鼻塞也 衄奴六切鼻出血也 嗌於昔切咽也 尻去高切臗也 胂音申脢也 髀音彼股也

齵丘禺切齒齵也 鬄他計切又音錫鬄髢同

四時刺逆從論篇第六十四

濇所力切 溲所有切或作溲 巔音顛頂也 著直略切 㑊音亦 卻去約切俗作却 薄并切

嚏音帝

標本論篇第六十五

別必列切 易而上音異 間去聲下同 眩音縣 脛胡正切䯒腸也 痠先丸切脚疼 䐃力[illegible]

切脛也 晡博孤切日入時 昳徒結切日昃也

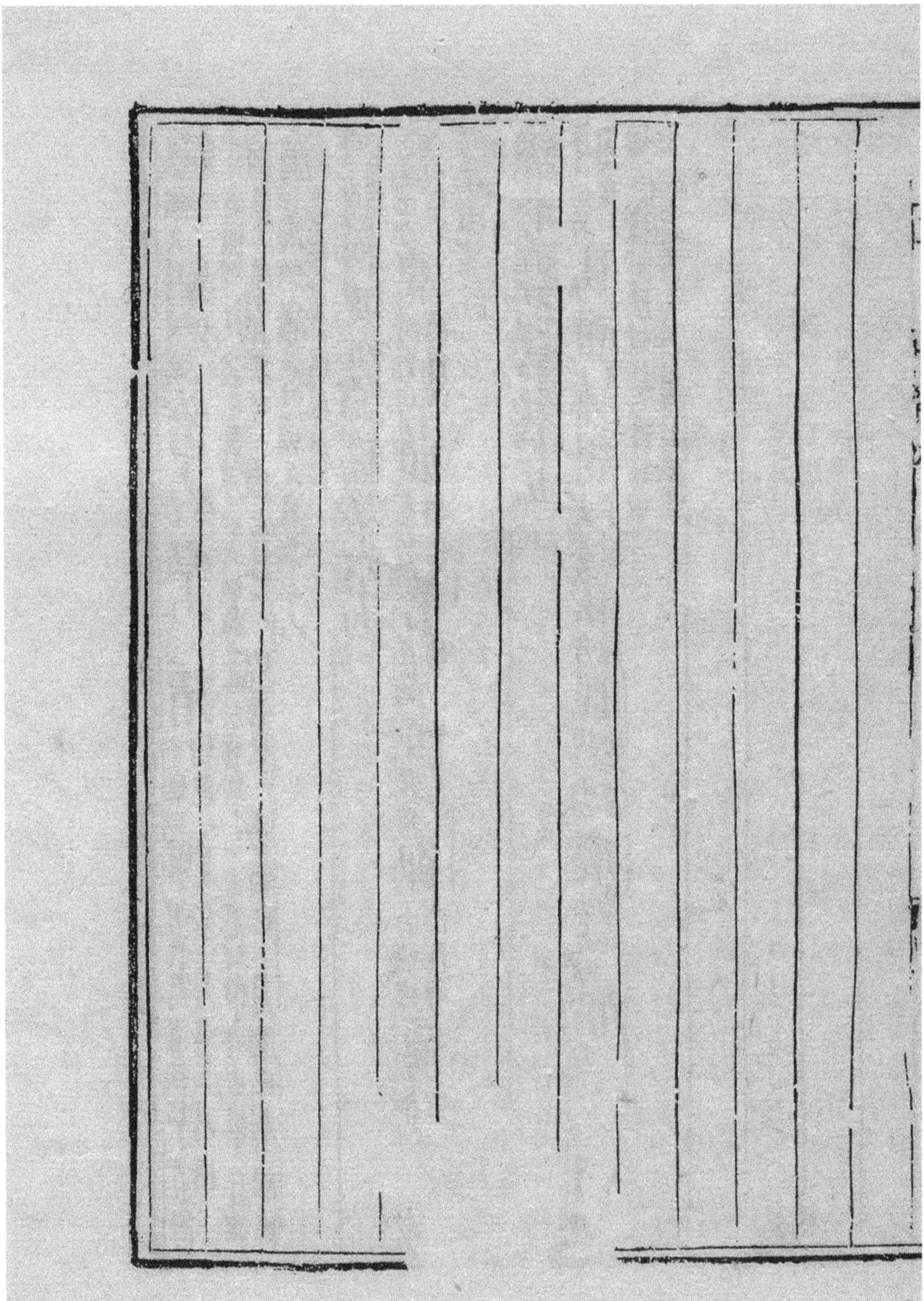

黃帝內經素問卷第二十

啓玄子次注林億孫奇高保衡等奉　敕校正孫兆重改誤

氣交變大論

五常政大論

氣交變大論篇第六十九

新校正云詳此論專明氣交之變乃五運太過不及德化政令災變勝復爲病之事

黃帝問曰五運更治上應天朞陰陽往復寒暑迎隨眞邪相薄內外分離六經波蕩五氣傾移太過不及專勝兼并願言其始而有常名可得聞乎朞三百六十五日四分日之一也專勝謂五運主歲太過也兼并謂主歲之不及也常名謂布化於太虛人身參應病之形診也　新校正云按天元紀大論云五運相襲而皆治之終朞之日周而復始又曰五氣運行各終朞日太始天元冊文曰萬物資始五運終天即五運更治上應天朞之義也岐伯稽首再拜對曰昭乎哉問也是明道也此上帝所貴先師傳之臣雖不敏往聞其旨言非已心之生知備聞先人往古受傳之遺旨也帝曰余聞得其人不教是謂失道傳非其人慢泄天寶余誠菲德未足以受至道帝與衆

哀其不終願夫子保於無窮流於無極余司其事則而行之奈何至道者非傳之難非知之難行之難聖人愍念蒼生同居永壽故屈身降志請受於天師太上貴德故後己先人苟非其人則道無虛授黃帝欲仁慈惠遠博愛流行尊道下身拯乎黎庶乃曰余司其事則而行之也岐伯曰請遂言之也上經曰夫道者上知天文下知地理中知人事可以長久此之謂也夫道者大無不包細無不入故天文地理人事咸通 新校正云詳夫道者一節與著至教論文重帝曰何謂也岐伯曰本氣位也位天者天文也位地者地理也通於人氣之變化者人事也故太過者先天不及者後天所謂治化而人應之也三陰三陽司天司地以表定陰陽生化之紀是謂位天位地也五運居中司人氣之變化故曰通於人氣也先天後天謂生化氣之變化所主時也太過歲化先時至不及歲化後時至帝曰五運之化太過何如太過謂歲氣有餘也 新校正云詳太過五化具五常政大論中岐伯曰歲木太過風氣流行脾土受邪木餘故土氣卑屈民病飧泄食減體重煩冤腸鳴腹支滿上應歲星飧泄謂食不化而下出也脾虛故食減體重煩冤腸鳴腹支滿也歲木氣太盛歲星光明逆守星屬分皆災也新校正云按藏氣法時論云脾虛則腹滿腸鳴飧泄食不化甚則忽忽善怒眩冒巔疾凌犯太甚則遇於金故自病 新校正云按玉機眞藏論云肝脈太過則令人善怒忽忽眩冒巔疾爲肝實而然則

〔此病不獨木太過遇金自病肝實亦自病也〕化氣不政生氣獨治雲物飛動草木不寧甚而搖落反脅痛而吐甚衝陽絕者死不治上應太白星〔諸壬歲也木餘土抑故不能布政於萬物也生氣木氣也太過故獨治而生化也風不務德非分而動則太虛之中雲物飛動草木不寧動而不止金則勝之故甚則草木搖落也勝反痛不乘土也衝陽胃脉也木氣勝而土氣乃絕故死也金後而太白逆守屬星者危也其災之發害於東方人之曰應則先害於脾後傷肝也書曰滿招損化其類也 新校正云詳此太過五化言星之例有三木與土運先言歲鎮後言勝巳之星火與金運先言熒惑太白次言勝巳之星後再言熒惑星白水運先言辰星次言鎮星後再言辰星兼見巳勝之星也〕歲火太過炎暑流行金肺受邪〔火不以德則邪害於金若以德行則政和平也〕民病瘧少氣欬喘血溢血泄注下嗌燥耳聾中熱肩背熱上應熒惑星〔少氣謂氣少不足以息也血泄謂血利傳血也血溢謂血上出於上竅也注下謂水利也中熱謂胷心之中也背為胷中之府肩接近之故胷心中及肩背熱也火氣太盛則熒惑光芒逆臨宿屬分皆災也 新校正云詳火盛而剋金寒熱交爭故為瘧按藏氣法時論云肺病者欬喘肺虛者少氣不能報息耳聾嗌乾〕甚則胷中痛脅支滿脅痛膺背肩胛間痛兩臂內痛〔新校正云按藏氣法時論云心病者胷中痛脅支滿脅下痛膺背肩甲間痛兩臂內痛〕身熱骨痛而為浸淫〔火无德令縱熱害金水為復讎故火自病 新校正云按玉機真藏論云心脉太過則令人身熱而膚痛為浸淫此云骨痛者誤也〕收氣不行長氣獨明雨水霜寒〔今詳水字當作冰〕上

應辰星金氣退避火氣獨行水氣折之故雨零冰雹及徧降霜寒而殺物也水復於火天象應之辰星逆凌乃寒災於物也占辰星者常在日之前後三十度其災發之當至南方在人之應則內先傷肝後反傷心　新校正云按五常政太論雨冰霜寒作雨冰霜雹上臨少陰少陽火燔焫水泉涸物焦槁新校正云按五常政大論云赫曦之紀上徵而收氣後又六元正紀大論云戊子戊午太徵上臨少陰戊寅戊申太徵上臨少陽臨春太過不及皆曰天符病反譫妄狂越欬喘息鳴下甚血溢泄不已太淵絕者死不治上應熒惑星諸戊歲也戊午戊子歲少陰五臨戊寅戊申歲少陽上臨是謂天符之歲也太淵肺脉也火勝而金絕故死火既太過又火熱上臨兩火相合故形斯候熒惑逆犯宿屬皆危　新校正云詳戊辰戊戌歲上見太陽是謂天刑運故當盛而不得盛則火化減半非太過又非不及也歲土太過雨濕流行腎水受邪上無德乃爾民病腹痛清厥意不樂體重煩冤上應鎮星腹痛謂大腹小腹痛也清厥謂足逆冷也意不樂如有隱憂也土來刑水象應之鎮星逆犯宿屬則災　新校正云按藏氣法時論云腎病者身重腎虛者大腹小腹痛清厥意不樂甚則肌肉萎足痿不收行善瘛脚下痛飲發中滿食減四支不舉脾主肌肉外應四支又其脉起於足大指之端循核骨內側斜出絡跗故病如是　新校正云按藏氣法時論云脾病者身重善肌肉痿足不收行善瘛脚下痛又王機眞藏論云脾太過則令人四支不舉變生得位新校正云詳太過五化獨此宮變生得位者舉一而四氣可知也又以土王時月難知故此詳言之也藏氣伏化氣獨治之泉涌河衍涸澤

生魚風雨大至土崩潰鱗見于陸病腹滿溏泄腸鳴反下甚
而太谿絶者死不治上應歲星諸甲歲也得位謂季月也藏水氣也化土氣也土化大過故水藏伏匿而
化氣獨治土勝木復故風雨大至水泉涌河渠溢乾澤生魚濕既甚矣風又鼓之故土崩潰土崩潰謂垣頹岸仆山落地入也河溢泉涌枯澤水滋鱗物豐盛
故見于陸地也太谿腎脉也上勝而水絶故死木來折土天象逆臨加其宿屬正可憂也 新校正云按藏氣法時論云脾虚則腹滿腸鳴飧泄食不化歲
金太過燥氣流行肝木受邪金暴虐乃爾民病兩脇下少腹痛目
赤痛眥瘍耳無所聞兩脇謂兩乳之下脇之下也少腹謂齊下兩傍髎骨內也目赤謂白睛色赤也痛謂瘮痛也眥謂四際瞼睫之本也肅殺而甚則體重煩冤胷痛引背兩脇滿且痛
引少腹上應太白星金氣已過肅殺又甚木氣內畏感而病生金盛應天太白明大加臨宿屬必受災害 新校正云按藏氣法時論云肝病者兩脇下痛引少腹肝虚則目䀮䀮无所見耳无所聞又玉機真藏論云肝脉不及則令人胷痛引背下則兩脇胠滿甚則
喘欬逆氣肩背痛尻陰股膝髀腨䯒足皆病上應熒惑
星火氣復之自生病也天象示應在熒惑逆加守宿屬則可憂也 新校正云按藏氣法時論云肺病者喘欬逆氣肩背痛汗出尻陰股膝髀腨䯒足皆病收氣峻生氣下草木斂蒼乾凋隕病反暴痛胠脇不可
反側新校正云詳此云反暴痛不言何所痛者按至真要大論云心脇暴痛不可反側則此乃心脇暴痛也欬逆甚而血

溢太衝絶者死不治上應太白星諸庚歲也金氣峻虐木氣被刑火未來復則如是也斂謂巳生枝葉
斂附其身也太衝肝脉也金勝而木絶故死當是之候太白應之逆守星屬病
皆危也 新校正云按庚子庚午庚寅庚申歲上見少陰少陽司天是謂天刑
運金化減半故當盛而不得盛非太過又非不及也歲水太過寒氣流行邪害心火水不務德
暴虐乃然民病身熱煩心躁悸陰厥上下中寒譫妄心痛寒氣
早至上應辰星悸心跳動也譫亂語也妄妄見聞也天氣盛辰星瑩明加其宿屬災乃至 新校正云按陰厥在後金不及復則陰
厥有注甚則腹大脛腫喘欬寢汗出憎風新校正云按藏氣法時論云腎病者腹大脛腫喘欬
身重寢汗出憎風再詳太過五化木言化氣不政生氣獨治火言收氣不行長氣獨明土言藏氣伏長氣獨治金言收氣峻生氣下水當言藏氣乃盛長氣失
政今獨亡者闕文也大雨至埃霧朦鬱上應鎮星水盛不已為土所乘故彰斯候埃霧朦鬱土之氣腎
之脉從足下上行入腹從腎上貫肝鬲入肺中循喉嚨故生是病腎為陰故寢則汗出而憎風也臥寢汗出即其病也夫土氣勝折水之強故鎮星明盛昭其
應也上臨太陽雨冰雪霜不時降濕氣變物新校正云按五常政大論云流衍之紀上羽而
長氣不化又六元正紀大論云丙辰丙戌太羽上臨太陽臨者太過不及皆曰天符病反腹滿腸鳴溏泄食不化
新校正云按藏氣法時論云脾虛則腹滿腸鳴飧泄食不化渴而妄冒神門絶者死不治上應
熒惑辰星諸丙歲也丙辰丙戌歲太陽上臨是謂天符之歲也寒氣太甚故雨化為冰雪雨冰則雹也霜不時降彰其寒也土復其水則

大雨霖霪濕氣內深故物皆濕變神門心脉也水勝而火絕故死水盛太甚則熒惑減曜辰星明瑩加以逆守宿屬則危亡也 新校正云詳太過五獨記火水之上臨者火臨火水臨水為天符故也火臨木為逆水臨木為順火臨土為順水臨上為逆勝天火臨金為天刑運水臨金為逆更不詳出也又此獨言上應熒惑辰星舉此一例餘從而可知也 帝曰善其不及何如 謂政化少也新校正云詳不及五化具五常政大論中 岐伯曰悉乎哉問也歲木不及燥迺大行 清冷時至加之薄寒是謂燥氣燥金氣也 生氣失應草木晚榮 後時之謂失應也 肅殺而甚則剛木辟著柔萎蒼乾上應太白星 天地淒滄日見朦昧謂雨非雨謂晴非晴人意慘然氣象疑斂是為肅殺甚也剛勁硬也辟著謂辟著枝莖乾而不落也柔耎也蒼青也柔木之葉青色不變而乾卷也木氣不及金氣乘之太白之明光芒而照其盛也 民病中清胠脇痛少腹痛腸鳴溏泄涼雨時至上應太白星 新校正云按不及五化民病證中上應之星皆言運星失色畏星加臨宿屬為災此獨言畏星不言運星者經文闕也當云上應太白星歲星 其穀蒼 金氣乘木肝之病也乘此氣者腸中自鳴而溏泄者即細胠脇少腹之痛疾也微者善之甚者止之遇夏之氣亦自止也遇秋之氣而復有之涼雨時至謂應時而至也金土齊化故涼雨復行火氣不復則夏雨少金氣勝木太白臨之加其宿屬分皆災也金勝畢歲火氣不復則蒼色之穀不成實也 新校正云詳中清胠脇痛少腹痛為金乘木肝病之狀腸鳴溏泄乃脾病之證蓋以木少脾土無畏侮反受邪之故也 上臨陽明生氣失政草木再榮化氣迺急上應太白鎮星其主蒼早 諸丁歲也丁卯

丁酉歲陽明上臨是謂天刑之歲也金氣承天下勝於木故生氣失政草木再
榮生氣失政故木華晚落金氣抑木故秋夏始榮結實成熟以化氣急速故晚
結成就也金氣勝木天應同之故太白之見光芒明盛木氣既少土氣無制故
化氣生長急速木少金勝天氣應之故鎮星太白潤而明也蒼色之物又早凋
落木少金乘故也　新校正云按不及五化獨紀木上臨陽明土上臨厥陰水
上臨太陰不紀木上臨厥陰土上臨太陰金上臨陽明者經之旨各記其甚者
也故於太過運中只言上臨火水臨水此不及運中只言木臨
金土臨木水臨土故不言厥陰臨木太陰臨土陽明臨金也　復則炎暑
流火濕性燥柔脆草木焦槁下體再生華實齊化病寒
熱瘡瘍疿胗癰痤上應熒惑太白其穀白堅　火氣復金夏生大熱故萬物濕
性時變為燥流火爍物故柔脆草木及蔓延之類皆上乾死而下體再生若辛
熱之草死不生也小熱者死少大熱者死多火大復已上氣間至則涼雨降其
酸苦甘鹹性寒之物乃再發土新開之齊與先結者各承化而成熟火復其金太
白減曜熒惑上應則益光芒加其宿屬則皆災也以火反復故白堅之穀秀而
不實　白露早降收殺氣行寒雨害物蟲食甘黃脾土受邪
赤氣後化心氣晚治上勝肺金白氣乃屈其穀不成欬而
鼽上應熒惑太白星　陽明上臨金自用事故白露早降寒涼大至則收殺氣行以太陽居土濕之位寒濕相合故寒雨害
物少於成實金行伐木假途於土子居母內蟲之象也故甘物黃物蟲蠹食之
清氣先勝熱氣後復復已迺勝故火赤之氣後生化也赤後化謂草木赤華及
赤實者皆後時而再榮秀也其於五藏則心氣晚王勝於肺心勝於肺則金之
白氣乃屈退也金穀稻也鼽鼻中水出也金爲火勝天象應同故太白芒減熒

惑益明歲火不及寒迺大行長政不用物榮而下凝慘而甚則
陽氣不化迺折榮美上應辰星火少水勝故寒迺大行長政不用則物容卑下火氣既少水氣洪盛
天象出見辰星益明民病胷中痛脇支滿兩脇痛膺背肩胛間及兩
臂內痛新校正云詳此證與火太過甚則反病之狀同傍見藏氣法時論鬱冒朦昧心痛暴瘖
胷腹大脇下與腰背相引而痛新校正云按藏氣法時論云心虛則胷腹大脇下與腰背相引而痛
甚則屈不能伸髖髀如別上應熒惑辰星其穀丹諸癸歲也忠以
其脉行於是也火氣不行寒氣禁固髖髀如別屈不得伸水行乘火故熒惑減丹穀不成辰星臨其宿屬之分則皆災也復則埃鬱大
雨且至黑氣迺辱病鶩溏腹滿食飲不下寒中腸鳴泄注
腹痛暴攣痿痺足不任身上應鎮星辰星玄穀不成埃鬱
雲雨土之用也復寒之氣必以濕濕氣內淫則生腹疾身重故如是也黑氣水氣也辱屈辱也鶩鴨也土復於水故鎮星明潤臨犯宿屬則民受病災歲
土不及風迺大行化氣不令草木茂榮飄揚而甚秀而不
實上應歲星木無德也木氣專行故化氣不令生氣獨擅故草木茂榮飄揚而甚是木不以德土氣薄少故物實不成不實謂秕
惡也土不及木乘之故歲星之見潤而明也民病飧泄霍亂體重腹痛筋骨繇復肌

肉瞤酸善怒藏氣舉事蟄蟲早附咸病寒中上應歲星鎮星其穀黅諸巳歲也風客於胃故病如是土氣不及水與齊化故藏氣舉事蟄蟲早附於陽氣之所人皆病中寒之疾也繇搖也筋骨搖動已復常則已繇復也土柳不伸若歲星臨宿屬則皆災新校正云詳此文云筋骨繇復王氏雖注義不可解按至真要大論云筋骨繇併疑此復字併字之誤復則收政嚴峻名木蒼凋胸脅暴痛下引少腹善大息蟲食甘黃氣客於脾黅穀迺減民食少失味蒼穀迺損金氣復木故名木蒼凋金入於土母懷子也故甘物黃物蟲食其中金入土中故氣客於脾金氣大來與土仇復故黅減實穀不成也上應太白歲星太白芒盛歲減明也一經少此六字鈌文上臨厥陰流水不冰蟄蟲來見藏氣不用白迺不復上應歲星民迺康己亥己巳歲厥陰上臨其歲少陽在泉火司于地故蟄蟲來見流水不冰也金不得後故歲星之象如常民康不病新校正云詳木不及上臨陽明水不及上臨太陰俱後言復此先言復而後舉上臨之候者蓋白迺不復嫌於此年有復也歲金不及炎火迺行生氣迺用長氣專勝庶物以茂燥爍以行上應熒惑星火不務德而襲金危炎火既流則夏生大熱生氣舉用故庶物蕃茂燥爍氣至物不勝之爆勝之爍石流金涸泉焦草山澤燔燎雨乃不降炎火大盛天象應之熒惑之見而大明也民病肩背瞀重鼽嚏血便注下收氣迺後上應太白星其穀

堅芒諸乙歲也昚謂悶也受熱邪故生是病收金氣也火先勝故収氣後火氣勝金金不能盛若熒惑逆守宿屬之分皆受病　新校正云詳甘穀
堅芒白色可見故不云其穀白也經云上應太白以前後例相照經脫熒惑二字及詳王注言熒惑逆守之事益知經中之闕也　復則寒雨
暴至迺零冰雹霜雪殺物陰厥且格陽反上行頭腦戶痛
延及囟頂發熱上應辰星新校正云詳不及之運剋我者行勝我之子來復當來復之後勝星減曜復星明大
此只言上應辰星而不言熒惑者闕文也當云上應辰星熒惑　丹穀不成民病口瘡甚則心痛寒氣折火
則見冰雹霜雪冰雹先傷而霜雪後損皆寒氣之常也其災害迺傷於赤化也諸不及而為勝所犯子氣復之者皆歸其方也陰厥謂寒逆也格至也亦拒也
水行折火以救困金天象應之辰星明熒赤色之穀為霜雹損之　歲水不及濕迺大行長氣反用
其化迺速暑雨數至上應鎮星濕大行謂數雨也化速謂物早成也火濕齊化故暑雨數至乘水不
及而土勝之鎮星之象增益光明逆凌留犯其又甚矣　民病腹滿身重濡泄寒瘍流水腰股
痛發膕腨股膝不便煩寃足痿清厥脚下痛甚則胕腫
藏氣不政腎氣不衡上應辰星其穀秬藏氣不能申其政令故腎氣不能內致和平衡
平也辰星之應當減其明或遇鎮星臨屬宿者乃災　新校正云詳經云上應辰星注言鎮星以前後例相校此經闕鎮星二字　上臨太陰
則大寒數舉蟄蟲早藏地積堅冰陽光不治民病寒疾

於下甚則腹滿浮腫上應鎮星新校正云詳木不及上臨陽明上應太白鎮星此獨言鎮星而不言熒惑者
文闕也蓋水不及而又上臨太陰則鎮星明盛以應土氣專盛水既益弱則熒惑無畏而明大其主黅穀諸辛歲也辛丑辛未歲上
臨太陰太陽在泉故大寒數舉也土氣勝故鎮星益明黅穀應天歲成也復則大風暴發草偃木零
生長不鮮面色時變筋骨併辟肉瞤瘛目視䀮䀮物疎
璺肌肉胗發氣并鬲中痛於心腹黃氣迺損其穀不
登上應歲星木復其土故黃氣反損而黅穀不登也謂實不成無以登祭器也木氣暴復歲星下臨宿屬分者災新校正云詳
化當云上應歲星鎮星帝曰善願聞其時也岐伯曰悉乎哉問也木不
及春有鳴條律暢之化則秋有霧露清涼之政春有慘
凄殘賊之勝則夏有炎暑燔爍之復其眚東化和氣也勝金氣也復火
氣也火復於金悉因其木故災眚之作皆在東方餘眚同木火不及先言春夏之化秋冬之政者先言木火之政化次言勝復之變也新校正云按其
藏肝其病內舍胠脇外在關節東方肝之主也火不及夏有炳明光
顯之化則冬有嚴肅霜寒之政夏有慘凄凝洌之勝則
不時有埃昏大雨之復其眚南化火德也勝水虐也復土變也南方火也其藏心其

病內舍膺脇外在經絡[南方心之主也]土不及四維有埃雲潤澤之化則春有鳴條鼓拆之政四維發振拉飄騰之變則秋有肅殺霖霪之復其眚四維[東南東北西南西北方也維隅也謂日在四隅月也 新校正云詳土不及亦先言政化次言勝復]其藏脾其病內舍心腹外在肌肉四支[四維中央脾之主也]金不及夏有光顯鬱蒸之令則冬有嚴凝整肅之應夏有炎爍燔燎之變則秋有冰雹霜雪之復其眚西其藏肺其病內舍膺脇肩背外在皮毛[西方肺之主也]水不及四維有湍潤埃雲之化則不時有和風生發之應四維發埃昏驟注之變則不時有飄蕩振拉之復其眚北[飄蕩振拉大風所作 新校正云詳金水不及先言火土之化令與應故不當秋冬而言也次言者火土勝復之變也與木火土之例不同者下文也]其藏腎其病內舍腰脊骨髓外在谿谷踹膝[肉之大會為谷肉之小會為谿肉分之間谿谷之會以行榮衛以會大氣]夫五運之政猶權衡也高者抑之下者舉之化者應之變者復之此生長化成收藏之理氣之常也失常則天地四塞矣[失常之理則天地四時之氣閉塞而無所運行故動必有靜勝]

必有復乃天地陰陽之道故曰天地之動靜神明爲之紀陰陽之往復寒暑彰其兆此之謂也新校正云按故曰已下與五運行大論同上兩句又與陰陽應象大論文重彼云陰陽之外降寒暑彰其兆也帝曰夫子之言五氣之變四時之應可謂悉矣夫氣之動亂觸遇而作發無常會卒然災合何以期之岐伯曰夫氣之動變固不常在而德化政令災變不同其候也帝曰何謂也岐伯曰東方生風風生木其德敷和其化生榮其政舒啓其令風其變振發其災散落敷布也和和氣也榮滋榮也舒展也啓開也振怒也發出也散謂物飄零而散落也新校正云按五運行大論云其德爲和其化爲榮其政爲散其令宣發其變摧拉其眚爲隕義與此通南方生熱熱生火其德彰顯其化蕃茂其政明曜其令熱其變銷爍其災燔焫新校正云詳五運行大論云其德爲顯其化爲茂其政爲明其令鬱蒸其變炎爍其眚燔焫中央生濕濕生土其德溽蒸其化豐備其政安靜其令濕其變驟注其災霖潰溽濕也蒸熱也驟注急雨也霖久雨也潰爛泥也新校正云按五運行大論云其德爲濡其化爲盈其政爲謐其令雲雨其變動注其眚淫潰西方生燥燥生金其德清潔其化緊

歛其政勁切其令燥其變肅殺其災蒼隕緊縮也歛收也勁銳也切急也燥乾也肅殺謂風動草樹聲若乾也殺氣太甚則木青乾而落也　新校正云按五運行大論云其德為清其化為歛其政為勁其令霧露其變肅殺其眚蒼落　北方生寒寒生水其德淒滄其化清謐其政凝肅其令寒其變凓冽其災冰雪霜雹淒滄薄寒也謐淨也肅中外嚴整也凓冽甚寒也冰雪霜雹寒氣凝結所成水復火則非時而有也　新校正云按五運行大論云其德為寒其化為肅其政為淨其變凝冽其眚冰雹是以察其動也有德有化有政有令有變有災而物由之而人應之也夫德化政令和氣也其動淨勝復施於萬物皆悉生成變與災殺氣也其用暴速其動驟急其行損傷雖皆天地自為動靜之用然物有不勝其動者且損且病且死焉帝曰夫子之言歲候不及其太過而上應五星今夫德化政令災眚變易非常而有也卒然而動其亦為之變乎岐伯曰承天而行之故無妄動無不應也卒然而動者氣之交變也其不應焉故曰應常不應卒此之謂也德化政令氣之常也災眚變易氣卒交會而有勝負者也常謂歲四時之氣不差晷刻者不常不久也帝曰其應奈何岐伯曰各從其氣化也歲星之化以風應之熒惑之化以熱應之鎮星之化以濕應之太白之化以燥應之辰星之化以寒應之氣變則應故各從其氣化也上文言復勝皆上應之今經言應常不

應卒所謂無大變易而不應然其勝復當色有枯燥潤澤之異無見小大以應之帝曰其行之徐疾逆順何

如岐伯曰以道留久逆守而小是謂省下以道謂順行留久謂過應留之日數也省下謂察天下人君之有德有過者也以道而去去而速來曲而過之是謂省遺過也順行已去已去輒逆行而速委曲而經過是謂遺其過而輒省察之也行急行緩往多往少蓋謂罪之有大有小按其遺而斷之久留而環或離或附是謂議災與其德也環謂如環之遶盤迴而不去也火議罪金議殺土木水議德

應近則小應遠則大近謂犯星常在遠謂犯星去久大小謂喜慶及罰罪事芒而大倍常之一其化甚大常之二其眚即也甚謂政令大行也發謂起也即至也金火有之小常之一其化減小常之二是謂臨視省下之過與其德也省謂省察万國人吏侯王有德有過者也故侯王人吏安可不深思誡慎耶德者福之過者伐之有德則天降福以應之有過者天降禍以淫之則知禍福無門惟人所召爾是以象之見也高而遠則小下而近則大見物之理也故大則喜怒邇小則禍福遠象見高而小既未即禍亦未即福象見下而大福既不遠禍亦未遠但當脩德省過以候厥終苟未能慎禍而務求福祐豈有是者哉歲運大過則運星北越火運火星木運木星之類也北越謂北而行也運氣相得則各行以道無剋伐之災故守當而各行於中道故歲運

太過畏星失色而兼其母木失色而兼玄火失色而兼蒼土失色而兼赤金失色而兼黄水失色而兼白是謂兼其母也不及則色兼其所不勝木兼白色火兼玄色土兼蒼色金兼赤色水兼黄色是謂兼不勝也肖者瞿瞿莫知其妙閔閔之當孰者為良新校正云詳肖者至為良与蘭靈秘典論重彼有注妄言無徵示畏侯王不識天意心私度之妄言災咎卒無徵驗適足以示畏之兆於侯王熒惑於庶民矣帝曰其災應何如岐伯曰亦各從其化也故時至有盛衰凌犯有逆順留守有多少形見有善惡宿屬有勝負徵應有吉凶矣五星之至相王為時盛囚死為衰東行凌犯為順災輕西行凌犯為逆災重留守日多則災深留守日少則災淺星喜潤則為見善星怒燥憂喪則為見惡宿屬謂所生月之屬二十八宿及十二分所屬之位也命勝星不災不害不勝星為災小重命與星相得雖災無害災者獄訟疾病之謂也雖五星凌犯之事時遇星之囚死時月雖災不成然火犯留守逆臨則有誣譖獄訟之憂金犯則有刑殺氣鬱之憂木犯則有震驚風鼓之憂土犯則有中滿下利胕腫之憂水犯則有寒氣衝搐之憂故曰徵應有吉凶也帝曰其善惡何謂也岐伯曰有喜有怒有憂有喪有澤有燥此象之常也必謹察之夫五星之見也從夜深見之人見之喜星之喜也見之畏星之怒也光色微芒乍明乍暗星之憂也光色迥然不彰不瑩不與衆同星之喪也光色圓明不盈不縮怡然瑩然星之喜也光色勃然臨人芒彩滿溢其象懍然星之怒也澤洪潤也燥乾枯也帝曰六者高下異

乎岐伯曰象見高下其應一也故人亦應之（觀象觀色則中外之應人天咸一矣）帝曰善其德化政令之動靜損益皆何如岐伯曰夫德化政令災變不能相加也（天地動淨陰陽往復以德報德以化報化政令災眚及動復亦然故曰不能相加也）勝復盛衰不能相多也（勝盛復盛勝微復微不應以盛報微以化報變故曰不能相多也）往來小大不能相過也（勝復日數多少皆同故曰不能相過也）用之升降不能相無也（木之勝金必報火土金水皆然未有勝而無報者故氣不能相使無也）各從其動而復之耳（動必有復察動以言復也易曰吉凶悔吝者生乎動此之謂歟天雖高不可度地雖廣不可量以氣動復言之其猶視掌矣）帝曰其病生何如岐伯曰德化者氣之祥政令者氣之章變易者復之紀災眚者傷之始氣相勝者和不相勝者病重感於邪則甚也（祥善應也章程也式也復紀謂報復之綱紀也重感謂年氣已不及天氣又見剋殺之氣是為重感重謂重累也）帝曰善所謂精光之論大聖之業宣明大道通於無窮究於無極也余聞之善言天者必應於人善言古者必驗於今善言氣者必彰於物善言應者同天地之化善言化言變者通神明之理非夫子孰能

言至道歟大過不及歲化無窮氣交遷變流於無極然天垂象聖人則之以知吉凶何者歲太過而星大或明瑩歲不及而星小或失色故吉凶可指而見也吉凶者何謂物稟五常之氣以生成莫不上參應之有否有宜故曰吉凶斯至矣故曰善言天者必應於人也言古之道而今必應之故曰善言古者必驗於今也化氣生成萬物皆稟故言氣應者以物明之故曰善言應者必彰於物也彰明也氣化之應如四時行萬物備故善言應者必同天地之造化也物生謂之化物極謂之變言萬物化變終始必契於神明運為故言化變者通於神明之理聖人智周万物無所不通故言必有發動無不應之也迺擇良兆而藏之靈室每旦讀之命曰氣交變非齋戒不敢發慎傳也靈室謂靈蘭室黃帝之書府也新校正云詳此文與六元正紀大論末同

五常政大論篇第七十新校正云詳此篇統論五運有平氣不及太過之事次言地理有四方高下陰陽之異又言歲有不病而藏氣不應為天氣制之而氣有所從之說仍言六氣五類相制勝而歲有胎孕不育之理而後明在泉六化五味有薄厚之異而以治法終之此篇之大槩如此而專名五常政大論者舉其所先者言也

黃帝問曰太虛寥廓五運迴薄衰盛不同損益相從願聞平氣何如而名何如而紀也岐伯對曰昭乎哉問也木曰敷和敷布和氣物以生榮火曰升明火氣高明土曰備化廣被化氣資於群品金曰審平金氣清審平而定水曰靜順水體清淨順於物也帝曰其不及奈何岐伯曰木曰委和

陽和之氣委屈而少用也火曰伏明明曜之氣屈伏不申土曰卑監土雖卑少猶監萬物之生化也金曰從革從順革易堅成萬物水曰涸流水少故流注乾涸帝曰太過何謂岐伯曰木曰發生宣發生氣萬物以榮火曰赫曦盛明也土曰敦阜敦厚也阜高也土餘故高而厚金曰堅成氣爽風勁堅成庶物水曰流衍衍泮衍也溢也帝曰三氣之紀願聞其候岐伯曰悉乎哉問也新校正云按此論与五運行大論及陰陽應象大論金匱真言論相通敷和之紀木德周行陽舒陰布五化宣平自當其位不与物爭故五氣之化各布政令於四方無相干犯新校正云按王注太過不及各紀年辰此平木運注不紀年辰者平氣之歲不可以定紀也或者欲補注云謂丁巳丁亥丁卯壬寅壬申歲者是未達也其氣端端直豈也豐也其性隨順於物化其用曲直曲直材幹皆應用也其化生榮木化宣行則物生榮而美其類草木木體堅高草形卑下然各有堅脆剛柔蔓結條屈者其政發散春氣發散物稟以生木之化也其候溫和和春之氣也其令風木之令行以和風其藏肝方藏之氣與肝同肝其畏清清金令也木性暄故畏清五運行大論曰木其性暄又曰燥勝風其主目陽升明見目與同也其穀麻色蒼也新校正云按金匱真言論云其穀麥与此不同其果李味酸也其實核中有堅核者其應春四時之中春化同其蟲毛木化宣行則毛蟲生其畜犬如草木之生無所避也新校正云按金匱真言論云其畜雞其色蒼木化宣行則物浮蒼翠其養筋酸入筋其

病裏急支滿木氣所生　新校正云按金匱真言論云是以知病之在筋也其味酸木化敷和則物酸味厚其
音角調而直也其物中堅象土中之有木也其數八成數也外明之紀正陽而
治德施周普五化均衡均等也衡平也其氣高火炎上其性速火性躁疾其用
燔灼灼燒也燔之與灼皆火之用其化蕃茂長氣盛故物大其類火五行之氣與火類同其政明
曜德合高明火之政也其候炎暑氣之至也以是候之其令熱熱至乃令行其藏心心氣熱心應之其
畏寒寒水令也心性暑熱故畏寒五運行大論曰心其性暑又曰寒勝熱其主舌火以燭幽古申明也其穀麥色赤也
新校正云按金匱真言論云其穀黍又藏氣法時論云麥也其果杏味苦也其實絡中有支絡者其應夏
四時之氣夏氣同其蟲羽羽火象也火化宣行則羽蟲生其畜馬健決躁速火類同　新校正云按金匱真言論云其畜羊
其色赤色同又明其養血其病瞤瘛火之性動也　新校正按金匱真言論云是以知病之在脉也
其味苦外明氣化則物苦味純其音徵和而美其物脉中多支脉火之化也其數七成數也
備化之紀氣協天休德流四政五化齊脩土之德淨分助四方贊成金木水火之政土之
氣厚應天休和之氣以生長收藏終而復始故五化齊脩其氣平土之生也平而正其性順應順群品悉化成也其用
高下田土高下皆應用也其化豐滿豐滿萬物非土化不可也其類土五行之化土類同其政安

靜土體厚土德淨故政化亦然其候溽蒸溽濕也蒸熱也其令濕濕化不絶竭則土令延長其藏
脾脾氣同其畏風風木令也脾性雖四氣兼并然其所主猶畏木也五運行大論曰脾其性淨兼又曰風勝濕其
主口土體包容口主受納其穀稷色黃也新校正按金匱真言論作稷藏氣法時論作粳其果棗味甘也
其實肉中有肌肉者其應長夏長夏謂長養之夏也六月氣同新校正云按王注藏氣法時論云夏爲土母土長
于中以長而治故云長夏又注六節藏象論云所謂長夏者六月也土生於火長在夏中既長而王故云長夏其蟲倮無毛羽鱗甲土形同
其畜牛成彼稼穡土之用也牛之應用其緩而和其色黃土同也其養肉所養者厚而淨其
病否土性擁礙新校正云按金匱真言論云病在舌本是以知病之在肉也其味甘備化氣豐則物味甘厚其音宮
大而重其物膚物稟備化之氣則多肌肉其數五生數也正土不虛加故也審平之紀收而
不爭殺而無犯五化宣明犯謂刑犯於物也收而不爭殺而无犯匪審平之德何以能爲是哉其
氣潔金氣以潔白瑩明爲事其性剛性剛故摧缺於物其用散落金用則万物散落其化
堅斂收斂堅強金之化也其類金審平之化金類同其政勁肅化急速而整肅也勁銳也其候
清切清大涼也切急也風聲也其令燥燥乾也其藏肺肺氣之用同金化也其畏熱熱火
令也肺性涼故畏火熱五運行大論曰肺其性涼其主鼻肺藏氣鼻通息也其穀稻色白也新校正云按金匱真

言論作稻藏氣法時論作黃黍其果桃味辛也其實殼外有堅殼者其應秋四時之化秋氣同其
蟲介外被堅甲者其畜雞性善鬬傷象金用也新校正云按金匱真言論云其畜馬其色白色同也其
養皮毛堅同也其病欬有聲之病金之應也新校正云按金匱真言論云病在背是以知病之在皮毛其味
辛審平化治則物辛味正其音商和利而揚其物外堅金化宣行則物體外堅其數九成數
也靜順之紀藏而勿害治而善下五化咸整治化也水之性下所以德全江
海所以能為百谷王者以其善下之也其氣明清淨明照水氣所生其性下歸流於下其用沃衍用非淨事
故沫生而流溢沃沫也衍溢也其化凝堅藏氣布化則水物凝堅其類水淨順之化水同類其政流演
井泉不竭河流不息則流演之義也其候凝肅凝寒也肅淨也其令寒水令宣行則寒司物化其
藏腎腎藏之用同水化也腎其畏濕濕土氣也腎性凜故畏土濕五運行大論曰腎其性凜其主二陰
流注應同新校正云按金匱真言論云北方黑色入通於腎開竅於二陰其穀豆色黑也新校正云按金匱真言論及藏氣法時論
同其果栗味鹹也其實濡中有津液也其應冬四時之化冬氣同其蟲鱗鱗水化也
其畜彘善下也彘豕也其色黑色同也其養骨髓髓氣入骨也其病厥厥氣逆凌
上也倒行不順也新校正云按金匱真言論云病在谿是以知病之在骨也其味鹹味同也其音羽深而和其物

濡水化豐洽庶物濡潤其數六成數也故生而勿殺長而勿罰化而勿制收
而勿害藏而勿抑是謂平氣生氣主歲收氣不能縱其殺長氣主歲藏氣不能縱其罰化氣主歲生氣
不能縱其制收氣主歲長氣不能縱其害藏氣主歲化氣不能縱其抑夫如是者皆天氣平地氣正五化之氣不以勝剋為用故謂曰平和氣也委
和之紀是謂勝生丁卯丁丑丁亥丁酉丁未丁巳之歲生氣不政化氣迺揚木少故生
氣不政土寬故化氣迺揚長氣自平收令迺早火無忤犯故長氣自平木氣既少故收令迺早涼雨
時降風雲並興涼金化也雨濕氣也風木化也雲濕氣也草木晚榮蒼乾凋落
金氣有餘木不能勝故也　新校正云詳委和之紀木不及而金氣乘之故蒼乾凋落非金氣有餘木不能勝也蓋木不足而金勝之也物秀而
實膚肉內充歲生雖晚成者滿實土化氣速故如是其氣斂收斂兼金氣故其用聚不布散也
其動緛戾拘緩緛縮短也戾了戾也拘拘急也緩不收也其發驚駭木屈卒伸驚駭象也其藏
肝內應肝其果棗李棗土李木實也　新校正云詳李木實也按火土金水不及之果李當作桃王注亦非其
實核殼核木殼金主其穀稷稻金土穀也其味酸辛味酸之物熟兼辛也其色白
蒼蒼色之物熟兼白也其畜犬雞木從金畜其蟲毛介毛從介其主霧露淒
滄金之化也其聲角商角從商其病搖動注恐木受邪也從金化也木不自政

故化從金少角與判商同少角木不及故半與商金化同判半也　新校正云按火土金水之文判作少則此當云少角與少商同不云少商者蓋少角之運共有六年而丁巳丁亥上角與正角同丁卯丁酉上商與正商同丁未丁丑上宮與正宮同是六年者各有所同與火土金水之少運不同故不云同少商只大約而言半從商化也上角與正角同上見厥陰與敷和歲化同謂丁亥丁巳歲上之所見者也上商與正商同上見陽明則與平金歲化同丁卯丁酉歲上見陽明其病支廢癰腫瘡瘍金刑木也其甘蟲子在母中邪傷肝也雖化悉與金同然其所傷則歸於肝木也上宮與正宮同土蓋其木與未出等也木未出土與無木同土自用事故與正土運歲化同也上見太陰是謂上宮丁丑丁未歲上見太陰司天化之也蕭飋肅殺則炎赫沸騰蕭飋肅殺金無德也炎赫沸騰火之復也眚於三火為木復故其眚在東三東方也此言金之物勝也　新校正云按六元正紀大論云災三宮所謂復也復報復也其主飛蠹蛆雉飛羽蟲也蠹內生蟲也蛆蠅之生者此則物內自化爾雉鳥耗也迺為雷霆雷謂大聲生於太虛雲暝之中也霆謂迅雷卒如火之爆者即霹靂也

伏明之紀是謂勝長藏氣勝長也謂癸酉癸未癸巳癸卯癸丑癸亥之歲也長氣不宣藏氣反布火之長氣不能施化故水之藏氣反布於時收氣自政化令迺衡金土之義與歲氣素無干犯故金自行其政土自平其氣也寒清數舉暑令迺薄火氣不用故承化物生生而不長火令不振故承化生之物皆不長也成實而稚遇化已老物實成熟苗尚稚短以遇化氣

未長極而氣已老矣陽氣屈伏蟄蟲早藏陽不用而陰勝也若上臨癸卯癸酉歲則蟄及不藏　新校正云詳癸巳
癸亥之歲蟄亦不藏其氣鬱鬱燠不舒暢其用暴速也其動彰伏變易彰明也伏隱也
變易謂不常其象見也其發痛痛由心所生其藏心歲運之氣通於心其果栗桃栗水桃金果也
其實絡濡絡支脉也濡有汁也其穀豆稻豆水稻金穀也其味苦鹹苦兼鹹味其色
玄丹色丹之物熟兼玄也其畜馬彘火從水畜其蟲羽鱗羽從鱗其主冰雪霜
寒水之氣也其聲徵羽徵從羽其病昏惑悲忘火之燥動不拘常律陰冒陽火故昏惑不治心氣不
足故喜悲善忘從水化也火弱水強故伏明之紀半從水之政化少徵與少羽同火少故半同水化新校正云詳少徵
運六年內癸卯癸酉同正商癸巳癸亥同歲會外癸未癸丑二年少徵与少羽同故不云判羽也上商與正商同歲上見陽明則
与平金歲化同也癸卯及癸酉歲上見陽明　新校正云詳此不言上宮上角者蓋宮角於火无大剋罰故經不備去邪傷心也受病者心
凝慘凓冽則暴雨霖霪凝慘凓冽水無德也暴雨霖霪土之復也眚於九九南方也新校正云
按六元正紀大論云災九宮其主驟注雷霆震驚天地氣爭而生是變氣交之內害及粢盛及傷鱗類沉
霒淫雨沉陰淫雨濕變所生也霒音陰卑監之紀是謂減化謂化氣減少己巳己卯己丑己亥己酉己未之
歲也化氣不令生政獨彰土少而木專其羽長氣整雨迺愆收氣

平 不相干犯則平整化氣減故雨愆期 風寒並興草木榮美 風木也寒水也土少故寒氣得行生氣獨彰故草木敷榮而端美 秀而不實成而粃也 榮秀而美氣生於木化氣不滿故物實中空是以粃惡 其氣散 氣不安淨木且乘之從木之風故施散也 其用靜定 雖不能專政於時物然或舉用則終歸土德而靜定 其動瘍涌分潰癰腫 瘍瘡也涌嘔吐也分裂也潰爛中癰腫膿瘡也 其發濡滯 土性也濡濕也 其藏脾 主藏病 其果李栗 李木栗水果也 其實濡核 濡中有汁者核中堅者 新校正云詳前後濡實主水此濡字當作肉王注亦非 其穀豆麻 豆水麻木穀也 其味酸甘 甘味之物熟兼酸也 其色蒼黃 色黃之物外兼蒼也 其畜牛犬 土從木畜 其蟲倮毛 倮從毛 其主飄怒振發 木之氣用也 其聲宮角 宮從角 其病留滿否塞 土氣擁礙故 從木化也 不勝故從他化 少宮與少角同 土少故半從木化也 新校正云詳少宮之運六年內除己丑己未與正宮同己巳己亥與正角同外有己卯己酉二年少宮與少角同故不云判角也 上宮與正宮同 上見太陰則與平土運生化同也己丑己未其歲見也 上角與正角同 上見厥陰則悉見敷和之紀也己亥己巳其歲見也 其病飧泄 風之勝也 邪傷脾也 繼諸氣金病即自傷脾 新校正云詳此不言土商者土與金无相剋罰故經不紀之也又注云繼諸氣金病即自傷脾也金字疑誤 振拉飄揚則蒼乾散落 振拉飄揚本無德也蒼乾散落金之復也 其眚四維 東南西南東北西北

土之位也新校正云按六元正紀大論云災五宮其主敗折虎狼虎狼猴豺豹鹿馬獐麂諸四足之獸害於粢盛及生命也
清氣迺用生政迺辱金氣行則木氣屈從革之紀是謂折收火折金收
之氣也謂乙丑乙亥乙酉乙未乙巳乙卯之歲也收氣迺後生氣迺揚後不及時也收氣不能以時而行則生氣
自應布揚而用之也長化合德火政迺宣庶類以蕃火土之氣同生化也宣行也其氣
揚順火也其用躁切少雖後用用則切急隨火躁也其動鏗禁瞀厥鏗欬聲也禁謂二陰
禁止也瞀悶也厥謂氣上逆也其發欬喘欬金之有聲喘肺藏氣也其藏肺主藏病其果李杏
李木杏火果也其實殼絡外有殼內有支絡之實也其穀麻麥麻木麥火穀也麥色赤也其味苦
辛苦味勝辛辛兼苦也其色白丹赤加白也其畜雞羊金從火土之兼化也新校正云詳火畜馬土
畜牛今言羊故王注云從火土之兼化為羊也或者當去注中之土字甚非其蟲介羽介從羽其主明曜炎
爍火之勝也其聲商徵商從徵其病嚏欬鼽衄金之病也從火化也火氣
來勝故屈已以從之少商與少徵同金少故半同火化也新校正云詳少商運六年內除乙卯乙酉同正商乙巳乙亥同正
角外乙未乙丑二年為少商同少徵故不云判徵也上商與正商同上見陽明則與平金運生化同乙卯乙酉其歲上見也
上角與正角同上見厥陰則與平木運生化同乙巳乙亥其歲上見也新校正云詳金土無相勝剋故經不言上宮與正宮同

也邪傷肺也〔有邪之勝則歸肺〕炎光赫烈則冰雪霜雹〔炎光赫烈火無德也冰雪霜雹水之復也水復之作雹形如半珠 新校正云詳注云雹形如半珠半字疑誤〕告於七〔七西方也 新校正云按六元正紀大論云災七宮〕其主鱗伏彘鼠〔突戾潛伏歲主鱗之以傷赤實及羽類也〕歲氣早至迺生大寒〔水之化也〕

涸流之紀是謂反陽〔陰氣不及反為陽氣代之謂辛未辛巳辛卯辛酉辛亥辛丑之歲也〕藏令不舉化氣迺昌〔少水而土盛〕長氣宣布蟄蟲不藏〔太陽在泉經文背也厥陰陽明司天乃如經謂也〕土潤水泉減草木條茂榮秀滿盛〔長化之氣豐而厚也〕其氣滯〔從土也〕其用滲泄〔不能流也〕其動堅止〔謂便寫也水少不濡則乾而堅止藏氣不能固則注下而奔速〕其發燥槁〔陰少而陽盛故爾〕其藏腎〔主藏病也〕其果棗杏〔棗土杏火果也〕其實濡肉〔濡水肉土化也〕其穀黍稷〔黍火稷土穀也 新校正云按本論上文麥為火之穀今言黍者疑麥字誤為黍也雖金匱真言論作黍然本論作麥當從本篇之文也〕其味甘鹹〔甘入於鹹味甘美也〕其色黅玄〔黃如黑也〕其畜彘牛〔水從土畜〕其蟲鱗倮〔鱗從倮〕其主埃鬱昏翳〔土之勝也〕其聲羽宮〔羽從宮〕其病痿厥堅下〔水土參并故如是〕從土化也〔不勝於上故從他化〕少羽與少宮同〔水土各半化也 新校正云詳少羽之運六年內除辛丑辛未与正宮同外辛卯辛酉辛巳辛亥四歲為同少宮故不言判宮也〕上宮與正宮同〔見上〕

太陰則與平土運生化同辛丑辛未歲上見之 新校正云詳此不言角上商者蓋水於金木無相剋罰故也 其病癃閟 癃小便不通閟大便乾澀不利也 邪傷腎也 邪勝則歸腎 埃昏驟雨則振拉摧拔 埃昏驟雨土之虐也振拉摧拔木之復也 眚於一 一北方也諸謂方者國郡州縣境之方也 新校正云按六元正紀大論云災一宮 其主毛顯狐狢變化不藏 毛顯謂毛蟲麋鹿麞麂猯兔虎狼顯見傷於黃實兼害倮蟲之長也變化謂為魅狐狸當之不藏謂害粢盛鼠猯兔狸狢當之所謂毛顯不藏也 故乘危而行不速而至暴虐無德災反及之 微者復微甚者復甚氣之常也 通言五行氣少而有勝復之大凡也乘彼孤危恃乎強盛不召而往專肆威刑怨禍自招又誰咎也假令木弱金氣來乘暴虐蒼卒是無德也木被金害火必讎之金受火燔則災及也夫如是者刑甚則復甚刑微則復微氣動之常固其宜也五行之理咸迭然乎 新校正云按五運不及之詳具氣交變大論中 發生之紀是謂啓敶 物乘木氣以發生而啓陳其容質也是謂壬申壬午壬辰壬寅壬子壬戌之六歲化也敶古陳字 土踈泄蒼氣達 生氣上發故土體踈泄木之專政故蒼氣上達達通也出也行也 陽和布化陰氣迺隨 少陽先生發於萬物之表厥陰次隨營運於萬象之中也 生氣淳化萬物以榮 歲木有餘金不來勝生令布化故物以舒榮 其化生其氣美 木化宣行則物容端美 其政散 布散生榮無所不至 其令條舒 條直也理也舒啓也端直舒啓万物隨之發主之化無非順理者也 其動掉眩巔疾 掉搖動也眩旋轉也巔上首也疾病氣也 新校正云詳王不解其動之義按

後敦阜之紀其動濡積并稸王注云動謂變動又堅成之紀其動暴折瘍疰王注云動以生病盖謂氣動變動因動以生病也則木火土金水之動義皆同也又按王注脉要精微論云巔疾上巔疾也又注奇病論云巔謂上巔則頭首也此注云巔上也疾病氣也氣字為衍其德鳴靡啓拆風氣所生新校正云按六元正紀大論云其化鳴紊啓拆其變振拉摧拔振謂振怒拉謂中折摧謂仆落拔謂出本新校正云按六元正紀大論同其穀麻稻木化齊金其畜雞犬齊雞孚也其果李桃李齊桃實也其色青黃白青加於黃白自正也其味酸甘辛酸入於甘辛齊化也其象春如春之氣布散陽和其經足厥陰少陽厥陰肝脉少陽膽脉其藏肝脾肝勝脾其蟲毛介不餘故毛齊介育其物中堅外堅中堅有核之物齊等於戎殼之類也其病怒木餘故太角與上商同太過之木氣與金化齊等新校正云按太過五運獨太角言與上商同餘四運並不言者疑此文為衍上徵則其氣逆其病吐利上見少陰少陽則氣逆行壬子壬午歲上見少陰壬寅壬申歲上見少陽木餘遇火故氣不順新校正云按五運行大論云氣相得而病者以下臨上不當位也不云上羽者水臨木為相得故也不務其德則收氣復秋氣勁切甚則肅殺清氣大至草木凋零邪迺傷肝特甚太過湊犯於土土氣屯極金為復讎金行殺令故邪傷肝木也赫曦之紀是謂蕃茂物遇太陽則蕃而茂是謂戊辰戊寅戊子戊戌戊申戊午之歲也新校正云按或者云注中太陽當作太徵詳木土金水之太過注俱不言角宮商羽等運而水太過注云[illegible]水大行此火

太過是物遇太陽也安得謂之太徵乎陰氣內化陽氣外榮陰陽之氣得其序也炎暑施化

物得以昌長氣多故爾其化長其氣高長化行則物容大高氣遠則物色明其政動革易

其象不常也其令鳴顯火之用而有聲火之燔而有燄象無所隱則其信也顯露也其動炎灼妄擾

妄謬也擾撓也其德暄暑鬱蒸熱化所生長於物也新校正云按六元正紀大論云其化暄暑鬱燠又作暄曜其

變炎烈沸騰勝復之有極於是也其穀麥豆火齊水化也其畜羊彘齊孕育也新

校正云按本論上文馬為火之畜今言羊者疑馬字誤為羊金匱真言論及藏氣法時論俱作羊然本論作馬當從本論之文也其果杏

栗等實也其色赤白玄赤色加白黑自正也其味苦辛鹹辛物兼苦與鹹化齊成也其

象夏如夏氣之勝也其經手少陰太陽少陰心脉太陽小腸脉手厥陰少陽厥陰心包

脉少陽三焦脉其藏心肺心勝肺其蟲羽鱗火餘故鱗羽齊化其物脉濡脉火物濡水物

水火齊化也新校正云詳脉即絡也文雖殊而義同其病笑瘧瘡瘍血流狂妄目赤火盛故上

羽與正徵同其收齊其病痓上見太陽則天氣且制故太過之火反與平火運生化同也戊辰戊戌歲

上見之若平火運同則五常之氣無相凌犯故金收之氣生化同等上徵而收氣後也上見少陰少陽則其生化自政金氣不能

與之齊化戊子戊午歲上見少陰戊寅戊申歲上見少陽火盛故收氣後化新校正云按氣交變大論云歲火太過上臨少陰少陽火燔焫水泉涸物焦槁

暴烈其政藏氣迺復時見凝慘甚則雨水霜雹切寒邪傷心也不務其德輕侮致之也　新校正云按氣交變大論云雨冰霜寒與此互文也敦阜之紀是謂廣化土餘故化氣廣被於物也是謂甲子甲戌甲申甲午甲辰甲寅之歲也厚德清靜順長以盈土性順用無與物爭故德厚而不躁順火之長育使萬物化氣盈滿也至陰內實物化充成至陰土精氣也夫萬物所以化成者皆以至陰之靈氣生化於中也煙埃朦鬱見於厚土厚土山也煙埃土氣也大雨時行濕氣迺用燥政迺辟濕氣用則燥政辟自然之理爾其化圓其氣豐化氣豐圓以其清靜故也其政靜靜而能久故政常存其令周備氣緩故周備其動濡積并稸動謂變動其德柔潤重淖靜而柔潤故厚德常存　新校正云按六元正紀大論云其化柔潤重澤其變震驚飄驟崩潰震驚雷霆之作也飄驟暴風雨至也大雨暴注則山崩土潰隨水流沒其穀稷麻土木齊化其畜牛犬齊孕育也其果棗李土齊木化其色黅玄蒼黃色加黑蒼自正也其味甘鹹酸甘入於鹹酸齊化也其象長夏六月之氣生化同其經足太陰陽明太陰脾脉陽明胃脉其藏脾腎脾勝腎其蟲倮毛土餘故毛倮齊化其物肌核肌土核木化也其病腹滿四支不舉土性靜故病如是　新校正云詳此不云上羽上徵者徵羽不能虧盈於土故無胞候也大風迅至邪傷脾也木盛怒故土脾傷

堅成之紀是謂收引引斂也陽氣收陰氣用故萬物收斂謂庚午庚辰庚寅庚子庚戌庚申之歲也天氣潔地氣明秋氣高潔金氣同陽氣隨陰治化陽順陰而生化燥行其政物以司成燥氣行化萬物專司其成熟無遺略也收氣繁布化洽不終收殺氣早土之化不得終其用也新校正云詳繁字疑誤其化成其氣削減削也其政肅肅清也靜也其令銳切氣用不屈勁而急其動暴折瘍疰動以病生其德霧露蕭飋燥之化也蕭飋風聲也靜為霧露用則風生新校正云按六元正紀大論德作化其變肅殺凋零隕墜於物其穀稻黍金火齊化也新校正云按本論上文麥為火之穀當言其穀稻麥其畜雞馬齊孕育也其果桃杏金火齊實其色白青丹白加於青丹自正也其味辛酸苦辛入酸苦齊化其象秋氣爽清潔如秋之化其經手太陰陽明太陰肺脈陽明大腸脈其藏肺肝肺勝肝其蟲介羽金餘故介羽齊育其物殼絡殼金絡火化也其病喘喝胷憑仰息金氣餘故上徵與正商同其生齊其病欬上見少陰少陽則天氣見抑故其生化與平金歲同庚子庚午歲上見少陰庚寅庚申歲上見少陽上火制金故生氣與之齊化火乘金肺故病欬新校正云詳此不言上羽者水與金非相勝剋故也政暴變則名木不榮柔脆焦首長氣斯救大火流炎爍且至蔓將槁邪傷肺也變謂太甚也政太甚則生氣抑故木不榮

（草首焦死，政暴不已，則火氣發怒，故火流炎爍至柔條蔓草脆之類皆乾死也。火乘金氣，故肺傷也。）流衍之紀，是謂封藏，（陰氣大行，則天地封藏之化也。謂丙寅丙子丙戌丙申丙午丙辰之歲。）寒司物化，天地嚴凝，（陰之氣也。）藏政以布，長令不揚，（藏氣用則長化止，故令不發揚。）其化凜，其氣堅，（寒氣及物則堅定。）其政謐，（謐，靜也。）其令流注，（水之象也。）其動漂泄沃涌，（沃，沫也。涌，溢也。）其德凝慘寒雰，（寒之化也。新校正云：按六元正紀大論作其化凝慘慄冽。）其變冰雪霜雹，（非時而有。）其穀豆稷，（水齊土化。）其畜彘牛，（齊孕育也。）其果栗棗，（水土齊實。）其色黑丹黅，（黑加於丹，黃自正也。）其味鹹苦甘，（鹹入於苦，甘化齊焉。）其象冬，（氣序凝肅，似冬之化。）其經足少陰太陽，（少陰腎脉，太陽膀胱脉。）其藏腎心，（腎勝心。）其蟲鱗倮，（水餘故鱗，倮齊育。）其物濡滿，（濡，水；滿，土化也。新校正云：按土不及作肉，土太過作肌，此作滿，玄相成也。）其病脹，（水餘也。）上羽而長氣不化也。（上見太陽，則火不能布化以長養也。丙辰丙戌之歲，上見天符水運也。新校正云：按氣交變大論云：上臨太陽，則雨冰雪霜不時降，濕氣變物。不去上徵者，運所勝也。）政過則化氣大舉，而埃昏氣交，大雨時降，邪傷腎也。（暴寒數舉，是謂政過。火被水凌，土來仇復，故天地昏翳，土水氣交，大雨斯降，而邪傷腎也。）故曰：不恒其德，則所勝來復；政恒其理，則所勝同化。此之謂也。（不恒，謂恃已有餘，凌犯不勝。恒，謂守常之化，不肆威刑。如是則）

赳巳之氣歲何治化也新校正云詳五運太過之說具氣交變大論中帝曰天不足西北左寒而右凉地
不滿東南右熱而左溫其故何也面異言也歧伯曰陰陽之氣
高下之理太少之異也高下謂地形大少謂陰陽之氣盛衰之異今中原地形西北方高東南方下西方凉北方
寒東方溫南方熱氣化猶然也東南方陽也陽者其精降於下故右熱而左溫
陽精下降故地以溫而知之於下矣陽氣生於東而盛於南故東方溫而南方熱氣之多少明矣西北方陰也陰者其精
奉於上故左寒而右凉陰精奉上故地以寒而知之於上矣陰氣主於西而盛於北故西方凉北方寒君面巽而
言臣面乾而對也新校正云詳天地不足陰陽之說亦具陰陽應象大論中是以地有高下氣有溫凉高
者氣寒下者氣熱新校正云按六元正紀大論云至高之地冬氣常在至下之地春氣常在故適寒凉
者脹之溫熱者瘡下之則脹已汗之則瘡已此湊理開閉
之常太少之異耳西北東南言其大也夫以氣候驗之中原地形所居者悉以居高則寒處下則熱嘗試觀之高山多雪平
川多雨高山多寒平川多熱則高下寒熱可徵見矣中華之地凡有高下之大者東西南北各三分也其一者自漢蜀江南至海也二者自漢江北至平遥縣
也三者自平遥北山北至蕃界北海也故南分大熱中分寒熱兼半北分大寒南北分外寒熱尤極大熱之分其寒微太寒之分其熱微然其登陟極高山頂
則南面北面寒熱懸殊榮枯倍異也又東西高下之別亦三矣其一者自汧源縣西至沙州二者自開封縣西至汧源縣三者自開封縣東至滄海也故東分

大溫中分溫涼兼半西分大涼大溫之分其寒五分之二大涼之分其熱五分之二溫涼分外溫涼尤極變為大暄大寒也約其大凡如此然九分之地寒極於東北熱極於西南九分之地其中有高下不同地高處則濕下處則燥此一方之中小異也若大而言之是則高下之有一也何者中原地形西高北高東下南下今百川滿湊東之滄海則東南西北高下可知一為地形高下故寒熱不同二則陰陽之氣有少有多故表溫涼之異爾今以氣候驗之乃春氣西行秋氣東行冬氣南行夏氣北行以中分校之自開封至汧源氣候正與曆候同以東行校之自開封至滄海每一百里秋氣至晚一日春氣發早一日西行校之自汧源縣西至蕃界磧石其以南向及西北東南者每四十里春氣發晚一日秋氣至早一日北向及東北西南者每一十五里春氣發晚一日秋氣至早一日南行校之川形有北向及東北西南者每五百里新校正云按別本作十五里陽氣行晚一日陰氣行早一日南向及東南西北川每一十五里熱氣至早一日寒氣至晚一日廣平之地則每五十里陽氣發早一日寒氣至晚一日北行校之川形有南向及東南西北者每二十五里陽氣行晚一日陰氣行早一日北向及東北西南川每一十五里寒氣至早一日熱氣至晚一日廣平之地則每二十里熱氣行晚一日寒氣至早一日大率如此然高處峻處冬氣常在平處下處夏氣常在觀其雪零草茂則可知矣然地土固有弓形川地行川月形川地勢不同生殺榮枯地同而天異凡此之類有离向丙向巽向乙向震向處則春氣早至秋氣晚至早晚校十五日有丁向坤向庚向兌向辛向乾向坎向艮向處則秋氣早至春氣晚至早晚亦校二十日是所謂帶山之地也審觀向背氣候可知寒涼之地腠理開少而閉多閉多則陽氣不散故適寒涼腹必脹也濕熱之地腠理開多而閉少開多則陽氣發散故往溫熱皮必瘡也下之則中氣不餘故脹已汗之則陽氣外泄故瘡愈

帝曰：其於壽夭何如？言土地居人之壽夭岐伯曰：陰精所奉其人壽，陽精所降其人夭。陰精所奉高之地也陽精所降下之地也陰方之地陽不妄泄寒氣外持邪不數中而正氣堅守故壽延陽方之地陽氣耗散發泄無度風邪數中眞氣傾竭故夭折即事驗之今中原之境西北方衆人壽東南方衆人夭其中猶各有微甚爾此壽夭之大異也方者審之乎帝曰善其病也治之奈何岐伯曰

西北之氣散而寒之東南之氣收而溫之所謂同病異治

也西方北方人皮膚腠理密人皆食熱故宜散宜寒東方南方人皮膚踈腠理開人皆食冷故宜收宜溫散謂溫浴使中外條達收謂溫中不解表也今土俗皆反之依而療之則反甚矣　新校正云詳分方爲治亦具異法方宜論中故曰氣寒氣涼治以寒涼行

水漬之氣溫氣熱治以溫熱強其內守必同其氣可使平

也假者反之寒方以寒熱方以熱溫方以溫涼方以涼是正法也是同氣也行水漬之謂湯浸漬也平謂平調也若西方北方有冷病假熱方溫方以除之東方南方有熱疾須涼方寒方以療者則反上正法以取之帝曰善一州之氣生化壽夭

不同其故何也岐伯曰高下之理地勢使然也崇高則陰

氣治之汚下則陽氣治之陽勝者先天陰勝者後天先天謂先天時也後天謂後天時也悉言土地生長枯落之先後也物既有之人亦如然此地理之常生化之道也帝

曰其有壽夭乎岐伯曰高者其氣壽下者其氣夭地

之小大異也小者小異大者大異大謂東南西北相逢萬里許也小謂居所高下相近二十三十里或

百里許也地形高下懸倍不相計者以近為小則十里二十里高下平慢氣相接者以遠為小則三百二百里地氣不同乃異也故治病者必明天道地理陰陽更勝氣之先後人之壽夭生化之期乃可以知人之形氣矣不明天地之氣又昧陰陽之候則以壽為夭以夭為壽雖盡上聖救生之道畢經脈藥石之妙猶未免世中之誣斥也帝曰善其歲有不病而藏氣不應不用者何也歧伯曰天氣制之氣有所從也從謂從事於彼不及營於私應用之帝曰願卒聞之歧伯曰少陽司天火氣下臨肺氣上從白起金用草木眚火見燔焫革金且耗大暑以行欬嚏鼽衄鼻窒曰瘍寒熱胕腫寅申之歲候也臨謂御於下從謂從事於上起謂價高於市用謂用行刑罰也臨從起用同之革謂皮革亦謂革易也金謂器屬也耗謂費用也火氣燔灼故曰生瘡瘡身瘡也瘍頭瘡也寒熱謂先寒而後熱則瘧疾也肺為熱害水且救之水守肺中故為胕腫胕腫謂腫滿按之不起此天氣之所生也新校正云詳注云故曰生瘡瘡身瘡也瘍頭瘡也今經只言曰瘍疑經脫一瘡字別本曰字作口風行于地塵沙飛揚心痛胃脘痛厥逆鬲不通其主暴速厥陰在泉故風行于地風淫所勝故見病生焉少陽厥陰其化急速故病氣起發疾速而為故云其主暴速此地氣不順而生是也新校正云詳厥陰與少陽在泉言其主暴速其發機速故不言甚則其病也陽明司天燥氣下臨肝氣上從蒼起木用而立土

迺眚淒滄數至木伐草萎脇痛目赤掉振鼓慄筋痿不能久立卯酉之歲候也未用亦謂木功也淒滄大凉也此病之起天氣生焉暴熱至土迺暑陽氣鬱發小便變寒熱如瘧甚則心痛火行于槁流水不冰蟄蟲迺見少陰在泉熱監于地而為是也病之所有地氣生焉太陽司天寒氣下臨心氣上從而火且明新校正云詳火且明三字當作火用二字丹起金迺眚寒清時舉勝則水冰火氣高明心熱煩嗌乾善渴鼽嚏喜悲數欠熱氣妄行寒迺復霜不時降善忘甚則心痛辰戌之歲候也寒清時舉太陽之令也火氣高明謂燔焫於物也不時謂太早及偏害不循特令不普及於物也病之所起天氣生焉土迺潤水豐衍寒客至沈陰化濕氣變物水飲内稸中滿不食皮𤸸肉苛筋脈不利甚則胕腫身後癰太陰在泉濕監于地而為是也病之源始地氣生焉新校正云詳身後癰當作身後難厥陰司天風氣下臨脾氣上從而土且隆黃起水迺眚土用革體重肌肉萎食減口爽風行太虛雲物搖動目轉耳鳴巳亥之歲候也土隆土用革謂土氣有用而革易其體亦謂土功事也雲物搖動是謂風高此病所生天之氣也火縱其暴地迺

暑大熱消爍赤沃下蟄蟲數見流水不冰少陽在泉火監于地而爲是也病之宗兆地氣生焉其發機速少陽厥陰之氣變化卒急其爲疾病速若發機故曰其發機速少陰司天熱氣下臨肺氣上從白起金用草木眚喘嘔寒熱嚏鼽衄鼻窒大暑流行子午之歲候也熱司天氣故是病生天氣之作也甚則瘡瘍燔灼金爍石流天之交也地迺燥清淒滄數至脇痛善太息肅殺行草木變變謂變易容質也脇痛太息地氣生也太陰司天濕氣下臨腎氣上從黑起水變新校正云詳前後文此少火迺眚三字埃冒雲雨胷中不利陰萎氣大衰而不起不用新校正云詳不用二字當作水用當其時反腰脽痛動轉不便也丑未之歲候也水变謂甘泉變鹹也埃土霧也冒不分遠也雲雨土化也脽謂臀肉也病之有者天氣生焉厥逆新校正云詳厥逆二字疑當連上文地迺藏陰大寒且至蟄蟲早附心下否痛地裂冰堅少腹痛時害於食乘金則止水增味迺鹹行水減也止水井泉也行水河渠流注者也止水雖長乃變當甘美而爲鹹味也病之有者地氣生也新校正云詳太陰司天之化不言甚則病甚而云當其時又云乘金則止水者與前條互相發明也

帝曰歲有胎孕不育治之不全何氣使然歧伯曰六氣五

類有相勝制也同者盛之異者衰之此天地之道生化之常也故厥陰司天毛蟲靜羽蟲育介蟲不成謂乙巳丁巳己巳辛巳癸巳乙亥丁亥己亥辛亥癸亥之歲也靜無聲也亦謂靜退不先用事也羽為火蟲氣同地也火制金化故介蟲不成謂白色有甲之蟲少孕育也在泉毛蟲育倮蟲耗羽蟲不育地氣制土黃倮耗損歲乘木運其又甚也羽蟲不育少陽自抑之是則五寅五申歲也凡稱不育不成皆謂少非悉無也少陰司天羽蟲靜介蟲育毛蟲不成謂甲子丙子戊子庚子壬子甲午丙午戊午庚午壬午之歲也靜謂胡越鷰百舌鳥之類也是歲黑色毛蟲孕育少成在泉羽蟲育介蟲耗不育地氣制金白介蟲不育歲乘火運斯復甚焉是則五卯五酉歲也新校正云詳介蟲耗以少陰在泉火剋金也介蟲不育以陽明在天自抑之也太陰司天倮蟲靜鱗蟲育羽蟲不成謂乙丑丁丑己丑辛丑癸丑乙未丁未己未辛未癸未之歲也倮蟲謂人及蝦蟇之類也羽蟲謂青綠色者則鸚鵡翠鳥翠碧鳥之類諸青綠色之有羽者也歲乘金運其復甚焉在泉倮蟲育鱗蟲新校正云詳此少一耗字不成地氣制水黑鱗不育歲乘土運而又甚乎是則五辰五戌歲也少陽司天羽蟲靜毛蟲育倮蟲不成謂甲寅丙寅戊寅庚寅壬寅甲申丙申戊申庚申壬申之歲也倮蟲謂青綠色者也羽蟲謂黑色諸有羽翼者則越鷰百舌鳥之類是也在泉羽蟲育介蟲耗毛蟲不育地氣制金白介耗損歲乘火運其又甚也毛蟲不育天氣制之是則五巳五亥歲也陽明司天介蟲靜羽

蟲育介蟲不成謂乙卯丁卯己卯辛卯癸卯乙酉丁酉己酉辛酉癸酉歲也羽為火蟲故蕃育也介蟲諸有赤色甲殼者也赤介不育天氣制之也在泉介蟲育毛蟲耗羽蟲不成地氣制木黑毛蟲耗歲乘金運損復甚焉是則五子五午歲也羽蟲不就以上見少陰也太陽司天鱗蟲靜倮蟲育謂甲辰丙辰戊辰庚辰壬辰甲戌丙戌戊戌庚戌壬戌之歲也倮蟲育地氣同也鱗蟲靜謂黃鱗不用也是歲雷霆少舉以天氣抑之也　新校正云詳此當云鱗蟲不成在泉鱗蟲耗倮蟲不育天氣制勝黃黑鱗耗是則五丑五未歲也　新校正云詳此當為鱗蟲育羽蟲耗倮蟲不育注中鱗字亦當作羽諸乘所不勝之運則甚也乘木之運倮蟲不成乘火之運介蟲不成乘土之運鱗蟲不成乘金之運毛蟲不成乘水之運羽蟲不成當是歲者與上文同悉少能孕育也斯並運與氣同者運乘其勝復運天符及歲會者十孕不全一二也故氣主有所制歲立有所生地氣制己勝天氣制勝己天制色地制形天氣隨己不勝者制之謂制其色也地氣隨己所勝者制之謂制其形也故又曰天制色地制形焉是以天地之間五類生化互有所勝互有所化互有所生互有所制矣五類衰盛各隨其氣之所宜也宜則蕃息故有胎孕不育治之不全此氣之常也天地之間有生之物凡此五類也五謂毛羽倮鱗介也故曰毛蟲三百六十麟為之長羽蟲三百六十鳳為之長倮蟲三百六十人為之長鱗蟲三百六十龍為之長介蟲三百六十龜為之長凡諸有形跂行飛走喘息胎息大小高下青黃赤白黑身被毛羽鱗介者通而言之皆謂之蟲矣不具是四者皆為倮蟲凡此五物皆有胎生卵生濕生化生也因人致問言及五類也所謂中根

也（生氣之根本發自身形之中中根也非是五類則生氣絕矣生氣根系悉因外物以成立去之則生氣絕矣）根于外者亦五（謂五味五色類也然木火土金水之形類悉假外物色藏乃能生化外物既去則生氣離絕故皆是根于外也　新校正云詳注中色藏二字當作已成）故生化之別有五氣五味五色五類五宜也（然是二十五者皆中根外悉有之五氣謂臊焦香腥腐也五味謂酸苦辛鹹甘也五色謂青黃赤白黑也五類有二矣其一者謂毛羽倮鱗介其二者謂燥濕液堅耎也夫如是等於萬物之中互有所宜）

帝曰何謂也岐伯曰根于中者命曰神機神去則機息根于外者命曰氣立氣止則化絕（諸有形之類根於中者生源繫天其所動靜皆神氣為機發之主故其所為也物莫之知是以神捨去則機發動用之道息矣根于外者生源繫地故其所生長化成收藏皆為造化之氣所成立故其所出也亦物莫之知是以氣止息則生化結成之道絕滅矣其木火土金水燥濕液堅柔雖常性不易及乎外物去生氣離根化絕止則其常體性顏色皆必小變移其舊也　新校正云按六微旨大論云出入廢則神機化滅升降息則氣立孤危故非出入則無以生長壯老已非升降則無以生長化收藏）故各有制各有勝各有生各有成（根中根外悉如是）故曰不知年之所加氣之同異不足以言生化此之謂也（新校正云按六節藏象論云不知年之所加氣之盛衰虛實之所起不可以為工矣）

帝曰氣始而生化氣散而有形氣布而蕃育氣終而象變其致一也（始謂始發動散謂流散於物中布謂布化於結成之形終謂極於收藏之用也故始動而生化

流散而有形布化而成結終極而萬象皆變也即事驗之天地之間有形之類其生也柔弱其死也堅強凡如此類皆謂變易生死之時形質是謂氣之終極新校正云按天元紀大論云物生謂之化物極謂之變又六微旨大論云物之生從於化物之極由乎變變化相薄成敗之所由也然而五味所資生化有薄厚成熟有少多終始不同其故何也岐伯曰地氣制之也非天不生而地不長也天地雖無情於生化而生化之氣自有異同爾何者以地體之中有六入故也氣有同異故有生有化有不生有不化有少生少化有廣生廣化矣故天地之間无必生必化必不生必不化必少生少化必廣生廣化各隨其氣分所好所惡所異所同也帝曰願聞其道岐伯曰寒熱燥濕不同其化也舉寒熱燥濕四氣不同則溫清異化可知之也故少陽在泉寒毒不生其味辛其治苦酸其穀蒼丹巳亥歲氣化也夫毒者皆五行標盛暴烈之氣所為也今火在地中其氣正熱寒毒之物氣與地殊生死不同故生少也火制金氣故味辛者不化也少陽之氣上奉厥陰故其歲化苦與酸也六氣主歲唯此歲通和木火相承故無間氣也苦丹地氣所化酸蒼天氣所生矣餘所生化悉有上下勝剋故皆有間氣矣陽明在泉濕毒不生其味酸其氣濕新校正云詳在泉六唯陽明與太陰在泉之歲云其氣濕其氣熱蓋以濕燥未見寒溫之氣故再云其氣也其治辛苦甘其穀丹素子午歲氣化也燥在地中其氣涼清故濕溫毒藥少主化也金木相制故味酸者少化也陽明之氣上奉少陰故其歲則辛與苦也辛素地氣也苦丹天氣也甘間氣也所以間金火之勝剋故兼治耳太陽在泉熱毒不生其味苦其

治淡鹹其穀黅秬丑未歲氣化也寒在地中與熱殊化故其歲物熱毒不生水勝火味故當苦也太陽之氣上奉太陰故其氣化生淡鹹也太陰土氣上主於天氣遠而高故甘之化薄而為淡也所以淡亦屬甘甘之類也淡黅天化也鹹秬地化也黅黃也　新校正云詳注云味故當苦當作故味苦者不化傳寫誤也厥陰在泉清毒不生其味甘其治酸苦其穀蒼赤寅申歲氣化也溫在地中與清殊性故其歲物清毒不生木勝其土故味甘少化也厥陰之氣上合少陽所合之氣既無乖忤故其治化酸與苦也酸蒼地化也苦赤天化也氣無勝剋故不間氣以甘化也其氣專其味正厥陰少陽在泉之歲皆氣化專一其味純正然餘歲悉上下有勝剋之氣故皆有間氣間味矣少陰在泉寒毒不生其味辛其治辛苦甘其穀白丹卯酉歲氣化也熱在地中與寒殊化故其歲藥寒毒甚微火氣爍金故味辛少化也故少陰陽明主天主地故其所治苦與辛焉苦丹為地氣所育辛白為天氣所生甘間氣也所以間止剋伐也太陰在泉燥毒不生其味鹹其氣熱其治甘鹹其穀黅秬辰戌歲氣化也地中有濕與燥不同故乾毒之物不生化也土制於水故味鹹少化也太陰之氣上承太陽故其歲化甘與鹹也甘黅地化也鹹秬天化也寒濕不為大忤故間氣同而氣熱諸應之化淳則鹹守氣專則辛化而俱治淳和也化淳謂少陽在泉之歲也火來居水而反能化育是水鹹自守不與火爭化也氣專謂厥陰在泉之歲也木居于水而復下化金不受害故辛復生化與鹹俱王也唯此兩歲上下之氣無剋伐之嫌故辛得與鹹同應王而生化也餘歲皆上下有勝剋之變故其中間甘味兼化以緩其制抑餘苦鹹酸三味不同其生化也故天地之間藥物辛甘者多也故曰

補上下者從之治上下者逆之以所在寒熱盛衰
而調之上謂司天下謂在泉也司天地氣太過則逆其味以治之司天地氣不及則順其味以和之從順也故曰
上取下取內取外取以求其過能毒者以厚藥不勝毒
者以薄藥此之謂也上取謂以藥制有過之氣也制而不順則吐之下取謂以迸疾之藥除下病攻之不去則下之
內取謂食及以藥內之審其寒熱而調之外取謂藥熨令所病氣調適也當寒反熱以冷調之當熱反寒以溫和之上盛不已吐而脫之下盛不已下而奪之
謂求得氣過之道也藥厚薄謂氣味厚薄者也　新校正云按甲乙經云胃厚色黑大骨肉肥者皆勝毒其瘦而薄胃者皆不勝毒又按異法方宜論西方之
民陵居而多風水土剛強不衣而褐薦華食而脂肥故邪不能傷其形體其病生於內其治宜毒藥氣反者病在上取之
下病在下取之上病在中傍取之下取謂寒逆於下而熱攻於上不利於下氣盈於上則溫下以
調之上取謂寒積於下溫之不去陽藏不足則補其陽也傍取謂氣并於左則藥熨其右氣并於右則熨其左以和之必隨寒熱為適凡是七者皆病無所逃
動而必中斷為妙用矣治熱以寒溫而行之治寒以熱涼而行之治溫以
清冷而行之治清以溫熱而行之氣性有剛柔形證有輕重方用有大小調制有寒溫盛大則順
氣性以取之小耎則逆氣性以伐之氣殊則主必不容力倍則攻之必勝是則湯飲調氣之制也　新校正云按至真要大論云熱因寒用寒因熱用必伏
其所主而先其所因其始則同其終則異可使破積可使潰堅可使氣和可使必已故消之削之吐之下之補之

寫之久新同法量氣盛虛而行其法病之新久無異道也帝曰病在中而不實不堅
且聚且散奈何岐伯曰悉乎哉問也無積者求其藏虛則
補之隨病所在命其藏以補之藥以祛之食以隨之食以無毒之藥隨湯丸以迫逐之使其盡也行水
漬之和其中外可使畢已中外通和氣無流礙則釋然消散真氣自平帝曰有毒無
毒服有約乎岐伯曰病有久新方有小大有毒無毒固宜
常制矣大毒治病十去其六下品藥毒毒之大也常毒治病十去其
七中品藥毒次於下也小毒治病十去其八上品藥毒毒之小也無毒治病十去
其九上品中品下品無毒藥悉謂之平穀肉果菜食養盡之無使過之傷其
正也大毒之性烈其為傷也多小毒之性和其為傷也少常毒之性減大毒之性一等加小毒之性一等所傷可知也故至約必止之以待來證爾然
無毒之藥性雖平和久而多之則氣有偏勝則有偏絕久攻之則藏氣偏弱既弱且困不可長也故十去其九而止服至約巳則以五穀五肉五果五菜隨五
藏宜者食之巳盡其餘病藥食兼行亦通也新校正云按藏氣法時論云毒藥攻邪五穀為養五果為助五畜為益五菜為充不盡行復
如法法謂前四約也餘病不盡然再行之毒之大小至約而止必無過也必先歲氣無伐天和歲有六氣分主有南
面北面之政先知此六氣所在人脈至尺寸應之太陰所在其脈沈少陰所在其脈鉤厥陰所在其脈弦太陽所在其脈大而長陽明所在其脈短而濇少陽

所在其脉大而浮如是六脉則謂天和不識不知呼爲寒熱攻寒令熱脉不變而熱疾已生制熱令寒脉如故而寒病又起欲求其適安可得乎夭枉之來率由於此無盛盛無虚虚而遺人夭殃不察虚實但思攻擊而盛者轉盛虚者轉虚萬端之病從兹而甚真氣日消病勢日侵殃咎之來苦夭之興難可逃也悲夫無致邪無失正絶人長命所謂伐天和也攻虚謂實是則致邪不識藏之虚斯爲失正氣既失則爲死之由矣帝曰其久病者有氣從不康病去而瘠奈何從謂順也岐伯曰昭乎哉聖人之問也化不可代時不可違化謂造化也代大匠斲猶傷其手況造化之氣人能以力代之乎夫生長收藏各應四時之化雖巧智者亦無能先時而致之明非人力所及由是觀之則物之生長收藏化必待其時也物之成敗理乱亦待其時也物既有之人亦宜然或言力必可致而能代造化違四時者妄也夫經絡以通血氣以從復其不足與衆齊同養之和之静以待時謹守其氣無使傾移其形廼彰生氣以長命曰聖王故大要曰無代化無違時必養必和待其來復此之謂也帝曰善大要上古經法也引古之要旨以明時化之不可違不可以力代也

黄帝内經素問卷第二十

音釋

氣交變大論篇第六十九

更治上平聲 菲方尾切薄也 飧音孫 眩音縣 巔音顛頂也 欬口亥切 嗌於昔切咽也 胛

音甲肩胛也 長氣上聲下長政同 燔音煩 焫爇同 譫之閻切 萎於僞切草木枯若委 瘁危切又

音粹下同 涸乎各切 潰音會 見音現 濾音慮下同 尻去高切 髀音彼股也下同 踹市兖切

胻戶當切䯒同 乾音干 隕于丹切 胠音祛脥下也 悸勑位切驚也 朦音蒙下同 脆倉位切 痱

方未切小瘡 胗章忍切籀文作疹癮胗 痤昨和切癤也 鼽音求 慘倉覽切 髖音寬髖同尻也 鶩音木

鳧屬 繇音遙 瞤如倫切目動也 黅音今黃色下同 來見音現 爍失若切 瞀莫候切目不明 嚏

音帝鼻噴 芒武方切下同 囟相刃切頂門也 數上入聲下同 膕音國曲脚中也 腨市兖切腓腸也 胕音附

秬音巨 瘛尺至切 䀮音荒不明 璺音問器破而未離也 眚所景切下同 坼丑格切裂也 拉

盧合切折也下同 卒七没切 濘音寧 謐莫橘切靜也 凓音栗 雹蒲角切 省須井切下同

瞿音劬

五常政大論篇第七十

迴薄并莫切 涸下各切 灼章略切 瞤如倫切動也 瘛尺至切 倮力果切下同 緛音軟縮也 飈

長氣上去聲 迺薄下如字 凓冽上音栗下音列 霒音陰雲覆 㥶悉同 粃匹比切 鏗口庚切

瞀莫候切 嚏音帝 鼽音求說文云病寒鼻塞也 滲所禁切 黅音今下同 痿於危切又音蕤病兩足不能相及

癃音隆 閟必未切閉也 拉盧合切 狢下各切亦作貉似狐善睡 掉徒了切動也 痓充至切 稸丑六切蓄同

淖奴教切 迅音信速也 疰音注 脆千貴切 謐莫讁切靜也 雰音分霧也 胕音附 脘音管

數至上入聲 萎於爲切 迺見音現 嗌於昔切 𤻲音郡痺也 苛音何 數見上朔下現

脽音誰 之別悲列切 秬音巨 胠去魚切腋下 漬子智切 長命上平聲下同

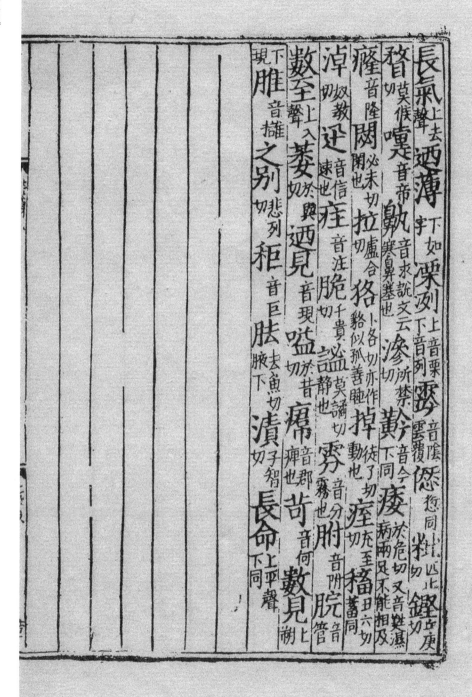

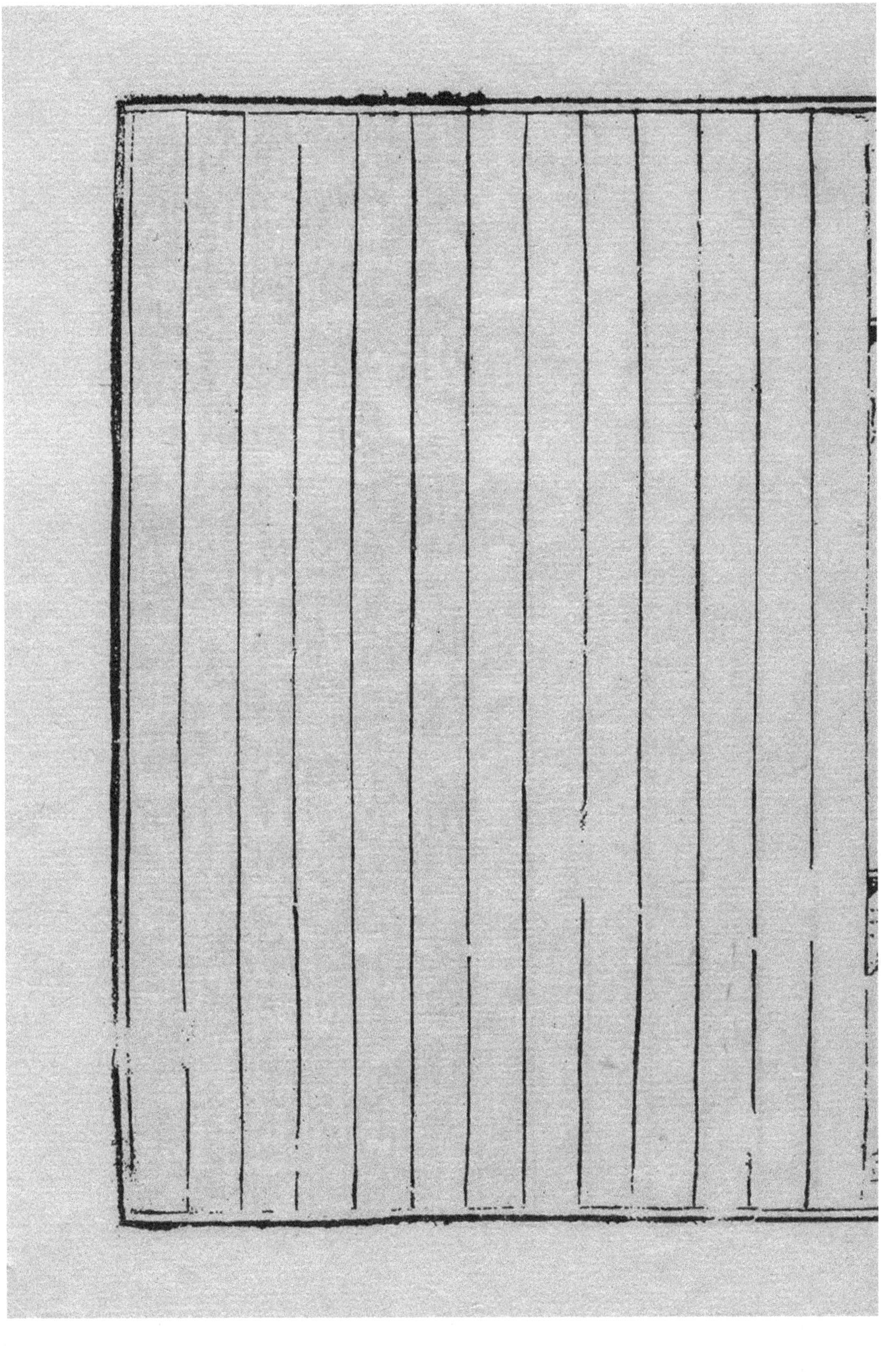

黃帝內經素問亡篇

刺法論　　本

刺法論篇第一

黃帝問曰外降不前屑奔變即成暴鬱余已知之如何預救生靈可得卻乎何以去之言去也岐伯稽首再拜對曰昭乎哉問臣聞夫子言既明天元須窮法刺可以折鬱扶運補弱全真瀉盛蠲餘令除斯苦夫子者祖師僦貸季折謂折伏也扶謂扶持也蠲除也斯此也令除此故也帝曰願卒聞之岐伯曰外之不前即有甚凶也木欲外而天柱窒抑之木欲發鬱亦須待時木發待間氣也至天作間氣之時作也欲發可刺之也當刺足厥陰之井足厥陰之井即大敦穴在足大指端去爪甲上如韭葉三毛之中乃足厥陰之所出也於平旦水下一刻時以手按穴得動脉下鍼可及三分留六呼如得氣急出之先刺左後刺右又可春分日吐之無此筭也火欲外而天蓬窒抑之火欲發鬱亦須待時火鬱待時至天作左間氣之時也其發也君火春分相火小滿即欲發之時也故君火相火同[illegible]之二[illegible]刺之也君火相火同刺

包絡之榮心包絡之榮在手掌中勞宮也水下二刻以手按穴動脈應手刺可同身寸之三分留六呼得氣而急出之先左後右又法當春三泄汗也土欲升而天衝窒抑之土欲發鬱亦須待時土鬱待時至天作左間之時也土發鬱巳維辰維也多於二間維發之也可預刺之也當刺足太陰之俞足太陰之俞太白穴在足內側核骨下陷者中足太陰之所注也水下三刻刺可同身寸之二分留七呼氣至急出之先左後右金欲升而天英窒抑之金欲發鬱亦須待時金鬱待時至天作左間之日也夏至之後金欲發鬱之時在火王後作可預刺也當刺手太陰之經手太陰之經者經渠穴也在兩手寸口脈陷者中手太陰之所行也動脈應手於水下四刻刺可同身寸之三分留三呼氣至急出鍼先左後右水欲升而天內窒抑之水欲發鬱亦須待時水鬱待時至天作左間之時也發於辰維之後火得王之時水可作也可以預用鍼刺之也當刺足少陰之合足少陰之合陰谷穴也在膝內輔骨之後大筋之下小筋之上按之應手屈膝而得足少陰之所入也刺可同身寸之四分留三呼動氣應手可刺急出之先刺左後刺右帝曰升之不前可以預備願聞其降可以先防防讀者也岐伯曰既明其升必達十也升降之道皆可先治也亦可如升而先刺也木欲降而地皛窒降而不入抑之鬱發散而可得位三日不降八日降矣降散而然後作降而鬱發暴如

天間之待時也降而不下欝降之不下急速如火欝也便可刺之降
可折其所勝也折勝而瀉其標分虛其本也故折其也手太陰之所出刺
手陽明之所入手太陰之所出少商在手大指之端內側去爪甲如韭葉手太陰之井也刺可同身寸之一分留一呼而
急出之手陽明之所入曲池穴也在肘外輔屈肘兩骨之間陷中手陽明之合刺可同身寸之一寸五分留七呼動氣應手至而急出之火欲降
而地玄窒抑之降而不入抑之欝發散而可入二日不降七日
降欲下而欝散之速可刺之也當折其所勝可散其欝火欝折水可以除之當刺足少陰
之所出刺足太陽之所入足少陰之所出湧泉穴也在足心陷者中屈足捲指宛宛中足少陰之井刺可
同身寸之三分留三呼動氣至急出之先左後右足太陽之所入委中穴在膕中央約文中動脈應手足太陽之合也刺可同身寸之五分留七呼氣至而急
出之先左後右二火同其法刺也土欲降而地蒼窒抑之降而不下抑之欝
發散而可入五日不降十日降欲降而欝散而可速刺之當折其勝可散其欝土欝折水
可除其苦當刺足厥陰之所出刺足少陽之所入足厥陰之所出大敦穴也在足
大指端去爪甲上如韭葉及三毛之中足厥陰井也刺可同身寸之三分留十呼動氣至急出之足少陽之所入陽陵泉穴在膝下同身寸之一寸䯒骨外廉
陷者中足少陽之合刺可同身寸之六分留十呼動氣至急出之金欲降而地彤窒抑之降而不

下散抑之鬱發散而可入[illegible]不降九日降欲下抑鬱散可速刺也當折其勝可散其鬱金鬱折火可以除之當刺心包胳所出刺手少陽所入也心包絡所出中衝穴也在中指之端去爪甲如韭葉是手心主之井刺可同身寸之一分留二呼動氣至急出之手少陽之所入天井穴也在肘外大骨之後肘後同身寸之一寸兩筋間陷者中屈肘得之手少陽合刺可同身寸之一寸留十呼動氣應手至而急出之水欲降而地阜窒抑之降而不下抑之鬱發散而可入一日不降六日降欲下而鬱散先可刺之也當折其土可散其鬱折其所勝可以散之也當刺足太陰之所出刺足陽明之所入足太陰之所出隱白穴也在足大指之端側去爪甲如韭葉足太陰之井刺可同身寸之一分留三呼得氣至乃出之足陽明之所入三里穴在膝下三寸胻骨外廉兩筋間足陽明之所合刺可同身寸之五分留十呼得氣至而急出之帝曰五運之至有前後與升降往來有所承抑之可得聞乎刺法岐伯曰當取其化源也是故太過取之不及資之太過取之必抑其鬱取其運之化源令折鬱氣不及扶資以扶運氣以避虛邪也資其化源欲令不勝資取之法令出密語資取化源法以明於玄珠密語第一卷中黃帝

降之刺以知要

願聞司天未得遷正使司化之失其常政即万化之其皆安然與民爲病可得先除欲濟群生願聞其說明其遷正故可預防岐伯稽首再拜曰悉乎哉問言其至理聖念慈憫欲濟群生臣乃盡陳斯道可申洞微申顯也洞深也微妙也言可盡顯深妙

太陽復布即厥陰不遷正大運不和順四序失合而作疫也不遷正氣塞於上當寫足厥陰之所流氣舒而復塞之故寫之當寫足厥陰之所流行間穴也在足大指之間動脈應手陷者中足厥陰之滎刺可同身寸之六分留七呼動氣至而急出之

厥陰復布少陰不遷正天失時令即氣令不正也不遷正即氣塞於上熱欲化而風乃布外也當刺心包胳脉之所流心包胳脉之所流勞宮穴也在掌中央刺可同身寸之三分留六呼動氣至而急出也

少陰復布太陰不遷正子午天數有餘丑未不得中正也不遷正即氣留於上雨欲化而熱布於天當刺足太陰之所流足太陰之所流大都穴也在足大指本節後陷者中足太陰脉之滎也刺可同身寸之三分留七呼動氣至而出之

太陰復布少陽不遷正丑未天數有餘寅申未得中正不遷正則氣塞未通熱欲化而雨復布天當刺手少陽之所流手少陽之所流液門穴也在手小指次指間陷者中刺可同身寸之二分

留三呼動氣至而急出也少陽復布則陽明不遷正寅申天數有餘卯酉未得司天不遷正則氣未通上燥欲治天熱化復治當刺手太陰之所流手太陰之所流魚際穴也在手大指本節後內側散脉文中手太陰之滎逆刺可同身寸之二分留三呼動氣至而急出之陽明復布太陽不遷正卯酉天數未終辰戌未得司正不遷正則復塞其氣寒欲行天而燥復化當刺足少陰之所流足少陰之所流然谷穴也在足內踝前起大骨下陷中足少陰之滎也刺可同身寸之三分留三呼動氣至而出之帝曰遷正不前以通其要願聞不退欲折其餘無令過失可得明乎岐伯曰氣過有餘復作布正是名不過位也即名布正再治天而不能退位使地氣不得後化新司天未可遷正故復布化令如故也新歲司天未得中司其歲司天仍舊治天是故氣過天[illegible]常政與民作災之病也巳亥之歲天數有餘故厥陰不退位也至子午之年猶尚治天風行於上木化布天雨濕之化不令風化至酷作災當刺足厥陰之所入足厥陰之所入曲泉穴也在膝內輔骨下大筋上小筋下後陷者中屈膝而得之足厥陰之合也刺可同身寸之六分留七呼動氣至急出之其針[illegible]子午之歲天數有餘故少陰不退位也至丑未之年猶尚治天熱行於上火餘化布

天燥清之虧雨化不令熱化復行天令也當刺其手厥陰之所入心包之所入曲澤穴也在肘內廉下陷者
中屈肘而取之手厥陰之合也刺可同身寸之三分留七呼動氣至而急出之也丑未之歲天數有餘故太
陰不退位也至寅申之年猶尚治天也濕行於上雨化布天寒化虧熱化不令濕化復布行
天令當刺足太陰之所入足太陰之所入陰陵泉穴也在內側輔骨下陷者中足太陰之合刺可同身寸之五分留
七呼動氣至而急出之也寅申之歲天數有餘故少陽不退位也至卯酉之年猶
尚治天熱行於上火化布天燥清令虧熱化復治布行天令當刺手少陽之所
入手少陽之所入天井穴也在肘外大骨後肘後上一寸兩筋間陷中屈肘得之手少陽之合也刺可同身寸之三分動氣至而急出之也卯酉
之歲天數有餘故陽明不退位也至辰戌之年猶尚治天也清行於上
燥化布天風化虧而寒化不令清化復治布行天令當刺手太陰之所入手太陰之所入尺澤
穴也在肘約文中動脈應手手太陰之所合也刺可同身寸之三分留三呼動氣至而急出之辰戌之歲天數有餘
故太陽不退位也至巳亥之年猶尚治天也寒行於上凜水化布天熱化令虧
風化不令寒化復治布行天令當刺足少陰之所入足少陰之所入陰谷穴也在膝下內輔骨之後大筋之下小筋
之上按之應手屈膝而得之足少陰之合刺可同身寸之四分動氣至而出之故天地氣逆化成民病以

法刺之預可平痾人氣通乎天地也氣交有變前後餘退可則天元刺其餘源始終可平也黃帝問曰
剛柔二干失守其位使天運之氣皆虛乎與民爲病
可得平乎天運如虛可以法刺可除之也岐伯曰深乎哉問明其奥旨天
地迭移三年化疫是謂根之可見必有逃門是謂根究天地之災必有
假危逃生之門戶也假令甲子剛柔失守柔得其位上失其剛雖得交司數可未至甲子上未終司巳卯下雖遷正
是謂柔干孤主其下也剛未正之巳不得其甲即土運反虛而木迎勝剛未正柔孤而有虧甲不正於巳也土運
不令正失少陰不化是故天與運皆虛而使邪化度者也時序不令即音律非從司天猶布而中運有勝至矣甲
未臨而巳以至律無音而呂有聲即黃鍾太宮不應夾鍾少宮即應以表巳卯下位孤主土運者也如此三年變大疫也
甚則速首尾三年至詳其微甚察其淺深大虛而布政日久即深也深即甚矣運未正即勝至久即深甚也甚即深
首尾二年至者也欲至而可以刺之前以明其刺法者即是布正而未遷正者可刺其即今之病也又言知者是以三年
中有大疫至刺補其天之之吉也即可細詳微甚知其所至之斯可先齊之者也當先補腎俞土疫至而腎虛者先補之腎俞在背
第十四椎下兩傍各同身寸之一寸五分未刺特先口銜針暖而用之用貞利針臨刺時呪曰五帝上真六甲玄靈氣符至陰百邪閉理念三遍自口中取針
先刺二分留六呼次入針至三分動氣至而徐徐出針以手捫之令受針人咽氣三次又可定神魂者也次三日可刺足太

陰之所注足太陰之所注太白穴也在内踝核骨下陷者中足太陰脉之所注也先以口衘針令温令下針時呪曰帝扶天形護命成靈誦之三遍迺乃刺三分留七呼動氣至而急出針也又有下位己卯不至而甲子孤立者次三年作土癘其法補瀉一如甲子同法也即甲子甲戌甲申甲午甲辰甲寅并及己丑己亥己酉己未己巳己卯凡甲己上下失守皆此一法而已其刺以畢又不須夜行及遠行令七日潔清淨齋戒所有自來腎有久病者可以寅時面向南淨神不亂思閉氣不息七遍以引頸嚥氣順之如嚥甚硬物如此七遍後餌舌下津令無數仙家嚥氣可以深根固帶以子授母氣也嚥下氣令腹中鳴至臍下子氣見母元氣故曰反本還元也久餌之令深根以養固帶也故嚥氣津者此名天池之水可久餌之資精氣血蕩滌五藏先溉元海一名離宮之水一名玉池一名神水不可唾之但可餌之以補精血可益元海也假令丙寅剛柔失守柔得其位上失其剛也雖得其交歲而丙未遷正治天下辛已獨治其泉上位丙失其剛干故中水運不得運太過也反受上勝之上剛干失守下柔不可獨主之柔干在上猶言不及何況柔失剛者也中水運非太過不可執法而定之不以諸丙年作其水太過也當推之天數而知有虧也布天有餘而失守上正天雖主治之此即布政之化正司主歲未得正位之[illegible]地不合即律

呂音異其柔干至而呂不應剛干未遷而律管無聲即少羽鳴響而太羽也如此即天運失序雖有化而非常
化也後三年變疫變有微甚故有遲速也推其天數之淺深也詳其微甚差有大小大差
七分小差五分每一分一十五日大差速至小差徐徐而至之也徐至即後三年至甚即首尾三
年推數差速即知運遲當先補心俞心俞在背第五椎下兩傍各一寸半用負利鍼於口中令溫暖次以手按穴得其氣動迺呪曰
太始上清丹元守靈誦之三遍先想火光於穴下然後刺可同身寸之一寸半留七呼得氣至次進鍼三分以手彈之令氣至而下鍼得動氣至而徐徐出鍼
次以手捫其穴令受鍼人閉氣三息而嚥氣也次五日可刺腎之所入腎之所入陰谷穴也在膝內輔骨之後大
筋之下小筋之上按之應手屈膝而得之用負利鍼令口中溫暖先以手按穴迺呪曰太微帝君五氣及真六辛都司符扶黑雲誦之一遍刺可入同身寸之
四分得動氣至而急出之又有下位地甲子辛巳柔不附剛亦名失守
即地運皆虛後三年變水癘即刺法皆如此矣即丙寅丙子丙
戌丙申丙午丙辰辛丑辛亥辛酉辛未辛巳辛卯如此上下失守皆推大小差而刺之其刺如畢慎其大喜欲
情於中如不忌即其氣復散也令靜七日七日後神氣實而水疫不傷
心欲實令少思思即傷神居當澄心而神守中即道自降而真氣復上人乱想勞神即陰中鬼王勞神即神役苦志心乱故夭
人命矣即神和志心安靜即中也假令庚辰剛柔失守乙得其位上失其庚即謂柔失其剛也雖得其歲即庚未

得中位也乙得下位獨治其地上位庚步其剛干故中金運不得太過反受火勝之也上位失守下位無合乙未在下主地孤立也上無剛干正之天運虛乙庚金運故非相招上下相招陰陽相合也司天與運各得其化布天未退中運勝來不以陽年無勝復支干不合有上下相錯謂之失守庚不與乙相對合也姑洗林鍾商音不應也失守即同聲不相應也姑洗上管庚辰太商不姑應林鍾下管乙未少商獨應矣如此即天運化易故四序非常也三年變大疫金疫又名殺疫詳其天數差有微甚大差七分即氣過一百五日即甚矣小差五分即氣過七十五日即微也微即後三年至微即徐也甚即共三年至甚即速至當先補肝俞肝俞在背第九推下兩傍各一寸半用員利針以口溫暖先以手按穴得動氣欲下針而呪曰氣從始清帝符六丁左施蒼城右入黃庭誦而想青氣於穴下然可刺之三分得氣而進針針入五分動氣至而徐徐出針以手捫其穴令受針人嚥氣次三日可刺肺之所行肺之所行經渠穴也在手寸口陷中手太陰經也用員刺針於口內溫令暖先以左手按穴而呪曰太始上真五符帝君元和氣合司入其神誦之三遍刺可同身寸之三分留三呼動氣至而出其針也刺畢可靜神七日慎勿大怒怒必真氣却散之又或在下地甲子乙未失守者即乙柔干即上庚獨治之亦名失守者即地運孤主之三年變癘[illegible]金癘亦名殺癘其

至待時也詳其地數之遝差亦推其微甚可知遲速
爾速至共三年遲即後三年其至如金疫刺法同前也諸位乙庚失守刺法同即天運各異金殺丁之災化民
病也同刺而之也肝欲平即勿怒怒即陰生肝爲陽神也陰生即陽夭夜即念安其志勿誦惡語即陽神竈守中假
令壬午剛柔失守下得其位上失其壬即司天布正木遷反盛也雖交歲而天未遷正中運勝至即地見丁酉獨主其運故
行燥勝天未勢化是名二虛者已上壬未遷正下丁獨然即雖陽年虧及不
同亦然災三宮肝自病風化不令遲失其壬未得其位天如布退可得遷正不假復而正角上下失守相招其有
期推之天別又乃幾分天如復位故得相招者也差之微甚各有其數也差七分計一百五日即大差之甚也
差五分即七十五日其下者又微也律呂二角失而不和同音有日上律蕤賓下呂南呂上太
角不應下少角應故二角失而不和也後壬午遷正之日即上下角同聲相應微甚如見三年大疫微即至乙角甚
即至甲申甚速微徐也當刺脾之俞脾之俞在背第十一椎下兩傍各一寸半動脈應手用員利針令口中溫暖而刺之即呪曰五
神智精六甲玄靈帝符元首太始受真誦之三遍先想黃氣於穴下然後刺之二分得氣至而次進之又得動氣次進之二進各一分留五呼即徐徐出針以
手捫之令其人不息三遍而三嚥津也次三日可刺肝之所出也肝之所出大敦穴也在足大指端去
爪甲如韭葉及三毛之中足厥陰之井也用員利針令口中溫暖而刺之即呪曰真靈至玄大道冥然五神合位氣灌三田誦之後可刺入同身寸之三分

留十呼動氣至而出其針刺畢靜神七日勿大醉歌樂其氣復散又勿飽食勿食生物歌樂者即脾神動而氣散也醉即性亂飽即氣張故禎忌之食生物即傷脾氣也欲令脾實氣無滯飽無久坐食無太酸無食一切生物宜甘宜淡淡入胃也宜益脾淡者土之薄味也而又次於甘者無開坐無久卧故養脾也又或地下甲子丁酉失守其位未得中司即氣不當位上不與壬奉合者亦名失守非名合德故柔不附剛天地二甲子上下不相招故陰陽有錯即中運失其歲合其刺法一如木疫之法即諸丁壬上下失守皆同一法刺之假令戊申剛柔失守戊與癸合也天地二之常政也即地運不合三年變癘故名木癘又名風癘其至有即亦推其微甚甲子即戊申合癸亥也下位癸亥至地其主地正司也上下位戊申過丁未大數未退而復布天政失守戊癸不合也戊癸雖火運陽年不太過也戊未正司癸下獨治故非太過反受水勝之也上失其剛柔須獨主其氣不正故有邪干水運失守於上中下運有虧也故天虛而地猶主之中見火運水來犯之故曰邪干迭移其位差有淺深天數過差亦有多少卻得奉合合要在日數也欲至將合音律先同中火運徵也上下二律呂上窮太少二徵合音同如此天運失時三年之中火疫至矣

速至庚戌也徐徐至辛亥所作也當刺肺之俞肺俞在背第三椎下兩傍各一寸半動脈應手用員利針令口中溫暖先以手按穴
迺刺之呪曰真邪用搏氣灌元神帝符反本位合其親誦之三遍刺入二分候氣欲至想白氣於穴下次進一分得氣至而徐徐出其針以手捫之於其穴也
然可立愈也刺畢靜神七日勿大悲傷也悲傷即肺動而真
氣復散也凡喜怒悲樂恐皆不可過矣此五者皆可動天亂真神也故聖人忘緣滅動念可存神也故神能王形神在形全可以身安道
常長存也人欲實肺者要在息氣也無大喘息慎勿多言語如呼吸多氣喘及言語多及飲冷形寒食鹹
多大忌悲傷喜怒令傷其肺神者也又或地下甲子癸亥失守者即柔失守位
也即上失其剛也即亦名戊癸不相合德者也即運
與地虛後三年變癘也即名火癘與火疫同也即法刺一體即諸戊諸癸上下同一法是
故立地五年以明失守以溉法刺於是疫之與癘即
是上下剛柔之名也窮歸一體也即刺疫法只有五
法即摠其諸位失守故只歸五行而統之也此皆五疫癘歸天地不相
和之氣化為疫癘夭傷人之命也故違天元可通法刺復濟生民也黃帝曰余聞五疫之至皆相染
易無問大小病狀相似欲施救療如何可得不相移

易者（其病相染着如何得不相染也）岐伯曰不相染者正氣存內邪不可干避其毒氣天牝從來復得其往（邪毒之氣在於泄汗反下取之真氣入於鼻中毒氣至腦中流入諸經之中令人染病矣歎人嚏得此氣入鼻至腦中欲散速令勿投鼻中令嚏之即出尔如出即不相染也）氣出於腦即不邪干（從鼻而入腦故干復出即無相染也）氣出於腦即室先想心如日（即正氣存中而神守其本即邪疫之氣不犯之）欲將入於疫室先想青氣自肝而出左行於東化作林木（如春栢之蒼翠）次想白氣自肺而出右行於西化作戈甲（如劍戟之明白利刃）次想赤氣自心而出南行於上化作焰明（赫赫之炎爍）次想黑氣自腎而出北行於下化作水（如波浪而黑色）次想黃氣自脾而出存於中央化作土（如大地之黃色）五氣護身之畢以想頭上如北斗之煌煌然可入於疫室（即正氣存中而邪疫不干）又一法於春分之日日未出而吐之（用遠志去心以水煎之）飲二盞吐之不疫者也又一法於雨水日後三浴以藥泄汗（注汗出臭者無疫也）又一法小金丹方神砂二兩水磨雄黃一

兩藥子雌黄一兩紫金半兩（粉[illegible]令細之）同入合中外固了地一尺築地實不用爐不須藥制用火二十斤煅之也七日終（常令火及二十斤）候冷七日取次日出合子埋藥地中七日（亦須吉地者佳也）取出順日研之三日煉白沙蜜爲丸如梧桐子大每日望東吸日華氣一口冰水下一丸和氣嚥之服十粒無疫干也黄帝問曰人虚即神遊失守位使鬼神外干是致夭亡何以全眞願聞刺法岐伯稽首再拜曰昭乎哉問謂神移失守雖在其體然不致死或有邪干故令夭壽（邪未干而不病邪欲干而有卒亡也）只如厥陰失守天以虚人氣肝虚感天重虚即魂遊於上（肝病天虚又遇出汗於肝而三虚散神遊上位左無英君下即神光不聚而白尸鬼至令人卒亡者從）邪干暴失天氣身温猶可刺之（目中神彩有四肢雖冷心腹尚温如口中無涎舌不卵者非感厥也即名尸厥故可救之復蘇）刺其足少陽之所過（足少陽之所過丘墟穴也在足外踝下如前陷者中去臨泣同身寸之五寸足少陽之原也用毫針於人近體煖針至温[illegible]凡[illegible]太上元君常居其

左制之三寬誦之三遍次呼三寬名爽靈胎光幽之三遍次想青龍於穴下刺之可以同身寸之三分留三呼可徐徐出鍼令人按氣於白中腹中鳴者可治之

次刺肝之俞在背第九椎下兩傍各一寸半用毫鍼着身溫之左手按穴呪曰太微帝君元英制寬真元及本令入青雲又呼三寬名如前三遍刺入同身寸之三分留二呼次進二分留三呼復收鍼至三分留一呼徐徐出鍼氣乃而復活

人病心虚又遇君相二火司天失守感而三虛又或汗出於心即致神寬遊於上入泥丸

遇火不及黑尸鬼犯之令人暴亡不出一時可救之四肢冷氣雖閉絕不變亦亡如不卯者可救目中神彩不變者可刺之也

可刺手少陽之所過手少陽之所過陽池穴也在手表腕上陷者中手少陽之原也用毫鍼人身溫燸以手按穴呪曰太一帝君泥丸總神丹元赫氣來復其真誦之三遍想赤鳳於穴下刺入二分留七呼次進一分留三呼復退留一呼徐徐手捫之其穴即令復活也

復刺心俞在背第五椎下兩傍各一寸半用毫鍼着身溫燸以手按穴呪曰丹元守靈五帝上青陽和布體來復黃庭誦之三遍刺可同身寸之七分留一分次進一分留一呼退至二分留一呼徐徐而出鍼以手捫其穴也

人脾病又遇太陰司天失守感而三虛重虛而汗出於脾因而三虛智意二神遊於上位故曰失守

又遇土不及青尸鬼邪犯之於人令人暴亡不出一時可救之也四肢冷而身溫唇溫者可活之矣口中無涎即名尸厥

可刺足陽明之所過足陽明之所過衝陽穴也在足跗上骨間動脉去陷谷三寸足陽明之原也用毫鍼着人身溫燸以手按穴呪曰常在魂庭始清太寧元和布氣六甲及其真誦之三遍先想[illegible]於穴下刺入三分留三呼次進二分留一呼徐徐[illegible]而以手捫之者也

復刺脾之俞在背第十一椎下兩傍各一寸半[illegible]針以手按穴呪曰太始布位摠統坤元黃庭真氣來復[illegible]誦之三遍刺入三分留三分進至二分動氣至徐徐出針人肺病遇陽明司天失守感而三虛人虛天虛又汗出於肺因而三虛即鬼遊於上故曰失守之也又遇金不及有赤尸鬼干人令人暴亡不出一時可救之雖無氣手足冷者[illegible]額溫鼻微濕目中神彩不轉目中無涎舌不卵者[illegible]可刺活也可刺手陽明之所過手陽明之所過合谷穴也在手大指次指間手陽明之原也用毫針着人體溫暖先以手按穴呪曰青氣真全帝符日元七魄歸右令復本田誦之三遍想白氣於穴下刺入三分留三呼次進針至五分留三呼復退一分留一呼徐徐出針以手捫之其穴復活也復刺肺俞肺俞在背第三椎下兩傍各一寸半用毫針着軀溫煖先以手按穴呪曰左元真人六合氣賓天符帝力來入其司誦之三遍針入一分半留三呼次進二分留一呼徐徐出針以手捫之其穴也人腎病又遇太陽司天失守感而三虛人虛天虛又或出汗於腎感而三虛即腎神退遊於黃庭雖不離體神光不聚故失守也又遇水運不及之年有黃尸鬼干犯之人正氣吸人神魂致暴亡氣絕四肢厥冷心腹微溫眼色不易唇口卵舌不變曰中無涎即可救也可刺足太陽之所過足太陽之所過京骨穴也在足外側大骨下赤白肉際陷者中是足太陽之原也用毫針着人身溫煖以手按穴呪曰元陽育嬰五老及真泥丸玄華補精長存想黑氣於穴下刺入一分半留三呼次進至三分留一呼徐徐出針以手捫其穴也刺足少陽之俞在背第十椎下兩傍各一寸半用毫針先以手按穴呪[illegible]曰昆太和昆靈真元

內守持入始清調之三遍刺入三分留三呼次又進至五分留三呼徐徐出鍼以手捫之

黃帝問曰十二藏之相使神失位使神彩之不圓恐邪干犯治可刺願其要五神失守以明刺法又言十二神之妙用也岐伯稽首再拜曰悉乎哉至理道真宗孰非聖帝焉究斯源是謂氣神合道契符上天人氣動合司天神氣相合猶乎盛衰也心者君主之官神明出焉任治於物故爲君王之官故心從形有神託心存是故心者神之舍也即真心失守虛而神不守位即妄遊諸室五神不安而乃令虛也可刺手少陰之源手少陰之源者即兌骨穴也此是真心之源在掌後兌骨之端陷者中一名中都用長鍼口中溫煖刺入三分留三呼進一分留一呼徐徐出鍼以手捫之其穴復蘇也肺者相傅之官治節出焉位高非君故官爲相傅主行榮衛故治節由之喘息而自有多語失節飲冷形寒悲憎不以肺神不守位即虛也可刺手太陰之源肺之源出於太淵在掌後大筋一寸五分間陷者中手太陰之所過用長鍼以口中溫鍼以手按穴刺入同身寸之三分留三呼動氣至而徐徐出鍼以手捫穴肝者將軍之官謀慮出焉勇而能斷故曰將軍潛發未萌故曰謀慮出焉怒而氣上遇氣交不前因而神失守神光不聚可用前法刺之全神守神者也可刺足厥陰之源足厥陰之源太衝穴也在足大指本節後二寸陷者中迺肝脉所過爲源用長鍼使於口中先溫鍼以手按穴刺可入三分留三呼進二分留二呼徐徐出鍼以手捫之也膽者中正之官決斷出焉剛正果決故官爲中正直

而剌疑故守汝出焉交動而卒怒怒而不息氣上而不守位使人中正不利欲成萬壹神光不聚未有邪干先可以刺治之者也

可刺足少陽之源足少陽之源丘墟穴也在足外踝下如前陷者中去臨泣穴五寸足少陽之所過也用長鍼於口內溫鍼先以左手按穴刺可同身寸之三分留三呼進至五分留二呼徐徐出鍼以手捫之也

膻中者臣使之官喜樂出焉膻中者在胸兩乳間為氣海手厥陰包絡之所居此作相火位故言臣使主其喜樂中及驚喜怒思恐即神失守位使人煩失志恍惚然神光不聚邪來干之刺可法治正神和也

可刺心包絡所流勞宮穴也在手掌中央動脈手心主之所流也用長鍼於口中溫先以左手按穴刺可同身寸之三分留二呼徐徐出鍼以手捫之其穴也

脾為諫議之官知周出焉心有所憶謂之意意中出焉謂之智智周万事皆從意智也故知周出焉意有所着欲念生想作勞意不已智有所存神遊失守中神光不聚可預治之者也

可刺脾之源脾之源在足內側核骨下陷者中是足太陰之所過也為源用長鍼於口內溫鍼先以左手按穴刺可入三分留五呼進至三分留五呼即可徐徐而退鍼以手捫之

胃為倉廩之官五味出焉包容五穀是謂倉廩之官榮養四傍故云五味出焉飲食飽甚汗出食飽房室即氣留滯注神遊失守邪干未至可以預治刺全真

可刺胃之源胃之源衝陽穴也在足跗上如同身寸之五寸骨間動脈上去陷谷穴五寸是足陽明之所過用長鍼於口中溫鍼先以左手按穴刺可入三分留三呼進至一分徐徐出鍼以手捫其穴

大腸者傳道之官變化出焉傳道為傳不潔之道變化謂變化物之形故云傳道之官變化出男子有反陰之過故失守位邪非干之以刺法治之即令反却蘇也

可刺大腸之源大腸之源合谷穴也在手大指次指歧骨間手陽明之所過也用長鍼口中溫

鍼刺入一分留三呼進至二分留一呼徐徐出之也小腸者受盛之官化物出焉承奉胃司受盛糟粕受已復化傳入大腸故云受盛之官化物出焉受而有異非合不合神失守可刺全真者可刺小腸之源小腸之源腕骨穴也在手外側腕前起骨下陷者中手太陽脉之所過也用長鍼於口中溫鍼先以左手按穴刺可入三分留三呼進二分留一呼徐徐出鍼次以手捫其穴也腎者作強之官伎巧出焉強於作用故曰作強造化形容故曰伎巧在女則當其伎巧在男則正曰作強人強作過失動合於三元八正之日故神失守位也故曰預刺而可全真者也刺其腎之源腎之源出於太谿在足內踝下跟骨之前陷者中足少陰之所過為源用長鍼於口中溫鍼先以左手按穴刺入三分留一呼進一分留一呼徐徐出鍼以手捫其穴三焦者決瀆之官水道出焉引道陰陽開通閉塞故官司決瀆水道出焉決瀆者如四瀆入大海不離其水百川入海只江河淮濟入海不變其道故曰四瀆也三焦決瀆即精與水道不相合也故曰三焦者上中下上焦主內而不出或非內而即內故不守中焦者主腐熟水穀或情動於中人或非動而動是謂孤動者神失守位下焦者主出而不內或當出而不出者故曰神失守位也刺三焦之源三焦之源陽池穴也在手表腕上陷者中手少陽脉之所過也用長鍼於口中溫鍼先以左手按穴刺可入三分留三呼進一分留一呼徐徐出鍼以手捫之也膀胱者州都之官津液藏焉氣化則能出矣位當孤府故曰都官居下內空故藏津液若得氣海之氣施化則溲便注泄氣海之不足則閟隱不通故曰氣化則能出矣人若溲便而合氣注膀胱故精泄氣動水道不宣通故神失守位即可法以全真者方能此為大妙也刺膀胱之源膀胱之源京骨穴也在足外側大骨下赤白肉際陷者中足太陽之所過用長鍼於口中溫鍼

先以左手[illegible]穴刺入三分留三呼進二分留三呼徐徐而出鍼以手捫其穴也只此十二穴者不得相失也失則災害至故不得相失失之則神光不聚故有邪干犯之即天命先刺以全真也是故刺法有全神養真之旨亦法有修真之道非治疾也故要修養和神也神為主養之宗故作先也道貴常存補神固根精氣不散神不守分內三寶即神氣精一失其位三者皆傷三者同守故曰元氣也然則神守而雖不去亦全真神如去即死矣然雖在其體身中而未去者亦非守位而全真也人神不守非達至真神不守即先明不足故要守真而聚神光而可以脩真真而令人無為之道至真之要在乎天玄人在母腹先通天玄之息是謂玄牝名曰谷神之門一名神顓一名上部之地户二名人中之岳一名胎息之門一名通天之要人能志能定喜息人寂隨通天玄牝之息絕其想念如在母腹中之時命曰返天息而歸命迴入寂滅反太初還元胎息之道者也神守天息復入本元命曰歸宗人有諸疾守位之神可入玄中之息而歸命之真全神之道久親也

本病論篇第七十三

黃帝問曰天元九窒余以知之願聞氣交何名失守六氣外降上下交位以五藏天地之常岐伯曰謂其上下外降遷正退位各有

經論上下各有不前故名失守也天元玉冊云六氣常有三氣在天三氣在地也即一氣外天作左間氣一氣入地作右間氣一氣遷正作司天一氣遷正代在泉一氣退位作天左間氣一氣作地右間氣氣交有合常得位所在至當時即天地交通變而方泰也天地不交通作病也是故氣交失易位氣交迺變變易非常即四時失序萬化不安變民病也於是六氣有外不得其外者欲降而不得其降者有當遷正而不得遷正者自當其位而不得退位故有姤此分則天地失其常政故万民不安也帝曰外降不前願聞其故氣交有變何以明知此問窮源用也岐伯曰昭乎哉問明乎道矣氣交有變是謂天地機木欲外上見天柱窒二火欲外上見天蓬窒土欲外上見天衝窒金欲外而上見天英窒水欲外上見天內窒是故天內窒所勝而不前者但欲降而不得降者地窒刑之木欲降而地晶窒刑之火欲降而地玄窒刑之土欲降而地蒼窒刑之金欲降而地彤窒刑之水欲降而地阜窒刑之地九窒法天之象本勝之氣故不降也又有五運太過而先天而至者即交不前運逢陽年於交司之至也至後交勝而不過但欲外而不得其外中運抑之木欲外而中見金運勝之二火欲外而中見水運勝之土欲外而中見木運勝之金欲外而中見火運勝之水欲外而中見土運勝之者皆遇太過[illegible]至其中而先於氣交而抑之不前者也但欲降而不得其降中運抑之然五運逢太過而先至其中故降而不下中運刑之抑之不前也於

是有升之不前降之不下者有降之不下升而至天者有升降俱不前作如此之分別即氣交之變變之有異常各各不同灾有微甚者也是故上下天地之升降交氣有天窒地窒之勝剋中運抑伏淺深是故民病微甚異尔也帝曰願聞氣交遇會勝抑之由變成民病輕重何如欲明其變病之本源之證也歧伯曰勝相會抑伏使然六氣升降迺經論之道也氣交之常也遇會之不常而相投之勝伏抑之成鬱者也是故辰戌之歲木氣升之主逢天柱勝而不前辰戌之歲太陽遷正作司天也即厥陰在地而作右間至此歲而升天作左間也又遇司天深討筭位至天柱窒也木欲升而天柱金司上勝之不前也又遇庚戌金運先天中運勝之忽然不前庚年金運先天至次後十三日始交司天欲升而金運抑之也木運升天金迺抑之或上見天柱窒或中見金運也升而不前即清生風少肅殺於春霜露復降草木乃萎民病溫疫早發咽嗌迺乾兩脇滿肢節皆痛久而化鬱六日不升為日久也木發正鬱至天得左間日迺發作也即大風摧拉折隕鳴紊民病卒中偏痺手足不仁青埃見時風疫乃作民反張肢體直強治之達三俞也是

故巳亥之歲君火升天主窒天蓬勝之不前君火以在地三年至巳亥之歲少陰升天作左間也此可定之也天蓬水司水天元冊用除筭至坎宮除其數者即天蓬至作主司故水窒勝也又厥陰木遷正則少陰未得升天水運以至其中者君火欲升而中水運抑之一即天蓬水司勝一即或水運抑之升之不前即清寒復作冷生旦暮民病伏陽而內生煩熱心神驚悸寒熱間作久日成鬱二七日不降以爲日久也即暴熱迺至赤風腫翳化疫溫癘暖作至天作左間日迺作也民病伏熱內煩痺而生厥甚則血溢也赤氣瘴而化火疫皆煩而躁渴渴甚治之以泄之可止是故子午之歲太陰升天主窒天衝勝之不前太陰在地二年畢一年迺升天作少陰之左間也此即定矣其天衝窒至有法即不可前定之也茹會天衝窒即土不可便升之也故曰升之不前也又或遇壬子木運先天而至者中木運抑之也木升於大寒之日也木早至十三日上故升或遇此二木抑之者土遷抑甚而病深之也升天不前即風埃四起時舉埃昏雨濕不化民病風厥涎潮偏痺不隨脹滿久而伏鬱即十日不升者至以爲日久也即黃埃化疫也間之土鬱之大

殺也民病夭亡臉肢府黃疸滿悶濕令弗布雨化迺微黃埃
起而黃風化疫皆肢體痛而口苦者是故丑未之年少陽升天主窒天蓬勝之
不前少陰在地三年畢至其歲升天作太陰左間也此可前定之也天蓬失筭位取之法不定也或遇之者即水運之可勝之於火故不可使升也
又或遇太陰未遷正者即少陽未升天也水運以至
者即升天不前者有此二抑之者也升天不前即寒雰反布凛冽如終水
復涸冰再結暄暖乍作冷復布之寒暄不時民病伏
陽在內煩熱生中心神驚駭寒熱間爭以久成鬱七二
不降以為日久也即暴熱迺生赤風氣瞳翳至天得位之日迺作化成鬱癘迺
化作伏熱內煩痺而生厥甚則血溢赤氣生而化大疫皆煩而大熱涼燥不可制於
火之鬱甚君火故則乃血溢也是故寅申之年陽明升天主窒天英勝之
不前陽明在地三年畢至此年升天作少陽左間也即經論中乃定矣九室隨天數不足金遇火窒之司勝之不可升天又或遇戊
申戊寅火運先天而至太過歲未交司運先至一十三日金欲升火運抑之
此者遇一即不可升也或二者同會其抑太也升之不前即時雨不降西風數舉鹹

鹵燥生地鹹鹵生白見硝而燥生也民病上熱喘嗽血溢久而化鬱四九不外
火爲日久也即白埃翳霧清生殺氣民病脇滿悲傷寒鼽嚏
嗌乾手折皮膚燥白埃起時殺火生民病嗌燥而咽乾治可刺之也是故卯酉之年
太陽升天主窒天內勝之不前太陽在地三年必此年升天作陽明之左間也即經論定矣升
大即天內從天數法推之也水遇土窒之司勝之不可升之抑而復蘇又遇陽明未遷正者即太陽
未升天也土運以至已酉己卯水欲升天土運抑之或見天內窒土刑勝
之或見土運抑之有一不勝也升之不前即濕而熱蒸寒生兩間民病注
下食不及化久而化鬱十二日不降爲日久也冷來客熱冰雹卒至
民病厥逆而噦熱生於內氣痺於外足䯒痠疼反生
心悸懊熱暴煩而復厥[illegible]熱[illegible]寒痠至皆煩[illegible]悸厥治之可溢也黃帝曰升之
不前余以盡知其旨願聞降之不下可得明乎再欲細明其道
也岐伯曰悉乎哉問之是謂天地微旨可以盡陳斯道
所謂升已必降也一升至天作左間一年二年遷正作司天三年退位作右間四年後降也至天三年

次歲必降降而入地始爲左閒也入地作左閒一年次歲作遷正司地又次歲乃退作右閒也如此升降往來命之六紀者矣三而在天三而在地一氣弗從命乎災害先明其升次窮其降也是故丑未之歲厥陰降地主窒地晶勝之不前又厥陰在天三年次年必降又遇地九窒中迭晶西方兌窒金司勝之不可使入其地也抑之不入乃化成民病也又或遇少陰未退位少陰天數有餘作布政故未退一位也即厥陰未降下金運以至中或遇乙丑乙未中見金抑之也運金承之降而未下抑之變鬱鬱伏之氣降而不下或其民病木欲降下金承之降而不下蒼埃遠見白氣承之風舉埃昏清躁行殺霜露復下肅殺布令久而不降抑之化鬱三日不降八日降不降化風疫也即作風躁相伏暄而反清草木萌動殺霜乃蟄未見懼清傷藏暄和令節大清殺之復布殺霜蒼埃則時民疫至治之吐而得復不可下是故寅申之歲少陰降地主窒地玄勝之不入少陰在天三年四年即降又遇地窒主司地玄窒水司降而不入抑伏化爲民病也又或遇丙申丙寅水運太過先天而至水運太過至其中即少陰降而不下迺成其鬱與民爲其災也君火欲降水運承之降而不

下即形雲纔見黑反生䐜脹如舒寒常布雪凛冽復作天雲慘悽久而不降伏之化鬱二日不降七日降不降即鬱發寒勝復熱赤風化疫民病面赤心煩頭痛目眩也赤氣瘴而温疫作欲作也民皆夜卧不安黄風化疫解可泄也是故卯酉之歲太陰降地主窒地蒼勝之不入太陰在天三年至此年降入地作少陰左間也又遇主窒地蒼窒木司勝之不入也又或少陽未退位者即太陰未得降也或木運以至丁酉丁卯木運承之降而不下即黄雲見而青霞彰鬱蒸作而大風霧翳埃勝折隕迺作久而不降也伏之化鬱十日不降為日久也天埃黄氣地布濕蒸民病四肢不舉昏眩肢節痛腹滿填臆黄風三舉民病濕濕皆痊滿治可大下愈是故辰戌之歲少陽降地主窒地玄勝之不入少陽在天三年畢次年下降入地作太陰左間主地玄窒水司勝不入而化民病也又或遇水運太過先天而至也丙辰丙戌水運符也水運承之降而不下即形雲纔見黑氣反生暄熱欲生冷氣卒至甚即冰雹也久

而不降伏之化鬱二日不降七日降不降即鬱發也冷氣復熱赤風化疫民病面赤煩心頭痛目眩也赤氣彰而熱病欲作也民病夜卧不安黄風化疫解可泄之而愈也是故巳亥之歲陽明降地主窒地彤勝而不入陽明在天三年次年下降入地少陽左間也又遇主窒地彤窒火司勝之不入即化成病也又或遇太陰未退位即少陽未得降即火運以至之癸巳癸亥火運承之不下即天清而肅赤氣迺彰暄熱反作民皆昏倦夜卧不安咽乾引飲懊熱内煩大清朝暮暄還復作久而不降伏之化鬱四日不降九日降不降即鬱發也大清薄寒遠生白氣民病掉眩手足直而不仁兩脇滿目忙忙白氣豐而殺疫至民皆燥而咽乾鼽衄治可制是故子午之年太陽降地主窒地阜勝之降而不入太陽在天三年次年復降入地作陽明左間又過地阜土司勝之不入者也又或遇土運太過先天而至甲子甲午土運承之降而不下即天彰黑氣暝暗悽慘纔施黄埃而布濕寒化令氣蒸濕復令久而不降伏之化鬱

十二日不降者即鬱其發也民病大厥四肢重怠陰痿少力天布沉陰
蒸間作黑氣彰而寒疫至民病皆厥而體重治可益之也帝曰升降不前晰知其宗願
聞遷正可得明乎晰明也岐伯曰正司中位是謂遷正位
司天不得其遷正者即前司天以過交司之日以過大寒日別歲正之
初氣未至也即過司天太過有餘日也即仍舊治天數新司
天未得遷正也年即以交即司天之氣未交司故也厥陰不遷正即風暄不時
花卉萎瘁民病淋溲目系轉轉筋喜怒小便赤太陽司天天數
有餘如退位之日厥陰治得遷正也風欲令而寒由不去溫暄不正春正失時
雖得初氣天令不傳本氣不申民迺病肝少陰不遷正即冷氣不退春冷後寒暄
暖不時民病寒熱四肢煩痛膂脊強直厥陰司天天數有餘厥陰雖有餘日別位
司天昔天數終日始遷正如少陰至二月春分得位正之時乃造變化便可遷正乃合司天也木氣雖有餘位不過
於君火也木氣有餘數不盡有餘日復治天治數未終遇君火得時化春分日便可遷正木猶未退即可同治於天也其餘氣皆無此也
太陰不遷正即雲雨失令万物枯燋當生不發民病

手足肢節腫滿大腹水腫塡臆不食飧泄脇滿四肢不舉少陰司天天數未終故曰太陰不得天正少陰數終可得遷正也雨化欲令熱猶治之溫煦於氣元而不澤少陰有餘未盡天數故不退位即太陰未得遷正即土氣不申乃民病於脾也少陽不遷正即炎灼弗令苗莠不榮酷暑於秋肅殺晚至霜露不時民病痎瘧骨熱心悸驚駭甚時血溢雖有寅申之年土尚治之退位之日火行酷暑於後故涉暑於秋也陽明不遷正則暑化於前肅於後草木反榮民病寒熱鼽嚏皮毛折爪甲枯焦甚則喘嗽息高悲傷不樂少陽司天天數有餘如退位日陽明始遷正也熱化乃布燥化未令即清勁未行肺金復病雖得卯酉之年猶火化熱之令也故肺重復受病太陽不遷正即冬清反寒易令於春殺霜在前寒冰於後陽光復治凜冽不作雰雲待時民病溫癘至喉閉嗌乾煩燥而渴喘息而有音也陽明司天天數有餘退位曰太陽遷正故多煩燥渴喘者也寒化待燥猶治天氣過失序與民作災雖得辰戌之年猶尚清化治天故失序也帝曰遷正早晚

以命其旨願聞退位可得明哉岐伯曰所謂不退者即天數未終天數未終其氣仍治雖遇交司由未退位也即天數有餘名曰復布政故名曰再治天也即天令如故而不退位也此治天下過而不退位猶在天厥陰不退位即大風早舉時雨不降濕令不化民病溫疫疵廢風生民病皆肢節痛頭目痛伏熱內煩咽喉乾引飲厥陰天數有餘在木數之上司天氣高而災化善也令作布政而後下災故及甚之者也少陰不退位即溫生於春冬蟄蟲早至草木發生民病膈熱咽乾血溢驚駭小便赤澁丹瘤𤺋瘡瘍留毒少陰天下有餘過歲而復作布政天令酷災矣太陰不退位而取寒暑不時埃昏布作溫令不去民病四肢少力食飲不下泄注淋滿足脛寒陰痿閉塞失溺小便數太陰天下有餘過歲而猶尚治天其氣後下矣病乃發也少陽不退位即熱生於春暑迺後化冬溫不凍流水不冰蟄蟲出見民病少氣寒熱更作便血上熱小腹堅滿小便赤沃甚則

血溢少陽天數有餘至[illegible]歲已交[illegible]甚則氣復下其災至脾肺甚也陽明不退位即春生清冷草木晚榮寒熱間作民病嘔吐暴注食飲不下大便乾燥四肢不舉目瞑掉眩陽明天数太過至交歲而猶尚治天氣復降其災至甚於肝藏也太陽不退位即春寒復作冰雹迺降沉陰昏翳二之氣寒猶不去民病痺厥陰痿失溺腰膝皆痛溫癘晚發太陽天數有餘至巳亥歲猶尚治天四時失政灾矣甚乃於心藏也帝曰天歲早晚余以知之願聞地數可得聞乎岐伯曰地下遷正升及退位不前之法即地土產化萬物失時之化也即應之生万物之不時數先次序天令与民作災今言於、上下二干失移之中者也帝曰余聞天地二甲子十干十二支上下經緯天地數有迭移失守其位可得昭乎同天地二甲子有上下不合其德者為失守也岐伯曰失之迭位者謂雖得歲正未得正位之司即四時不節即生大疫天地不合德即名天地失節即上下二管音不相應也即大不与天主失節上下失音万物不安也注玄珠密語云陽年三十年除六年天刑計有太過

二十四年除庚子庚午君火刑金運庚寅庚申相火刑金運戊戌戊辰太陽刑火運也此為与其天地氣上臨中運不得太過者也除
此六年皆作太過之用令不然之旨然即太過作陽年中運餘也忽有上下失支迭
位故不為者也今言迭支迭位皆可作其不及也陽年者運太過也五音皆定者太音也運假
自勝有餘而无邪傷故名正化沒也其剛干不相對柔干即上下不相招即陰陽相錯天地不合德中運雖陽多而作太過故有勝復乃至者也
令甲子陽年土運太窒上太過即運傷鱗蟲勝及腎藏氣不及土勝於水也即黃鍾之管音高故曰太窒也候甲
子之氣應者上應鎮星大而明也如癸亥天數有餘者年雖交得甲子甲雖臨子
未得遷正厥陰猶尚治天年雖甲子司天尚化風冷厥陰猶復布正於天也地已遷正陽明
在泉或名司地即數高者去歲少陽以作右間癸亥司地少陽退位以作地下之右間氣者也即
厥陰之地陽明故不相和奉者也故曰上下不相招陰陽有相錯即癸与已相對故天地不
合德即以不合甲也癸巳相會土運太過虛反受木勝故非太過也
何以言土運太過況黃鍾不應太窒木既勝而金還
復金既復而少陰如至即木勝如火而金復微也謂少陰見
厥陰退位而少陰立至故金欲復而火至故復有必過如此即甲己失守後三年化成土

疫晚至於卯（甲子至丁卯四年至）早至丙寅（甲子至丙寅三年至）七疫至也（至於四[illegible]至）大小善惡推其天地詳乎太一又只如甲子年如甲至子而合應交司而治天（少陰主甲子年司天遷正應時也）即下己卯未遷正而戊寅少陽未退位者亦甲己下有合也（即甲与戊相對子与寅配）即土運非太過而不迺承虛而勝土也金次又行復勝之即反邪化也（即勝之小而或不復後三年化癘名曰土癘其狀如土疫者本是自天來癘從地至故反化邪生也）陰陽天地殊異尔故其大小善惡一如天疫之法旨也

假令丙寅陽年太過如乙丑天數有餘者雖交得丙寅（雖丙得寅猶未遷正而作司天）太陰尚治天也地已遷正厥陰司地（或作在泉）去歲太陽以作右間（乙丑司地庚辰以退位而作右間）即天太陰而地厥陰故地不奉天化也（即上下不相招陰陽有相錯即丙与乙不相合故不合其德也）乙辛相會水運太虛反受土勝故非太過即太簇之管太羽不應土勝而雨化木復即風（即天地非其時而有其氣有作大疫即与陰陽復不同也）此者丙

辛失守其會後三年化成水疫晚至巳巳（丙寅至己巳四年）早至戊辰（丙寅至戊辰三年）甚即速微即徐（徐至巳巳）水疫至也大小善惡推其天地數及太一遊宮又只如丙寅年丙至寅且合應交司而治天（少陽至而作司天應時遷正）即辛巳未得遷正而庚辰太陽未退位者亦丙辛不合德也（即丙與庚相對辰與寅相配位也即水運非太過也）即水運亦小虛而小勝或有復（丙寅至也即無復也）後三年化癘名曰水癘其狀如水疫（一名寒疫）法治如前假令庚辰陽年太過如己卯天數有餘者雖交得庚辰年也（雖庚臨辰猶未遷正）陽明猶尚治天地以遷正太陰司地（卯是在泉）去歲少陰以作右間（己卯年地甲午以退少陰作右間也）即天陽明而地太陰也故地不奉天也乙巳相會金運太虛反受火勝故非太過也即沽洗之管太商不應火勝熱化水復寒刑（此天地非時行不節之令三年始成大疫行天下也）即此乙庚失守其後三年化成金疫也速至壬午（庚辰至壬午三年）

（年有其遲速至）徐至癸未金疫至之也大小善惡推本年天數及大一也（疫至之年又遇失守其大也若見五福及君綦其大且惡死人大半也如卻會合德者小亦如見五福與君綦太一者其災且小善戒其半也）又只如庚辰如庚至辰且應交司而治天（太陽主南政年司天應此）即下乙未未得遷正者即地甲午少陰未退位（遷正而治天也）者且乙庚不合德也（即甲庚相對辰午相配此名失守非配太過）即下乙未干失剛亦金運小虛也有小勝或無復（太陰至未即不復也）後三年化癘名曰金癘其狀如金疫也（金疫又名殺疫金癘又名殺癘）治法如前假令壬午陽年太過如辛巳天數有餘者雖交得壬午年也（雖王臨午猶未遷正）厥陰猶尚治天地巳遷正陽明在泉（丁酉治地）去歲丙申少陽以作右間（壬午年丁酉遷正辛巳年丙申退位也）即天厥陰而地陽明故地不奉天者也（陽明當奉少陰不與厥陰奉也故丁酉與辛巳不相合德也）丁辛相合會木運太虛反受金勝故非太過也即蔟賓之管太角不應金行燥勝火化熱復（此天地非時行不節之氣即三年始成大疫）甚即

之官神明出焉心先有病又遇天虛而感天重虛也心者任治於物故爲君主之官淸靜栖靈故曰神明出焉神失守位即神遊上丹田在太一帝君泥丸君下太一帝君在頭曰泥丸君揔衆神也君主之官神明失守其位遊於此處不守心位神既失守神光不聚神光即飛圓光也圓光不聚即圓光缺矣即鬼邪陰尸干人却遇火不及之歲有黑尸鬼見之令人暴亡其火運不及非只癸年戊年失守亦然火司天數不及亦然也黑尸鬼形如黑犬頭似婦人鬚蓬不墡目大人見之吸人神鬼皆作大聲卒然而亡人飲食勞倦即傷脾即飲食飽房事即氣滯於脾以勞役氣滿悶脾藏有病也又或遇太陰司天天數不及即少陽作接間至即謂之虛也人氣與天氣不及即感天人氣及又虛也此即人氣虛而天氣虛也又遇飲食飽甚汗出於胃醉飽行房汗出於脾脾胃汗出即精血減少感天虛而作三虛脾神失守其位因而三虛脾神失守先有病於脾次遇天虛脾感天重虛又遇汗出而減其精血乃故名三虛也脾爲諫議之官智周出焉脾者心之子心有所憶謂之意中所出謂之智智周万物謂之神即脾胃中意智乃故失守其位者也神既失守神光失位而不聚也神光不聚鬼邪干之却遇土不及之年或己年或甲年失守或太陰天虛有青尸鬼見之令人卒

亡人久坐濕地強力入水即傷腎汗出於腎即精血減少故作三虛即精亡心神失守其位也腎為作強之官伎巧出焉因而三虛腎神失守神志失位神光不聚神精志三神虛失位遊於黃庭司命君之下乃即圓光缺矣却遇水不及之年或辛不會符或丙年失守或太陽司天虛有黃尸鬼至見之令人暴亡有此三虛又遇水不及即黃尸鬼干人牛頭身黃見之時吸人神魂皆暴亡也人或恚怒氣逆上而不下即傷肝也又遇厥陰司天天數不及即少陰作接間至是謂天虛也肝先病又遇天虛而感重虛也此謂天虛人虛也又遇疾走恐懼汗出於肝肝為將軍之官謀慮出焉神位失守神光不聚神光不聚即圓光缺而不周尸鬼乃干人也又遇木不及年或丁年不符或壬年失守或厥陰司天虛也有白尸鬼見之令人暴亡也有此三虛者即神遊失守白尸鬼干人頭如雞身白有白毛見之吸人神魂皆卒然而亡也已上五失守者天虛而人虛也神遊失守其位即有五尸鬼干人令人暴亡也謂之曰尸厥但卒然而

亡口中無涎者舌不卵縮厥也若涎而舌卵者盛厥也人犯五神易位即神光不圓也非但尸鬼即一切邪犯者皆是神失守位故也神失守位雖其體中而二氣失位也即神光不聚邪鬼犯之有妖魅交通往来皆是五神失守乃為所也此謂得守者生失守者死得守者本位而五神各得其居為神九圓明而聚矣故一切邪不犯之乃故生也得神者昌失神者亡老子云氣来入身謂之生神去於身謂之死故曰命猶神主命生神在即命生神去即命夭矣所謂神游失守即不離身故不可使死也其主管在頭上三尊高位靈主言也即太一帝君在頭曰泥丸總神也無英君左制三魂也白元君右俱七魄也即魂為陽神也魄為陰鬼若無上三虛主之神離位者死今五神失少亦有主歸即神光不聚圓光亦缺故邪干犯之若神失守其位即知人生神昌

黃帝內經素問亡篇終